CW01065243

Senderos de savia

Un viaje por las vías que nos conectan con las plantas

SENDEROS DE SAVIA

Un viaje por las vías que nos conectan con las plantas

por
Aina S. Erice

Ilustraciones de Gavina Ligas
Prólogo de Ruth Jaén Molina

Primera edición: septiembre de 2021

Diseño de cubierta: Mabel Moreno Navarro

Volumen impreso tras recibir tu pedido, en las instalaciones disponibles más cercanas a ti
La impresión bajo demanda permite ahorrar papel, energía y costes de almacén y transporte.
El planeta, creo yo, nos lo agradece :)

ISBN: 979-12-200-9385-9
Versión digital también disponible

A las maravillosas personas en mis círculos de apoyo en Patreon:

Nuez (*Juglans* sp.)
Almendra (*Prunus dulcis*)
Sésamo (*Sesamum indicum*).

Sois la llama que ilumina mi esperanza verde clorofila.

Mapa de viaje

V
VI
VII
VIII

Guía de viaje
Sumario

❦

Prólogo

Después de leer la introducción de este libro, supe que no hacía falta un prólogo para animar a su lectura porque ya la autora transmite a las mil maravillas su propuesta y apuesta, y lo hace de manera impecable, decidida, deliciosa y llena de sensibilidad. Algo que no me sorprende, porque es seña de identidad del universo creativo de Aina S. Erice.

En la mencionada introducción, Aina va dejando caer términos y palabras como quien va señalando con migas de pan el camino que debes recorrer: «vegetófilo», fascinación, paseo guiado, «savidur\u00eda», red de fibras, huellas... Al final de la misma, define su libro como un viaje y ¡no puedo estar más de acuerdo con ella!

Desde hace años, me siento orgullosa de formar parte de la «tribu vegetófila» de Aina y por eso es un honor poder hablar de la autora y su obra, pues la admiro muchísimo, tanto por su calidad humana como profesional. Todo comenzó con un cumpleaños en el que mi marido, con su maravillosa intuición, me regaló *La invención del reino vegetal*. Con este libro, el primero de Aina, de manera sorprendente inicié el camino hacia una amistad que ha sido enriquecedora en muchos niveles. Creo que la mayoría estaremos de acuerdo en que es mejor caminar en la vida acompañados, recorriendo senderos juntos, y les aseguro que hacerlo de la mano de Aina y al compás de sus pasos, convierte cada paseo en una aventura tremendamente transformadora. Es un deleite recorrer el mundo vegetal con alguien que, además de apreciar y ver la belleza donde otros no somos capaces, tiene la inteligencia para comprender y conectar de una manera profunda cada planta con nuestra propia existencia. Aina S. Erice no solo no deja que el bosque le impida ver el árbol, sino que sabe poner el foco en ese aspecto, detalle, cualidad de cada planta para que hasta la más «sencilla» brille con luz propia, devolviéndole así a la naturaleza todo su resplandor.

Cuando mi labor como investigadora me lo permite, trato de dedicar tiempo a divulgar porque cada día estoy más convencida de que para lograr conservar las especies y los espacios que habitan, además de disponer de datos científicos rigurosos, necesitamos educar, y hacerlo emocionando. La pasión de Aina S. Erice por el reino vegetal es el hilo conductor de su obra y su amor por las palabras es la aguja donde lo enhebra, tejiendo historias que a su vez tejen vínculos con la naturaleza, en una atmósfera sugerente, inspiradora y llena de materia prima para la reflexión. En este libro Aina lo vuelve a conseguir, ya que en los senderos que crea fluyen savia y «saviduría». Sus palabras nutren, cultivan asombro y siembran conciencia con una narrativa vitalista y comprometida. Sus textos rebosan claridad, inteligencia, y expresan de forma sencilla lo complejo. Además, tiene la admirable capacidad de entrelazar datos, anécdotas, curiosidades, enigmas y nadar como pez en el agua en vastos océanos de conocimiento, de forma que unas veces se baña en la biogeografía, la genética, la taxonomía o la botánica y, en otras ocasiones, cruza la orilla para empapar sus textos de etnobotánica, arte o datos históricos. Todo ello, a la vez que se sumerge en diferentes lenguas y culturas, enlazando el pasado con el presente y el futuro.

Entender el reino vegetal es fascinante y aprender desde la emoción solo puede llevarte a amarlo, por eso no puedes dejar de aceptar la invitación de esta maravillosa escritora y divulgadora y recorrer sus *Senderos de savia* para cruzar campos de cereales y girasoles; adentrarte en bosques de fresnos y eucaliptos; continuar subiendo hacia las cumbres para embelesarte con los brezos, el mirto o el enebro común, o para bañarte en los ríos junto a los olmos y sauces, o en compañía de alisos y nenúfares.

Aina S. Erice también nos invita a explorar mundos imaginados a través de leyendas y simbolismos, y nos transporta a una realidad que parece de cuento descubriéndonos que, en el mundo vegetal, la realidad muchas veces supera a la ficción.

El mundo actual está siendo gravemente afectado por las devastadoras consecuencias de la pandemia, pero también por otras catástrofes como el cambio climático, la crisis ecológica y la desigualdad social, que nos colocan bajo la oscura sombra de varios colapsos amenazantes. Todo ello hace que la labor y el empeño de Aina de arrojar luz sobre lo esencial, se revele como aún más importante y de gran mérito. Por esa razón no puedo coincidir con ella cuando dice: «Por suerte o por desgracia, a mí me encanta hablar de cosas poco prácticas (leyendas, anécdotas curiosas pero a menudo inútiles...)», porque ¿cómo puede ser inútil crear caminos de concienciación ecológica, abrir los ojos a ese mundo que ella tan bien percibe y describe?, ¿cómo puede ser poco práctico explicar la conexión tan estrecha que existe entre todos los seres vivos, y de estos con el entorno que los rodea, para recordarnos que sin el reino vegetal no tenemos futuro?

La habilidad de Aina para despertar en otros la empatía y los sentimientos de amor por la naturaleza, de enseñarnos a redescubrirla, se me antoja muy en la línea de la *Pedagogía Verde* que la gran educadora, psicóloga y filósofa Heike Freire lleva más de 20 años defendiendo. Una de las propuestas de Freire es que «para resolver eficazmente los problemas medioambientales, debemos avanzar desde una pedagogía de la conservación y la sostenibilidad hacia una pedagogía de la reconexión» y, sin duda, Aina S. Erice sabe cómo reconectarnos con la biodiversidad y los entornos que la cobijan.

Por ello, solo me queda darle las gracias a Aina por su implicación, por regalarnos una manera distinta de hacer divulgación, basada en un proceso de documentación exhaustivo y serio, pero combinando rigurosidad con pasión, emoción y sensibilidad. Gracias por regalarnos otro gran viaje, un viaje luminoso, un viaje por los matices en verde que colorean los distintos paisajes exteriores, ofreciéndonos una nueva paleta de colores con la que pintar nuestros paisajes interiores. Gracias por pellizcarnos el corazón y la memoria, «tocándonos la fibra» mientras recorremos todo tipo de senderos para descubrir las maravillas escondidas en un grupo de plantas perdidas. Gracias por darnos la oportunidad de ver la belleza, la magia y la fragilidad del mundo a través de tu mirada. Una mirada curiosa, minuciosa y amable, cargada de amor, de esperanza y sobre todo de respeto a la vida en todas sus formas.

¡Gracias por enseñarnos a mirar el mundo!

Estoy convencida de que este libro no solo es un gran antídoto para combatir la *ceguera vegetal*, sino que puede ser un motor para promover los cambios que el mundo necesita.

Ruth Jaén Molina

Introducción
Aventurarse entre senderos de savia: ¿por qué?

Quizás existan personas que, al echar la vista atrás para contemplar sus últimos diez años, vean que el trazado de sus vidas se corresponde *exactamente* con lo que habían imaginado sucedería. Tenían un plan detalladísimo, y se ciñeron a él con el más extremo de los celos: toda decisión, todo proyecto, todo encuentro fortuito con una vieja amistad, toda pandemia o crisis mundial... todo estaba contabilizado. Todo se ha desarrollado tal y como preveían.

Este no es mi caso —y probablemente tampoco el tuyo, dado que, si algo ha demostrado la humanidad a lo largo de trescientos mil años de existencia, es que predecir el futuro se nos da fatal—.

Si hace diez años me hubiesen dicho que cantar las maravillas del reino vegetal se convertiría en mi vocación a tiempo (casi) completo, me hubiese reído hasta el dolor de estómago.

De igual modo, este libro no estaba planeado, sino que se trata del improbable vástago de un experimento que nació con la primavera boreal de 2019: un pódcast, programa de audio independiente y distribuido de forma libre a través de internet, que titulé *La senda de las plantas perdidas*, y cuyos primeros capítulos grabé con un móvil (convenientemente embutido en dos calcetines) arrebujada dentro de un armario.

Su objetivo: dar voz a nuestras historias de amor —y desamor— con las habitantes del reino vegetal, con la esperanza de contagiar la fascinación por las plantas a cuantas más personas, mejor.

El motivo es sencillo: *Homo sapiens* necesita curarse urgentemente de una condición conocida como *ceguera verde*. Este fenómeno se describió formalmente en 1998, pero nos acompaña desde que existimos como especie, y no ha hecho más que acentuarse en los últimos tiempos. Es ella la que dirige nuestra mirada hacia la mariposa e ignora la planta sobre la que se posa, la que filtra la presencia de clorofila en nuestro entorno como rumor de fondo, indigno de nuestras atenciones.

Esta falacia creada por nuestro cerebro —maestro ilusionista donde los haya, además de tremendamente ahorrador— nos ha sido muy útil a lo largo de nuestra historia: al fin y al cabo, el aborigen que se quedó embelesado ante una laguna de nenúfares y no vio venir al cocodrilo acabó mal. Sin embargo, los principales peligros a los que nos enfrentamos hoy en día no son cocodrilos precisamente: cambio climático, pérdida de biodiversidad, ecosistemas (de los que formamos parte, aunque a veces lo olvidemos) cada vez más frágiles y vulnerables... Y se da el caso paradójico de que la ceguera verde, que tanto nos ha ayudado, ha dejado de sernos útil. Es más: sus efectos secundarios aumentan el riesgo de colapso. Las consecuencias de no ponerle remedio jamás han sido tan grandes, y tan graves. Ya no podemos permitirnos el lujo de no prestarles atención.

Hace años que acuñé el término *vegetófilo* para referirme a aquella persona que cultiva una curiosidad afectuosa hacia las plantas y sus variados papeles en nuestras vidas, tanto materiales (sirviéndonos de alimento, medicina, tinte, etc.) como imaginados (simbólicos, rituales, etc.). Entonces no era del todo consciente de ello, pero ahora estoy convencida de que el siglo XXI necesita a muchísimas personas vegetófilas, y las necesita con urgencia. La buena noticia es que para ello no es necesario mudarse a una casa en un árbol, afiliarse a Greenpeace y renunciar a los yogures o a los bistecs para siempre*.

* Evidentemente que también puedes hacer cualquiera de esas cosas, faltaría más. Y si te mudas a una casa en un árbol, cuéntame qué tal...

Basta con dejarse seducir un poquito por una planta, y a su lado emprender un paseo guiado por el respeto y la curiosidad. Pues ahí, en la historia que cada planta tiene que contar, empieza un sendero de savia.

El concepto del camino es muy poderoso.

Filosofías y religiones, literatura y geografía y paisaje, todos han hablado de vías y caminos, ya sea en sentido literal o figurado; como bien sabemos, su uso metafórico puede estar ahíto de trascendencia y grandes pretensiones (sobre todo cuando lo escribimos en mayúscula y en singular). Los caminos que te propongo en este libro, en cambio, tienen aspiraciones mucho más modestas.

En primer lugar, los imagino como *senderos*; no pretendo ofrecerte una guía para hacer autostop en las autopistas de la información, sino más bien extender una invitación para reivindicar y recuperar esas sendas secundarias que aparecen diminutas en los mapas y que jamás han visto ni gota de asfalto. Las que deben saborearse despacio, a paso amable. Las que tanto se parecen a nuestras vidas, que recorremos a pie, y en un estado de incertidumbre semiconstante: tortuosas, que discurren en terreno (más o menos) escabroso, y que nos deparan mil y una sorpresas detrás de cada curva.

Las llamo *senderos de savia*, porque no los hemos trazado nosotros solos. Estas sendas no son los garabatos que la humanidad ha escrito sobre la tierra con sus pies, sino la red de fibras vegetales que las plantas han tejido conviviendo a nuestro lado, un tejido rebosante de savia que enlaza y abraza a todas las culturas humanas a través del tiempo y del espacio. Emprender cualquiera de las sendas que conforman la red te permite zambullirte en un viaje interminable repleto de emoción, sorpresa, intriga, dolor, maravilla. Todo intento de dar forma con palabras a uno de estos senderos debe sacrificar parte de su complejidad, pues ninguno de ellos es una fibra única, sino un trenzado de fibras que se ramifican en todas direcciones —*detalles bioquímicos recién descubiertos, leyendas ancestrales al borde del olvido, peculiares empleos gastronómicos o medicinales, creencias populares...*— hasta abarcar lo inabarcable. Plasmar en un mapa todos los senderos de savia que han existido, existen o existirán es tarea fútil que solo podría concluirse, tal vez, en un cuento de Jorge Luis Borges.

Las siguientes páginas cubren un terreno mucho más comedido, limitado a unas cuantas decenas de plantas y a sus historias, que te invitan a emprender un viaje por esta red de senderos de savia. Las palabras y la imaginación son medios de transporte tremendamente económicos, poco contaminantes, y permiten cubrir distancias espectaculares en un abrir y cerrar de ojos.

Al tratarse de un libro-viaje que se desarrolla de forma secuencial, mi propuesta de itinerario es lineal y tiene un recorrido preciso: nos levantaremos antes de que cante el gallo y nos prepararemos para la partida —*Amanece en el jardín* (I)—, que nos llevará a atravesar dorados *Campos matutinos* (II) hasta llegar a orillas de un lago. Tras un refrescante *Baño en verde* (III) habrá que *Adentrarse en la espesura* (IV) y cruzarla a buen paso para pasar el *Mediodía en las cumbres* (V); remolonearemos un rato antes de zambullirnos de nuevo en los *Abrazos silvanos* (VI) del bosque durante nuestro descenso, y veremos cómo *Atardece sobre el río* (VII). La luna iluminará nuestros pasos —cansados pero satisfechos— al navegar por las *Campiñas crepusculares* (VIII) hasta cruzar por fin el umbral de nuestros huertos y jardines de *Regreso* (IX) a casa.

Y durante todo el recorrido enhebraremos planta con planta, historia con historia, engarzando senderos de savia y palabras con la esperanza de que el viaje sea tan entretenido y enriquecedor para ti como lo es para mí.

Tras muchos años de senderear una ínfima parte de esta red de caminos, sospecho que quien la transita puede llegar a desarrollar una clase de conocimiento afectuoso muy peculiar (¿podríamos quizás llamarlo *saviduría*?), que podría revelarse un poderoso antídoto para sanar la ceguera verde.

Y confío en que, cuanto más *savios* seamos los seres humanos, más leves y respetuosas serán las huellas que dejemos sobre la Tierra.

Avisos y recomendaciones antes del viaje

Hay muchas formas de explorar un paisaje más allá de la ruta principal llena de indicaciones. Puedes perderte por senderos secundarios, hallar conexiones inesperadas entre lugares aparentemente lejanos... De ahí que este libro incluya un *Mapa* y una *Guía de viaje* a modo de sumario. Indicar la existencia de atajos y caminos secundarios en un texto impreso es complicado, pero no imposible: he dejado señalizadas las conexiones más obvias o interesantes (a mi juicio, al menos) en notas a pie de página. Si encuentras un nombre destacado **en negrita**, te indica que esa planta protagoniza alguna de las etapas de nuestro recorrido.

Como ya he comentado, este libro está basado en el pódcast *La senda de las plantas perdidas** (más concretamente, las primeras tres temporadas del programa); de ahí que las protagonistas que aparecen aquí sean las mismas, así como la mayor parte de la información incluida. El tono y estilo literario, mucho más informal que en mis otros libros, también se inspiran en el pódcast.

Sin embargo, las páginas siguientes no son una copia exacta de *La senda*: encontrarás muchas más cosas en estos senderos de savia, desde detalles e informaciones extra que no aparecen en el pódcast —algunas completamente originales y preparadas ex-profeso para el libro— hasta una larga y exhaustiva bibliografía (que no tiene cabida en un pódcast de divulgación, pero que es imprescindible en un libro).

* Libremente accesible en la web http://senda.imaginandovegetales.com

Si conoces el pódcast, ya sabes que los senderos que recorreremos a lo largo de estas páginas no te proporcionarán una guía de identificación y uso de plantas silvestres comestibles, o medicinales, o tintóreas, o lo-que-sea. Por suerte o por desgracia, a mí me encanta hablar de cosas poco prácticas (leyendas, anécdotas curiosas —pero a menudo inútiles—, usos pretéritos o folklóricos de efectividad no siempre demostrada, etc.), y este libro es un reflejo de mis gustos y mi enfoque personal.

Por ello, si lo que te interesa es la etnobotánica práctica, mejor buscar en otro lugar. Puedo dirigirte hacia otro libro de divulgación vegetófila donde aparecen dos tercios de las plantas incluidas aquí —y ochenta más—, con su descripción botánica y principales usos materiales: *El libro de las plantas olvidadas*[*] (Ariel, 2019). Con todo, cuidado: al no tener yo formación alguna en medicina o farmacia, cualquier mención a usos medicinales de tal o cual planta es un ejercicio académico, y no implica que esté recomendando o validando en modo alguno su eficacia. Si te interesa la cuestión, por favor, consulta a un(a) profesional.

El viaje que te propongo aquí se adentrará en territorio científico, histórico, mítico, literario, lingüístico... sin otra pretensión que la de disfrutar explorando la fascinante red de senderos que hemos creado junto a las plantas.

Si te seduce la idea, prepara el equipaje y descansa bien esta noche, porque nos pondremos en camino al volver la página, antes de que amanezca.

* Pese a incluir especies de flora presentes en Hispanoamérica, el foco del libro es el territorio español. Puedes descargar el índice y ver si te interesa en www.ainaserice.com/librodelasplantasolvidadas.

I

Amanece en el jardín

El cielo aún está oscuro cuando la aventura llama a tu puerta, invitándote a dejar atrás el cobijo de tu cómoda guarida animal, y a seguirla.

Con las botas bien atadas, el petate a la espalda y el bastón de andar en mano, la primera puerta que debemos atravesar es el linde del hogar. Al otro lado de la puerta yace el principio del viaje —y, durante milenios, esos pasos inaugurales se daban en un huerto o un jardín, aún al amparo de nuestras certezas, nuestro viejo modo de mirar el mundo.

Huertos y jardines son pedacitos de tierra donde volcamos nuestros deseos de forma más intensa y constante. Son una danza a cámara lenta entre voluntades humanas, vegetales y animales, un espacio donde se forjan alianzas y se libran combates.

También son espacios de aprendizaje donde poder entrenar la mirada y adquirir habilidades en un entorno seguro antes de volar fuera del nido y aventurarse en el ancho mundo.

Por ello, antes de abandonar por completo el huerto humanizado, aprovecharemos para hacer hincapié en tres lecciones que nos servirán para el resto del viaje, y para ello nos acercaremos a tres plantas distintas. Escucha bien lo que van a contarte...

1

La lección de los acerolos: *La palabra es importante*

Quizás hayas oído hablar del acerolo, de sus extraordinarias propiedades antioxidantes, de su sabor agridulce, de sus bellas flores.

Quizás hayas oído maravillas acerolísticas... y las hayas atribuido al acerolo que no es.

He aquí un conflicto de personalidades —o, más bien, identidades— múltiples: pues «acerolo» no es una única planta (ni siquiera un grupo de plantas afines y del mismo linaje botánico). Las acerolas eurasiáticas no tienen *nada* que ver, botánicamente hablando, con las acerolas americanas, y son un ejemplo muy claro de por qué es esencial prestar atención a los nombres que empleamos para nombrar la realidad.

He experimentado en numerosas ocasiones la maravillosa sensación de descubrir una palabra nueva, que define un ser u objeto que hasta entonces me había resultado anónimo: al aprender la palabra, aprendo a mirar a mi alrededor con ojos distintos.

Imagino al lenguaje como un haz de luz que *ilumina* la realidad —un haz potente ni difuso ni inocente—, que resalta ciertas cosas y otras las esconde; dirige nuestra atención y, por tanto, moldea nuestra percepción.

Tanto es así que nuestros sentidos perciben la realidad con mayor fineza cuando son capaces de nombrarla.

Los nombres de los seres y de las cosas atesoran riquezas culturales, facilitan nuestra comprensión, cuentan historias.

Todas las culturas que han convivido con plantas han inventado vocabularios para nombrarlas: *arraclán*, *patata*, *zapallo*, *cáñamo*, *manzano*, *zapatitos de la Virgen*... son lo que conocemos como *nombres comunes*, un bellísimo fruto de la relación entre nosotros y las habitantes del reino vegetal, que varían en función del idioma, del país, de la región o incluso del pueblo que se tome en consideración.

Y esa fantástica variabilidad es exactamente lo que puede dar pie a equívocos colosales cuando un mismo nombre común se asocia a distintas plantas (o una misma planta colecciona una caterva de nombres comunes distintos). Puede pasarnos que, tras media hora de animadísima conversación, de repente nos demos cuenta de que mi *algarrobo* no es igual que tu *algarrobo*, mi *acerola* es distinta de tu *acerola*. Porque a veces, aun siendo muy bellos y dignos de ser conservados, por sí solos no son suficientes: junto a la poesía del nombre común es necesario el rigor del nombre científico, que otorga a cada planta una etiqueta específica, única e intransferible. En esta etiqueta figuran dos palabras: la primera corresponde a su género (que puede compartir con sus hermanas más estrechas), y la segunda a su epíteto específico (que concreta más su identidad).

Con un nombre científico en mano, ya no cabe duda alguna: «algarrobos» puede haber muchos, pero *Prosopis nigra* no hay más que uno.

Pero... ¿de verdad hace falta ponerse así de tiquismiquis por un *nombre*? ¿Qué importancia tiene?

La respuesta es que, en muchísimas ocasiones*, sí hace falta. Y respecto a su importancia, deja que te cuente el curioso caso de las múltiples personalidades del acerolo...

* Y en el resto, personalmente creo que sería deseable, pero entiendo que incluir «*Nymphaea caerulea*» en un verso de poesía es complicado —y quizás exagerado también—.

Cuando el mes de octubre toca a su fin y se acerca la víspera de Todos los Santos, muchos hogares mexicanos adornan con esmero sus altares para celebrar el Día de los Muertos.

De los muchos elementos vegetales que se emplean a tal fin, nos fijaremos en uno: los frutos y varas de tejocote, nombre que en sentido estricto se aplica a la especie *Crataegus mexicana*, y más ampliamente a otros *Crataegus* mesoamericanos. Apreciados desde tiempos prehispánicos, estos frutos se emplean hoy como decoración en altares y rosarios, pero también para elaborar ponches y dulces varios, además de incluirse en las piñatas tradicionales de Navidad.

Los frutos de tejocote, agridulces y muy aromáticos, tienen aspecto de pequeñas manzanitas de color amarillo verdoso, anaranjado o rojizo. Esta es la forma típica que encontramos en los miembros de su género, los *Crataegus*, cuyas más de 250 especies se extienden por todo el hemisferio norte; por ello, no sorprende que un hermano suyo que crece en la cuenca mediterránea, *C. azarolus*, saque frutos muy parecidos, que conocemos como *acerolas*.

Las acerolas también son fruta de otoño, comestible y crujiente, de sabor agradable con un punto agridulce; no han protagonizado, sin embargo, ningún ritual festivo de una magnitud similar al Día de los Muertos (de hecho, maduran ya en septiembre y se agusanan con facilidad, con que difícilmente encontrarás acerolas en el árbol a principios de noviembre).

Y, a pesar de su discretísimo papel en los huertos y despensas mediterráneos, su nombre común ha sido notablemente promiscuo. Incluso sin movernos de la península ibérica, encontramos regiones donde los «acerolos» no son *Crataegus azarolus*, sino otros parientes dentro de su misma familia, las rosáceas, que sacan fruto con aspecto de manzanita agridulce (como los jerbos, *Sorbus domestica*, o incluso los nispoleros, *Mespilus germanica*).

Sin embargo, la jugada más confusa de todas, el salto botánico-nominal más inverosímil, se producirá tras el «descubrimiento» del Nuevo Mundo.

1492.

Antes de esa fecha, en América no se hablaban más lenguas que las indígenas; después de esa fecha, el español se unirá al panorama lingüístico, con mayor o menor acierto, y con sus hablantes llegarán un montón de palabras que aplicarán a la flora nativa, también con mayor o menor acierto.

A veces el resultado tiene sentido botánico, pero en muchos casos un mismo nombre común termina ligado a plantas que no tienen nada que ver la una con la otra (con la consiguiente crisis de identidad para la pobre palabra).

Y este, mucho me temo, es el caso de los acerolos.

Cuando los españoles desembarcaron en Mesoamérica, es muy probable que se encontrasen con tejocotes, cuyas flores y frutos —si bien no las hojas, que tienen diferente forma— delatan su estrecho parentesco con los acerolos europeos. La lógica podría llevarnos a pensar que su aspecto y su notable importancia cultural le hubiesen valido la etiqueta de *acerolo* (o, a lo sumo, *acerolo americano*), y se equivocaría. Pues esta palabra termina designando, en cambio, a una planta muy distinta: una *Malpighia** (sobre todo la especie *M. emarginata*).

Malpighia emarginata vive en Mesoamérica y el norte de Sudamérica, y echa frutas redonditas, de unos pocos centímetros de diámetro, generalmente rojas, jugosas y agridulces. En inglés se la conoce también como *Barbados cherry* o similares («cereza de Barbados»; aunque tampoco es pariente de los cerezos, el fruto me recuerda más a una cereza que a una acerola).

Ninguna de las dos «acerolas» (*Crataegus azarolus* y *Malpighia emarginata*) han tenido un papel cultural ni remotamente equiparable al del tejocote, pero en los últimos tiempos *Malpighia* se ha visto catapultada al estrellato por sus poderes antioxidantes: peso por peso, tiene unas diez veces más vitamina C que las naranjas, estando en el podio de frutas más ricas en esta vitamina†. Las acerolas europeas, en cambio, la contienen en cantidades mucho más discretas.

* Tanto, que pertenece a otra familia: mientras que *C. azarolus* es una rosácea, *Malpighia* es una malpigiácea, cuyas integrantes son todas tropicales o subtropicales.

† Curiosamente, a los escaramujos de rosa, que tienen más o menos la misma cantidad de vitamina C, nadie parece hacerles mucho caso...

(Antiguamente si eras planta medicinal y aspirabas a ser famosa, te convenía ser alexitérica —es decir, eficaz contra venenos— o laxante. Ahora, en cambio, si eres antioxidante, todos te amarán y te buscarán.)

Este hallazgo ha convertido a la «acerola» en protagonista de artículos que ensalzan sus bondades, sin especificar nunca de qué especie de acerola están hablando, y cometiendo el error de confundirlas sin querer. La mala costumbre de no incluir nombres científicos en casos de identidad múltiple frustra cualquier posibilidad de averiguar si el «zumo de acerola» que aparece en la lista de ingredientes de un refresco es la ascórbica *Malpighia* o la olvidada *Crataegus azarolus,* pues el acerolo europeo está cayendo en la oscuridad hortícola más absoluta. Tuvo antaño importancia como árbol frutal (sobre todo en la cornisa mediterránea de la península ibérica y las Baleares); la suficiente, de hecho, para que la palabra valenciana para designar a la fruta se convirtiese en un apellido que probablemente sonará a muchos amantes del arte: *sorolla*, como el pintor Joaquín Sorolla, que mucho amó al reino vegetal.

Acerola siempre me ha parecido una palabra hermosa, con gran potencial poético y metafórico («Y se le pusieron las mejillas como un par de acerolas maduras»). Pero si dejamos las artes a un lado, ¿acaso no viaja mejor acompañada junto a su nombre científico? Así conjugamos lo mejor de los dos mundos: la nube de connotaciones culturales que atesora el nombre común, y la impagable precisión del nombre científico, que nos salva de la confusión.

Porque a través de la palabra podemos comprender muchas cosas... pero solo si las hemos escogido y empleado bien.

2

La lección del toé: *conoce a tus plantas; respeta a tus plantas*

En tiempos de colapso ambiental y sociedades por cuyas venas fluyen cantidades preocupantes de petróleo y derivados, flotan por ahí una serie de creencias que afectan de lleno a las plantas, y que podrían resumirse así: «si es natural, es bueno».

Si es natural (y las plantas lo son), es beneficioso para nuestra salud —o, en el peor de los casos, meramente inocuo y, por tanto, inefectivo (de ahí nacen comentarios escépticos como «¿para qué te tomas esos hierbajos, si no sirven de nada?»).

Dejando a un lado la definición de qué es «natural» (un concepto que, científicamente, no hay por dónde agarrarlo), estas creencias no son solo falaces, sino peligrosas para quien se acerca al reino vegetal desde la ingenuidad o la ignorancia. Pues, si bien es cierto que hay muchas plantas con las que podemos entablar relaciones intensas sin sufrir efectos secundarios, otras no son tan permisivas: cualquier ser humano que pretenda acercárseles y averiguar sus secretos deberá pagar un precio, tanto si está dispuesto como si no.

Hay plantas que no toleran bien la estupidez humana, y una de ellas crece en este mismo jardín, a las puertas de casa; y a través de sus historias nos recordará que la prudencia, el respeto y el conocimiento al tratar con las habitantes del reino vegetal no son opcionales.

La verás en una esquina, su silueta apenas esbozada por las primeras luces del amanecer: alta, hermosa, de flores —aún cerradas a estas horas— como grandes trompetas péndulas que se mecen al compás de la brisa. Hoy vive en miles de jardines por todo el mundo y, sin embargo, su belleza es de todo, menos inofensiva.

Tiene un sinfín de nombres comunes en las áreas de lengua española: se la conoce como *toé*, *floripondio*, *misha*, *borrachero*, *flor de campana*, y tantos otros. En inglés la llaman *angel's trumpet*, «campana de ángel», un nombre quizás demasiado inocente para este género de plantas que no describiría yo como angelicales. Se trata de las *Brugmansia* —flores potentes, peligrosas, tocadas por lo sobrenatural— y que a menudo crecen tan tranquilas en el jardín de casa.

A día de hoy, se considera que las hermanas *Brugmansia* son siete especies, todas originarias de Sudamérica; sin embargo, durante mucho tiempo se las incluyó en el género *Datura* (al que pertenecen el estramonio o el toloache), y hay nombres comunes que tal vez verás aplicados tanto a *Datura* como a *Brugmansia*.

Sea como fuere, los recetarios alquímicos de estas especies se parecen muchísimo, y contienen secretos tan peligrosos, que conviene tratarlas con el máximo respeto.

¿Cómo saber si tienes delante a una *Datura* o a una *Brugmansia*?

Fácil: si es un arbusto leñoso perenne, tiene las flores colgantes y abiertas tanto de día como de noche, y un fruto liso y más o menos carnoso, es *Brugmansia*. Si es una hierba anual con las flores erectas (y salvo excepciones, generalmente abiertas de noche*) y un fruto seco, más o menos espinoso, y con mecanismo de apertura automático, tienes ante ti una *Datura*.

*Un carácter que se consideró diferencial cuando se separaron los dos géneros, aunque se hayan visto *Datura* abiertas en horario diurno.

En el libro *Plantas de los dioses*, el clásico de Schultes y Hofmann sobre plantas visionarias*, los autores comentan que las *Brugmansias*

> son plantas de los dioses, pero no son regalos amables como el peyote, las setas o la ayahuasca. Sus efectos —potentes y completamente desagradables, que llevan a periodos de violencia e incluso locura temporal— [...] han conspirado para colocarlas en segunda categoría. Son plantas de los dioses, cierto, pero los dioses no siempre se esfuerzan por facilitar la vida a la humanidad —y así le dieron la *Brugmansia*, a la que debe ocasionalmente recurrir.

Hace tiempo, mucho tiempo que nuestra historia se entrelazó con la de este divino regalo envenenado; de hecho, hay quien considera que ya no existen *Brugmansias* realmente silvestres, sino que todas llevan la marca del deseo humano en su interior.

Quienes se dedican a cultivar estas plantas saben que las especies de toé pueden separarse en dos grupos: en uno están las especies de apetencias más frescas, que acostumbran a vivir en regiones andinas (entre Chile, Colombia, Perú, Ecuador o Bolivia), y en el otro están las especies de gustos más cálidos, que suelen hallarse a menor altura (y llegan hasta Brasil). Abundan, además, las *Brugmansia* híbridas, tanto surgidas de forma «natural» (sin intervención humana) como a través de cruces hortícolas.

La mayoría de las sembradas en Europa son de apetencias más cálidas, como *B. suaveolens* o *B. versicolor*, pero también conozco personalmente a la pálida *B. arborea*, que se incluye en el equipo de las frescas.

A diferencia de la mayoría de *Datura*, las *Brugmansia* no cierran sus flores durante el día; sin embargo, varios estudios hablan de especies cuyas flores se perfuman —y, por tanto, se engalanan para sus polinizadores— en horario nocturno. No es casualidad que en Costa Rica uno de los nombres de *B. suaveolens* sea *reina de la noche*, y que la visiten sobre todo polillas y murciélagos.

Ha habido incluso rumores que hablan de perfumes que intoxican, y, aunque la ciencia parece indicar que las fragancias floripóndicas no son peligrosas, no puede decirse lo mismo del resto de la planta...

* Me refiero a plantas psicoactivas que provocan estados alterados de consciencia.

En los Andes peruanos, a más de 3.000 m de altura se encuentran dos ríos; en su confluencia se encuentra Chavín de Huántar, que fue antaño el centro religioso y administrativo de la cultura chavín, desaparecida hacia el 300 a. e. c. En este sitio arqueológico se halló un obelisco finamente labrado, el obelisco Tello, y entre los motivos que decoran el monumento aparecen unas flores en forma de campana, unos frutos y unas hojas que hoy se consideran la representación más antigua que tenemos de una *Brugmansia*.

América es un continente notablemente rico en flora psicoactiva, y rico en culturas que han explorado y empleado los efectos de esta bioquímica vegetal en un sinfín de modos distintos, así que no te sorprenderá saber que las *Brugmansia* tienen efectos alucinógenos, y que muchos pueblos indígenas lo saben. Sin embargo, raramente han sido plantas protagonistas; en regiones andinas se emplea de vez en cuando junto al cactus San Pedro, mientras que entre algunos pueblos amazónicos puede añadirse a los preparados de ayahuasca. ¿Pero toé solo? Eso impone mucho, y a menudo (aunque no siempre) es planta reservada exclusivamente a curanderos que saben muy bien cómo usarla.

Si nos vamos al norte de Perú, vemos que las especies de *Brugmansia* (o *mishas*) se emplean para fines terapéuticos (por ejemplo, para problemas de artritis), así como para rituales de adivinación, o incluso de magia negra. En la mayoría de casos suelen emplearse las hojas, que se aplican sobre la piel (previa maceración en distintas sustancias, o bien hechas emplasto, o pulverizadas, o enteras y atadas directamente en la frente, cuando un curandero busca una visión). Muy raramente se toman por vía interna.

Uno de los principales usos adivinatorios de las *Brugmansia* es el rastreo: encontrar el origen de las cosas, ya sean enfermedades u objetos que han sido extraviados o robados. Así se dice entre los shipibo-konobibo, pueblo de la Amazonia peruana; para ellos el toé (o *canachiari*, en su idioma) es planta rastreadora, que no miente, que enseña la verdad, pero cuyo poder la convierte en sustancia reservada solo para algunos chamanes o maestros del toé. Uno de ellos cuenta que:

> [E]s «un tronco que sabe mucho y enseña muchas cosas. Si tú estás aquí y quieres ver a tu mujer, que está lejos, tomas el toé y te lleva a ver a tu mujer. Ves si está cultivando, si está cocinando, si está con otro

> hombre.» [...] [T]ambién sirve para «ver a los rateros». «Se ponen dos hojas en la frente y dos atrás [...] se lo pone uno a las siete de la noche y a medianoche le agarra a uno la mareación —una mareación muy fuerte, más que la ayahuasca. El toé no miente, dice la verdad.

❧

No todos imaginamos las relaciones entre plantas y seres humanos del mismo modo, y el caso de las plantas de poder y el mundo indígena es un claro ejemplo de ello.

Las plantas pueden ser tratadas como personas —personas no humanas, pero personas de todos modos—, y pueden adoptar distintos papeles: madres, maestras, amantes, o incluso niños díscolos y caprichosos. Cuando se trata de plantas poderosas, visionarias, que deben ser tratadas con respeto, surgen conceptos como el de «plantas con madre», cuyo espíritu transmite conocimientos a quien sigue un camino de aprendizaje. En el caso de *Brugmansia*, es frecuente tener que practicar la abstinencia sexual y una dieta específica para que te sean revelados.

Otras veces, el espíritu de la planta es más juguetón y hay que cantarle para que te ceda sus dones, como entre los kichwa amazónicos que viven en Ecuador. Aquí las *Brugmansia* (conocidas como *huanduj*) se siembran en las lindes de la casa como protección contra la brujería, y su espíritu es seductor, tremendamente atractivo pero peligroso: al entablar una relación con él, corres el riesgo de sucumbir a la tentación de su belleza, una tentación que puede resultar fatal.

Las advertencias abundan en las sociedades tradicionales, se repiten las llamadas a la precaución, sea la especie que sea. De *Brugmansia vulcaniola* hablan los misak colombianos así:

> Cuán agradable es el perfume de las largas flores campanuladas del Yas, cuando uno las olisquea por la tarde... pero el árbol tiene un espíritu en forma de águila, un espíritu tan malvado que, si una persona débil se detiene al pie del árbol, lo olvidará todo...

El espíritu del toé cura, rastrea, revela; pero también nubla, enloquece, arroja a la muerte.

❧

El poder de *Brugmansia* yace en sus habilidades bioquímicas para sintetizar un grupo de compuestos cuyas recetas también conocen sus hermanas las

Datura, así como otras plantas como la belladona (*Atropa belladonna*), los beleños (*Hyoscyamus* spp.) o la mandrágora (*Mandragora* spp.), un grupo que en inglés recibe el sugerente nombre de *nightshades* («sombras nocturnas»), y cuyas integrantes se conocen en la cultura popular como «plantas de brujas».

Todas ellas sintetizan moléculas conocidas como alcaloides tropánicos, entre los que se cuentan la atropina, la hiosciamina, o la más famosa de todas: la hioscina, conocida también como *escopolamina* (o, en la jerga popular, *burundanga*). Si te gustan las películas o las series de detectives donde aparecen crímenes por envenenamiento, estos nombres quizás te resulten familiares, porque son drogas potentes cuya dosis letal es baja.

La suerte ha querido que estas moléculas tengan una estructura espacial parecida a la de un compuesto que nuestro cuerpo emplea para transmitir señales sinápticas, la acetilcolina; de ahí que sean psicoactivas, capaces de engañar al sistema de receptores nerviosos que, en condiciones normales, responde a la acetilcolina que produce tu propio cuerpo. Las consecuencias del engaño no son moco de pavo, pues provocará alteraciones en muchas funciones fisiológicas a nivel respiratorio, cardiovascular o cognitivo.

No todos los alcaloides tropánicos son igualmente hábiles a la hora de confundir a estos receptores; el más potente es justamente la hioscina o escopolamina, molécula que, desde su aislamiento en 1881, se ha ganado una fama en cierto modo similar a la de las plantas que la contienen.

A dosis controladas y reducidas, es medicina útil —tan útil, que el sector farmacéutico busca formas de sintetizarla en el laboratorio (parece que aún se aísla a partir de plantas)—. Se emplea para tratar problemas de mareo, para desarreglos gastrointestinales, para mejorar la calidad de vida en pacientes terminales con parkinson, etc. Históricamente, también se administraba a las parturientas, provocándoles lo que se conocía como un estado de sueño crepuscular (*twilight sleep*), durante el cual se producía un efecto de anestesia sin pérdida de consciencia, pero sí de memoria: de hecho, después las madres no recordaban nada de lo sucedido en el parto mientras estaban en esta especie de trance.

Así pues, la escopolamina puede resultar útil si se usa adecuadamente. El problema puede surgir por empleos accidentales, irresponsables o directamente criminales de esta molécula y sus hermanas, o de las plantas que las contienen, y entre ellas destacan las *Brugmansia* —hoy muy comunes como plantas ornamentales— y las *Datura* (como el estramonio, *D. stramonium*).

Porque hay personas, sobre todo jóvenes, que leen «planta alucinógena», se emocionan y, creyendo saber más de lo que saben, se la fuman o se la beben «porque hay culturas indígenas que la emplean como planta visionaria» y, por tanto, debe de ser genial. (Más o menos como quien decide meterse el filo de un sable por la garganta, a pelo, porque hay gente que traga cuchillos.)

Dicen que la ignorancia es atrevida, y a veces, en el caso de las *Brugmansia* y *Datura*, el precio del atrevimiento es muy alto. Debes tener en cuenta que, a dosis psicoactivas, los alcaloides tropánicos no provocan efectos análogos a los «alucinógenos clásicos» (como la mescalina, la psilocibina o el LSD); tanto es así que hay quien los clasifica como «delirógenos». Repetimos: estas moléculas —y las plantas que las contienen— no son benévolas con quien las consume, provocando una grave pérdida de la capacidad crítica para evaluar la realidad (entre otras cosas). La literatura médica describe casos escalofriantes, como el de un chaval alemán que tras beber un té de hojas de *Brugmansia* no solo intentó cortarse la lengua, sino que logró autocastrarse con unas tijeras de podar.

Mi sentido común me dice que —a no ser que seas un curandero con años de experiencia o una persona especialista en sustancias psicoactivas— dejes al toé y compañía en paz. La planta no te lo puede decir más claro.

Una intoxicación por floripondio, *Datura* o cualquiera de sus parientes en el club brujeril suele provocar síntomas como agitación, confusión, boca seca, delirios y alucinaciones auditivas y visuales, comportamiento violento, pupilas dilatadas o visión borrosa. De hecho, es típico que se presente *midriasis* (dilatación de las pupilas), un síntoma que puede aparecer en personas sensibles incluso tras haber tocado la planta y haberse llevado la mano a los ojos. Por eso, si tienes una *Brugmansia* en tu jardín, ve con cuidado a la hora de manejarla, y si tienes niños pequeños, he aquí una ocasión para inculcar prácticas de respeto, distancia y precaución para con esta planta.

Existen polémicas sobre la siembra (o incluso la mera existencia) de plantas peligrosas en jardines y espacios públicos; como es natural, las *Brugmansia* se han visto involucradas.

En mi opinión, la solución pasa, en primer lugar, por aplicar el sentido común (¡no se me ocurriría sembrar plantas tóxicas en una guardería!); y, en segundo proporcionar a las personas el conocimiento necesario para reconocer dónde están los filos ocultos en el reino vegetal. Que alguien confunda una *Brugmansia* con una calabacera (*Cucurbita* sp.) y se intoxique por comer flores de toé rellenas es algo que no tendría por qué pasar.

Personalmente, no creo que podamos o debamos convertirnos en censores del reino vegetal, o que la clave sea quemar en la hoguera a toda planta tóxica que se cruce en nuestro camino, ya sea una mata de ricino (*Ricinus communis*), una adelfa (*Nerium oleander*), un bulbo de narciso (*Narcissus* spp.) o de quitameriendas (*Colchicum* spp.). Al fin y al cabo, un cuchillo o un enchufe pueden hacer tanto daño como una planta, si no más.

Para mí, la ignorancia es el arma más peligrosa.

Conoce mejor a tus plantas. Respeta más a tus plantas. Esa es la base de toda buena convivencia, con el toé y con cualquier otra habitante del reino vegetal.

Ya que, según el mito del Génesis, se supone que comimos del fruto del árbol del conocimiento... que se note, ¿no?

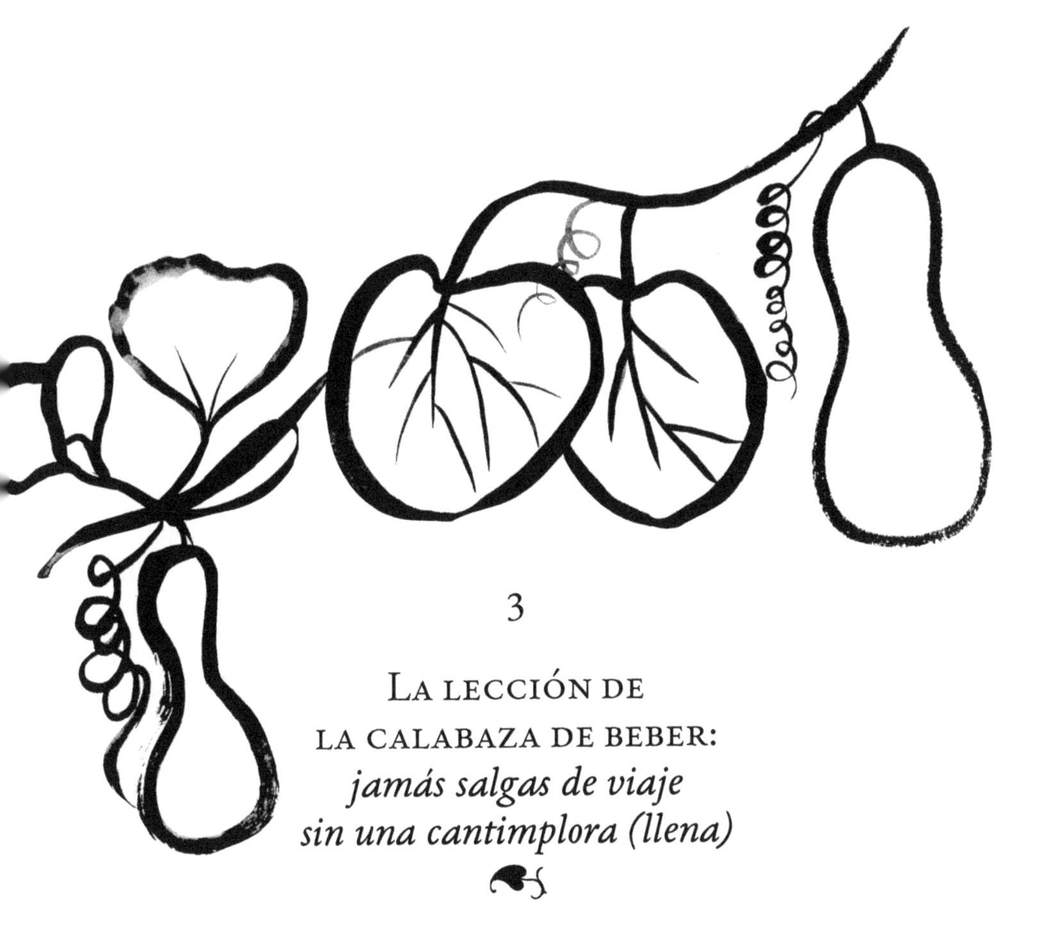

3

La lección de la calabaza de beber: *jamás salgas de viaje sin una cantimplora (llena)*

Una vez conscientes de la importancia de conocer el nombre de las plantas y de acercarnos a ellas con la prudencia y el respeto que merecen, ya casi estamos listos para emprender el viaje; faltan las últimas comprobaciones nada más, y quizás la más importante de todas sea asegurarnos de que llevamos agua suficiente para el trayecto.

Podrás sobrevivir al hambre y al frío, pero sucumbirás ante la sed, así que jamás salgas de viaje sin una cantimplora (llena). Te lo dice nuestra tercera maestra vegetal, una planta con milenios de experiencia a sus espaldas: la calabaza de beber.

Sí, lo sé. Tú, al igual que todo el mundo, sabes qué es una calabaza... o, al menos, crees saberlo.

No obstante, la palabra *calabaza* no siempre designó a una hortaliza grande, redonda y anaranjada, oriunda de las Américas. Durante mucho tiempo, este vocablo se refería a una pariente más discreta, una habitante más antigua de nuestros huertos (de hecho, lleva con nosotros incluso desde antes de que inventásemos los huertos): la calabaza de beber o calabaza vinatera.

Los huertos han sido, durante muchísimo tiempo, una extensión a la intemperie de nuestras despensas, y por eso las identidades de sus habitantes han ido cambiando conforme cambiaban los gustos y las necesidades del momento. Hay plantas que siguen en auge (¡quién no va a sembrar tomateras en su huerto-balcón!), pero algunas de las que antaño fueron íntimas compañeras de huerto están cayendo en el olvido más absoluto. Y es precisamente entre las filas de esta flora en vías de desaparición donde encontrarás a la calabaza vinatera, *Lagenaria siceraria.*

Su nombre común (como ya nos avisaron los **acerolos**) puede inducir a error: al escuchar *calabaza*, probablemente imagines una hortaliza naranja y redondeada de carne comestible, un zapallo como el del cuento de Cenicienta. Pero antes de que Colón se tropezase con el continente americano, ya teníamos «calabazas» en castellano, y eran *L. siceraria.*

Cierto es que las calabazas de Halloween y las calabazas vinateras pertenecen todas a la misma familia, las cucurbitáceas (así que al menos podemos decir que «todo queda en familia»). Al ver una enredadera de calabaza vinatera, los parecidos con las calabaceras son evidentes, tanto en la morfología de las hojas como en las flores; estas, sin embargo, no son amarillas (como en *Cucurbita*) sino blancas, y no se abren durante el día, sino de noche.

El principal uso que hemos dado a las calabazas vinateras lo indica su mismo nombre científico: *Lagenaria* proviene de *lagenos*, palabra latina para hablar de botellas, y *siceraria* deriva de una raíz semítica relacionada con el campo semántico de las bebidas alcohólicas fuertes, *škr* (y que nos ha dado otros vocablos como *sidra*). Estas dos pistas nos indican que los frutos de *Lagenaria* nos han servido sobre todo como contenedores: una vez secados o curados oportunamente, proporcionan utensilios magníficos: cantimploras, recipientes... entre otras muchísimas cosas.

❧

Al igual que nosotros, la calabaza vinatera se considera oriunda de África central; sus cinco hermanas dentro del género *Lagenaria* son también africanas; sin embargo, actualmente puedes encontrar a *L. siceraria* en prácticamente todos los rincones tropicales y templados de la Tierra. Este hecho no resultaría sorprendente (al fin y al cabo, son muchas las plantas que pueden jactarse de idéntica hazaña), de no ser porque la calabaza vinatera se planta en prácticamente todo el mundo *desde tiempos prehistóricos*: desde Perú hasta Nueva Zelanda, *Lagenaria* aparece en todos los rincones del planeta antes que ninguna otra planta que hayamos cultivado.

Lagenaria es una de las primeras que traza senderos de savia en compañía de la humanidad, de huerto en huerto, *out of Africa*... y aún no hemos esclarecido del todo cómo se desarrollaron estos viajes.

Misterio fascinante donde los haya, al que nos aproximaremos escuchando las historias de *Lagenaria*...

Si seguimos la ruta costera que desde África cruza hacia la península arábiga y bordea el océano Índico, llegaremos a nuestra primera parada: el subcontinente indio. Cuando los seres humanos modernos (*Homo sapiens*) recorrimos esta senda por primera vez, hace unos 70.000 años, quizás supiésemos de la existencia de *Lagenaria siceraria*, pero aún no se había convertido en nuestra aliada, y no la llevábamos en el equipaje.

No fue hasta más tarde que empezamos a cultivarla, y así descubrimos que con ella podían elaborarse utilísimas cantimploras o... ¿instrumentos musicales?

Efectivamente: en la India conocen y aprecian mucho a las calabazas vinateras (*o lauki*), que no solo emplean medicinalmente en la tradición ayurvédica o consumen como hortaliza, sino que también figuran en su música. De hecho, los instrumentos de cuerda más famosos de la India, los *vīnā*, tienen calabazas vinateras como cajas de resonancia para el sonido. El sitar, que algunos consideran un tipo de *vīnā*, también tiene una *L. siceraria* que sobresale como un globo de su largo cuello.

Estos frutos también aparecen en la confección de instrumentos de viento como el *murli* o *pungi*; esta es una curiosa «flauta» empleada para encantar serpientes, en la que una calabaza vinatera funciona a la vez como boquilla y cámara de aire, unida y sellada con cera a dos cañas cuyos agujeros permiten variar la nota musical.

El *murli* no es instrumento de sonido delicado que puedas imaginar como protagonista de un concierto de cámara, pero tiene parientes en China de voz más dulce y suave, como el *hulusi*. Este, además de una calabaza y varias cañas de bambú, funciona haciendo vibrar una lengüeta de caña simple, y el timbre resultante evoca el sonido de un clarinete, que también opera siguiendo un principio parecido.

Al igual que en la India, los chinos también consideran la calabaza vinatera (*hulu*) como planta china de toda la vida cargada de asociaciones míticas y religiosas. Al parecer, su cultivo y empleo estaba extendido a todas las clases sociales; de hecho, la emperatriz viuda Cixi, la última mujer reinante de la dinastía Qing, tenía una sala decorada con más de 10.000 calabazas vinateras colgadas como adornos de distintas formas, que provenían de un huerto donde las cultivaba. El motivo que justificaba tan curiosa decoración probablemente estuviese ligado a la simbología tradicional de *L. siceraria*, que las veía como plantas de buena suerte y longevidad. Aparece, por ejemplo, colgada del bastón del dios de la longevidad, y es el emblema de uno de los Ocho Inmortales de la tradición taoísta, Li Tieguai.

Sin embargo, si te tropezases con un inmortal chino llevando una calabaza vinatera, yo me abstendría de abrirla sin preguntar antes: las leyendas narran cómo estos frutos podían servir a modo de cárcel donde encerrar a los enemigos (que imagino se empequeñecen con las derrotas).

También en Japón las calabazas de agua (*hyōtan*) tienen numerosas asociaciones simbólicas y culturales —¡tanto por sus frutos, como por sus flores!—, generalmente positivas. En lenguas como el japonés abundan los homófonos (palabras que suenan igual, pero que se escriben con ideogramas distintos y, por tanto, tienen significados diferentes), y la calabaza vinatera participa en parejas homofónicas interesantes: por ejemplo, la palabra *mubyō* puede escribirse con los ideogramas de «seis calabazas vinateras», o de «sin enfermedad». De ahí que representar a seis calabacitas se creyese una forma de atraer la salud a tu hogar.

Porque podrás prescindir de muchas cosas en el viaje de la vida, pero no de las calabazas de agua; Matsuo Bashō —el gran poeta y consumado viajero del Japón Edo— lo sabía perfectamente al escribir su *haiku* (en otoño de 1686):

mono hitotsu / waga yo wa karoki / hisago kana
Una sola posesión; mi mundo ligero cual calabaza de agua.

Quizás el mundo entero no quepa en una calabaza, pero según a quién preguntemos, ha habido frutos de *Lagenaria* que se han imaginado como útero dadivoso para la creación de una segunda humanidad. Si bajamos a la península indochina, a conocer a ciertas tribus entre Laos y Vietnam, nos encontraremos con mitos curiosísimos, narraciones orales que hablan de un diluvio que casi acabó con la humanidad. Solo lograron sobrevivir dos hermanos —gracias a un gesto de generosidad para con un animalito— y, una vez pasado el peligro, se encontraron con la ingente tarea de tener que repoblar la Tierra entera:

> Tras el diluvio, los dos hermanos se encontraron con una tierra yerma y deshabitada; siguiendo el consejo de un pájaro malkoha, hermana yació con hermano, y al cabo de tres años, tres meses, tres semanas y tres días, de su unión nació una calabaza.
> En el rincón donde la dejaron la calabaza siguió creciendo y creciendo, hasta que un día hermano y hermana escucharon un rumor. Hermano cogió un hierro y lo calentó al rojo vivo, lo calentó para abrir un agujero en la calabaza quemando su corteza. Y del agujero en la calabaza salieron, uno tras otro, todos los pueblos del mundo.

Este mito explica, además, por qué no todos los pueblos tienen la piel del mismo color: los primeros que emergieron de la calabaza tienen la tez más oscura, pues se mancharon con el hollín que había quedado en el borde del agujero, mientras que los pueblos que salieron los últimos tienen la piel más blanca.

Pero las conquistas de *Lagenaria* no se detienen a orillas del océano, sino que asisten en primera fila a una de las mayores empresas llevadas a cabo por la humanidad: la colonización de las islas del Pacífico. Y no viajan solo como cantimploras: los pueblos polinesios empleaban calabazas vinateras (*ipu*) como instrumentos de navegación, y figuran en numerosos mitos y leyendas, además de canciones como la siguiente, recogida en Tuamotu (Polinesia francesa):

> ¡Oh, calabaza mía!
> Que el viento trajo hasta mí,

Mi calabaza da vueltas y vueltas sobre las olas,
Es mi adivina, la que me otorga la sabiduría de las estrellas.

Viajar con una planta que revela la sabiduría estelar siempre es un buen plan.

❧

Remontémonos al momento en que los primeros humanos colonizan el continente americano, hace unos 10.000 años, quizá más —pues actualmente existen polémicas sobre cuándo y cómo llegamos y nos asentamos en el Nuevo Mundo. Y, dado que la historia de *Lagenaria* parece ser un espejo de la nuestra, también hay polémicas sobre cómo llegó nuestra calabacita a suelo americano: ¿cruzó el Atlántico a nado, o fue colgada del cinto de los primeros colonizadores de las Américas?

Las últimas hipótesis optan por la llegada autónoma de *Lagenaria* desde África*, y postulan varias domesticaciones independientes (tanto en África como en América y en Asia, donde se han encontrado los restos más antiguos de calabaza vinatera domesticada a día de hoy). Sin embargo, aún quedan muchos detalles por aclarar, y no me sorprendería que la historia de *Lagenaria* aún nos depare sorpresas...

En Sudamérica, la calabaza de agua encuentra a otra planta con frutos que pueden convertirse en recipientes para beber, la *Crescentia cujete*. Sin embargo, esta no es una enredadera anual como *Lagenaria*, sino un árbol y, por tanto, ni tan versátil ni tan portátil como nuestra heroína vinatera, que igual sirve como flotador para redes (o personas que no saben nadar), o como recipiente para beber infusión de hierba mate —hierba que, dicho sea de paso, se bautiza en su honor, pues la palabra *mate* (del quechua *mati*) designa a *L. siceraria* en países como Argentina—.

Varias fuentes mesoamericanas diferencian lingüísticamente a las calabazas vinateras como *tecomates*, y a las calabazas de árbol como *jícaras* o *jícaros* †, pero hoy en día la palabra *jícara* suele emplearse de forma indistinta para referirnos a un contenedor de cualquiera de los dos tipos.

* Siendo una enredadera de apetencias más bien tropicales, imaginarla sembrada en el círculo Ártico para atravesar el estrecho de Bering... hay quien lo ve un poco inverosímil.

† En otros lugares de Hispanoamérica las hallarás como *calabazos*, *totumas*, etc.

Las jícaras y tecomates tenían una notable importancia mítica y ritual en las religiones mesoamericanas. Uno de los accesorios que llevaban los sacerdotes del imperio azteca eran tecomates llenos de tabaco, y los recipientes para tomar bebidas como el chocolate eran, precisamente, jícaras.

Y cuando los europeos entramos en América cual elefante en una cacharrería, nos traemos de vuelta como botín vegetófilo las bebidas de cacao, las modalidades para prepararlo y disfrutarlo, y los recipientes en que se toman: las jícaras, que se convierten incluso en unidad de medida (de notable longevidad, teniendo en cuenta que aparecen en libros de recetas del siglo pasado, y que mi abuela aún las empleaba).

❧

Existen calabazas vinateras de montones de formas y tamaños distintos, y a cada tipo se le ha dado (y se le puede dar) un uso distinto. La gran pregunta es: ¿por qué ha dejado de ser relevante?

En muchos casos, el motivo es que el plástico le ha robado el puesto de trabajo. ¿Para qué quieres una cantimplora biodegradable que te dura unos cuantos años si puedes usar alternativas hechas de materiales con un coste ambiental mucho mayor, como metal o plástico?

¿Tenemos una boya natural que funciona a las mil maravillas? Arrinconémosla y pongamos en su lugar una de plástico.

Primero, les quitamos el nombre y se lo dimos a una prima suya; ahora hemos logrado que su presencia en nuestros huertos carezca de sentido, en la convicción (¿errónea?) de que hay otros materiales más modernos que satisfacen las necesidades que, hasta ahora, nadie cubría tan bien como ella.

Pero ¿es realmente cierto que los plásticos son una alternativa objetivamente mejor?

Tengo la sospecha de que, si analizásemos caso por caso y evaluásemos todos los factores a tener en cuenta, veríamos que, en muchas circunstancias, las calabazas de agua se revelarían como la opción ganadora. Sirva a modo de ejemplo las opiniones de quien afirma ¡que el sabor del agua bebida de una calabaci-cantimplora es superior al del agua conservada en botella de plástico!

❧

Cuando el mundo se detuvo a principios de 2020, yo sembré mis primeras calabazas vinateras en el alféizar de la ventana. Desde entonces, no han dejado de regalarme esperanza.

Recuerdo la emoción de asistir, en aquellos días claustrofóbicos, a la germinación de cada semilla, a la aparición de sus cotiledones y de las primeras hojillas de morfología claramente calabacil. Asistir a la aparición de sus deliciosas flores nocturnas, vibrar de ilusión al detectar las primeras fecundaciones exitosas, verlas crecer imparables, como si quisiesen albergar a otra humanidad nueva en su interior... formar parte de su historia es una suerte y un privilegio, y me hace sentir que estoy aportando mi granito de arena para que no desaparezcan. Porque las calabazas vinateras llevan tanto tiempo viviendo con nosotros que, si dejamos de cultivarlas, esa maravillosa diversidad de formas, tamaños... se perderá —y con ella, todos los senderos de savia que trazamos juntos.

Viajes, aventuras, música, alimento, agua de vida.

Hay mucho en juego.

II
Campos matutinos

Abre la puerta del jardín; al otro lado del muro, el mundo yace a tus pies, henchido de posibilidades.

Los rayos del sol primerizo destierran los últimos jirones de oscuridad y bruñen los anchos campos surcados por mil caminos que podríamos recorrer.

Muchos de nuestros campos fueron bosques que pasamos por el hacha para abrir espacios donde cultivar cereales. Sin embargo, su destino no ha estado nunca en nuestras manos, no del todo: las amapolas y los acianos se cuelan en los trigales, los cardos se adueñan de los pastizales... a la mínima que dejemos de prestar atención, incluso el campo más ordenado se asilvestra con alegría incontenible, y nos recuerda que nuestra especie no es dueña de nada. Y si nuestros deseos van en contra de la lógica del ecosistema, el ecosistema los ignorará una y otra vez hasta que aprendamos a desear *mejor*, de forma más generosa con el resto de seres vivos que nos rodean y que conviven con nosotros.

Nuestro itinerario nos conducirá, en primer lugar, por senderos flanqueados por árboles de característica silueta que demarcan lindes y fronteras, con cuya madera hemos creado puertas eternas; a continuación, nos dejaremos deslumbrar por una plantación de flores radiantes nacidas lejos de Occidente. Y más allá nos recibirá un mar de cereales pequeños, variados, alimento de pájaros y de personas que saben apreciar sus dones...

❧

4

El guardián de los umbrales: *Cupressus sempervirens*

Liminar. Del lat. *Liminăris.*
1. adj. Perteneciente o relativo al umbral o a la entrada.
2. adj. preliminar (|| que sirve de preámbulo)

Diccionario de la lengua española, 23 edición
[versión 23.2 en línea]

Moran en el linde que separa huertos y jardines del mundo exterior; orlan los bordes de caminos y avenidas como flechas que delatan, a distancia, los ecos de nuestro paso. Y, en entornos culturales occidentales, enraízan también en el linde que separa el mundo de los vivos y el de los muertos. Árboles liminares por excelencia, la esbelta silueta de los cipreses marca el inicio de nuestro viaje.

En sentido botánico estricto, un ciprés es cualquier planta dentro del género *Cupressus*, género que hasta hace poco considerábamos integrado por unas 30 especies dispuestas a ambos lados del Atlántico. Entonces llegó el ADN y empezó a trastocarlo todo; pese a que las aguas taxonómicas no se han calmado por completo, los datos sugieren una división genética entre cipreses americanos y eurasiáticos más profunda de lo que creíamos —lo suficientemente profunda, de hecho, como para crear un nuevo género botánico que albergase a las especies del Nuevo Mundo. El cisma nos ha dejado unas 13 especies de cipreses *Cupressus*, todas oriundas de la franja central de Eurasia y el norte de África.

Sin embargo, al hablar de cipreses, la mayoría de veces estamos pensando en una única especie, la primera que conocimos en el Mediterráneo (y, durante mucho tiempo, también la única): *Cupressus sempervirens.*

Los cipreses pertenecen al grupo de las gimnospermas, un venerable conjunto de plantas que aparecieron sobre la Tierra antes de que se inventasen las flores, pues una planta puede apañárselas perfectamente para reproducirse sin flores, p. ej. empleando estructuras que llamamos *estróbilos* o *conos*. Las gimnospermas que sacan conos llevan el original nombre de *coníferas*, como los pinos (*Pinus* sp.), los abetos (*Abies* sp.), los ahuehuetes (*Taxodium* sp.) o los *Cupressus*, con esas piñuelas duras que guardan en su interior una caterva de semillas aladas, y sus hojuelas que recubren como una cota de malla las ramitas del árbol todo el año. Su epíteto científico — *sempervirens** — es, de hecho, una referencia a su condición perennifolia.

Durante mucho tiempo, la botánica subdividía a los cipreses en subespecies o en variedades según su forma de crecimiento (llamándose *pyramidalis* aquellos cipreses afilados como lanzas, y *horizontalis* los que tienden a desparramarse; en Irán añaden una tercera opción, *cereiformis*); sin embargo, en las últimas décadas hemos llegado a la conclusión de que estas divisiones no tienen mucha importancia taxonómica. Y es que, aunque los asociemos a una silueta larguirucha, en su hábitat natural los cipreses desarrollan copas más bien desgarbadas: fuimos nosotros los responsables de que se alargasen (o al menos de que se mantuviesen alargados). Los cipreses-lanza son solo un grupo de cultivares, el grupo Stricta,

* La palabra proviene de *semper* («siempre») + *virēns* («verde, floreciente»); aplicado a plantas, se refiere a plantas de hoja perenne, pero también tiene la connotación de «siempre floreciente, vigoroso».

cuya forma escogimos los humanos cuando aparecieron por casualidad en la naturaleza, e insistimos en sembrar y perpetuar porque, por algún motivo, nos resulta atractivo.

(Hay quien apunta a una cierta fascinación fálica con estos cipreses de sombra alargada; será o no cierta, pero la atracción humana por las formas lanceoladas en árboles existe, y no se limita a *Cupressus*: también el chopo lombardo, *Populus nigra* fastigiado, muestra una silueta parecida, por ejemplo.)

No es siempre la sombra del ciprés tan alargada como la pintan...

«Testarudo, desprovisto de fruto*, de carácter difícil».

Así lo describía mi romano enciclopédico de cabecera, Plinio el Viejo, en su *Historia Natural*, escrita en el primer siglo de nuestra era.

No son palabras muy halagüeñas las de Plinio, pero el ciprés tenía un as en la manga, un truco para hacerse querer: su madera. Al igual que otras plantas de la familia de las cupresáceas (como los **enebros**), el ciprés echa leño resinoso, de lento crecimiento y enorme resistencia al ataque de insectos y al paso del tiempo. Por eso no sorprende tropezarse con menciones a la madera de ciprés en construcciones monumentales, como el palacio del rey asirio Sennacherib en Nínive o el templo de Ártemis en Éfeso (actual Turquía): las puertas de este templo, considerado una de las siete maravillas del mundo antiguo, eran cipresinas. Y al componer Platón su diálogo *Las Leyes*, imagina a los escribas encargados de registrar transacciones —que deben poder ser consultadas en el futuro— escribiendo sobre tablillas de ciprés.

Una madera aparentemente eterna también resulta práctica para realizar estatuas de divinidades, y tenemos constancia de varias tanto en la antigua Grecia como en Roma, tanto de Zeus como de su epónimo romano Júpiter, de Juno (divina y malhumorada consorte de Júpiter) o incluso de Orfeo.

* Definirlo como «desprovisto de fruto» es botánicamente correcto, pero es una casualidad absoluta, porque Plinio no tenía la menor idea de esto: para los antiguos, esto significaba que una planta no daba fruta comestible, como los sauces o los olmos, que sí dan fruto, pero seco e incomible. También en Irán se catalogaba entre los «árboles sin fruto».

Pero además de su durabilidad, el leño de ciprés también se apreciaba por su perfume y se empleaba como madera fragante para quemar en contextos rituales; entre los griegos, se cuenta que Pitágoras declaró que los dioses deberían honrarse con cedro*, laurel (*Laurus nobilis*), ciprés, roble (*Quercus* spp.) y **arrayán**.

En cambio, parece que otras culturas podían darle un uso más profano, como cuenta Heródoto en este fragmento de sus *Historias* (4.75):

> Las mujeres escitas componen para sus afeites una especie de emplasto: preparan una vasija con agua; raspan luego un poco de ciprés, de cedro y de palo de incienso contra una piedra áspera, y de las raspaduras mezcladas con agua forman un engrudo craso con que se embadurnan el rostro y aun todo el cuerpo. Dos ventajas logran con esto; oler bien, cualquiera que sea su mal olor natural, y quedar limpias y relucientes al quitarse aquella costra al día siguiente.

Este fragmento es bastante conocido en algunos círculos porque, justo antes de la higiene femenina escita, Heródoto habla de los baños de vapor purificadores, con semilla de cáñamo (*Cannabis sativa*) —algo que, inexplicablemente, tiene más gancho mediático que los emplastos de ciprés—.

Es curioso que entre las prohibiciones pitagóricas que nos han llegado esté la de no usar madera de ciprés para hacer sarcófagos, un empleo que aparece mencionado en el mundo antiguo y que nos invita a considerar esas tendencias liminares del ciprés desde otro punto de vista...

❧

La relación entre los cipreses y la muerte es un fenómeno menos evidente de lo que podría parecer a primera vista.

Cierto: hoy los pobres *Cupressus* cargan con el sambenito de ser árbol de cementerio, motivo por el cual hay quien les tiene un poco de manía (injustamente, en mi opinión), y que pone de manifiesto el enorme peso que puede tener una conexión simbólica más o menos arbitraria.

Porque sí, es tan arbitraria como simbólica, dado que, a diferencia de otros vegetales perennifolios con asociaciones fúnebres —como el tejo, *Taxus baccata*—, *Cupressus* no es venenoso, y raro será que estires la pata por su culpa. El ciprés no estaba genéticamente destinado a convertirse en

* Más información sobre los «cedros» griegos en el capítulo de los enebros (15).

árbol de funeral adonde quiera que fuese; al menos, no más que cualquier otra gimnosperma de características parecidas: no es el único árbol perennifolio de madera perfumada y capaz de adoptar formas alargadas, además de —como dirían los antiguos— «desprovisto de fruto». Para Homero, por ejemplo, el ciprés no era palo de cementerio, mientras que sí lo eran otros árboles que han perdido sus connotaciones funéreas, como los **olmos**.

Tampoco lo era para los pueblos iranios, cultura que ha tenido a *Cupressus sempervirens* (*sarv*) en gran estima; no solo aparece constantemente en poesía como metáfora para hablar de personajes altos, esbeltos y bien parecidos, nobles de carácter, sino que está íntimamente ligado al zoroastrismo, la primera religión documentada en Irán. Quiere la leyenda que su fundador y profeta, Zoroastro, fuese también amante de los cipreses, que recibió de los cielos y sembró en varios puntos del país; existen algunos ejemplares que destacan por su excepcional tamaño y longevidad, como el ciprés de la ciudad de Abarkuh, al que se le calculan varios milenios de edad. Símbolo de luz, belleza e inmortalidad, las asociaciones fúnebres aquí brillan por su ausencia.

Existen cipreses relacionados con el inframundo en el mundo griego; ejemplo paradigmático es el «ciprés blanco» que aparece mencionado en varias tablillas órficas, que ofrecen instrucciones a las almas de los difuntos sobre cómo navegar el descenso al Hades con éxito. Sin embargo, parece que fueron sobre todo los romanos quienes le colgaron a *Cupressus* el cartel de «árbol de luto» y acentuaron su simbolismo funesto. Plinio el Viejo cuenta que estaba consagrado a Plutón, dios del inframundo, y que se colocaba en la entrada de la casa como señal de duelo; y si hojeas obras de autores como Séneca u Horacio, es posible que halles menciones al ciprés como parte del «decorado» en escenas que tienen que ver con brujas, necromancia y hierbas parecidas. Esta conexión no se limitaba a la esfera literaria, pues se han encontrado conos de *Cupressus* entre los restos de ofrendas funerarias carbonizadas en Pompeya.

Y así se le quedó la fama de árbol de camposanto, funéreo, emblema vegetal de la «Muerte y dolor eterno» si nos atenemos a los diccionarios de floriografía victoriana del s. XIX. Curiosamente, estas asociaciones no aparecen solo en contextos cristianos occidentales: también en Oriente

Próximo abunda en cementerios islámicos como parte de la flora fúnebre, por ejemplo, en Turquía, donde se dice que era costumbre plantar un ciprés por cada féretro enterrado en los cementerios.

En algunos lugares, incluso, surge la convicción de que *Cupressus* no es solo árbol de cementerio, sino que puede mandarte al cementerio o, como mínimo, causarte un grave daño si te echas a dormir la siesta a su sombra, o así lo relata el naturalista Gerald Durrell en sus memorias de la isla griega de Corfú:

> —Ah, *sentarse* sí se puede. Dan buena sombra, fría como agua de pozo; pero ahí está lo malo, que le tientan a uno a dormirse. Y jamás, por ningún motivo, se debe dormir a la sombra de un ciprés. [...] ¿Que por qué? Porque si se hace se despierta uno cambiado. Los cipreses negros son peligrosos, sí. Mientras que uno duerme, sus raíces se le meten en los sesos y se los llevan, y al despertarse está uno loco, con la cabeza más vacía que un pito.

Si fuese el ciprés una ***Brugmansia***, las asociaciones con la locura y la muerte tendrían una base real más sólida, pero, en este caso, nos movemos única y exclusivamente en el campo de lo metafórico, del símbolo y del mito, que a veces tienen más poder del que imaginamos.

En Occidente, es el romano Ovidio —ese gran cronista de las transformaciones míticas de personas en plantas o animales— quien relata en sus *Metamorfosis* (8 e. c.) una historia dedicada al ciprés y protagonizada por un jovenzuelo previsiblemente llamado Cipariso.

Ovidio cuenta que este muchacho tenía un ciervo manso al que quería con locura —locura casi literal, porque, cuando lo mató sin querer durante una cacería, le dio una pena tan grande que quiso morirse, y los dioses lo convirtieron en un ciprés—. Así, tomado en el plano metafórico, podría decirse que el ciprés está en duelo por el reino animal y su muerte injusta a nuestras manos: un árbol muy apropiado para los tiempos que corren.

❧

El Cipariso griego se convirtió en *Cupressus* romano, y de ahí que las trece especies de cipreses que existen se apelliden *Cupressus* y no *Ciparisus* (dado que en el s. XVIII, cuando nace la nomenclatura botánica moderna, se optó por la palabra latina). Sin embargo, *Ciparisus* no ha desaparecido de la botánica, y lo puedes encontrar en los nombres científicos de plantas estrechamente emparentadas con los *Cupressus* y que, de hecho, a menudo llamamos «cipreses*» (como el de Lawson, el de Monterrey, el japonés...).

Este es el caso de los primos americanos *Hesperocyparis*, como las arizónicas (*H. arizonica*) que sembramos por su valor ornamental y que hasta hace relativamente poco considerábamos parte de la hermandad *Cupressus*. Entre los indígenas norteamericanos hay varios *Hesperocyparis*, como *H. nevadensis*, que se empleaban por sus propiedades antitusígenas (que, dicho sea de paso, el ciprés común también tiene).

Otros primos que tienen a Cipariso en el nombre son los *Chamaecyparis*, un género de árboles que viven en América y en el extremo Oriente. Entre sus filas se cuenta *C. obtusa* o *hinoki*, a menudo llamado «ciprés japonés»; esta analogía entre *hinoki* y ciprés no va muy desencaminada, dado que, si *Cupressus* es quien da nombre a toda su familia en latín y lenguas derivadas (*Cupressaceae*, cupresáceas), en japonés el protagonismo taxonómico se lo lleva *hinoki*, y se habla de ¡«hinokiáceas»! Para la ciencia japonesa, el parangón de lo cupresáceo es *Chamaecyparis obtusa*.

Los *hinoki* abundan en recintos sagrados (ya sean budistas, sintoístas o ambas cosas); pueden alcanzar los 40 m de altura y, como buenas cupresáceas, tienen una madera excelente para la construcción de edificios u elementos que deben resistir los embates del tiempo. Estos pueden ser profanos (ej. castillos), pero también de carácter sagrado, como el templo de Ise (*Ise Jingū*), complejo de santuarios sintoístas dedicado a la diosa (*kami*) del sol, Amaterasu, que se reconstruye cada 20 años. Para ello, se emplean ejemplares de *hinoki* seleccionados con este propósito, y que crecen tanto en los bosques del recinto como en otras plantaciones. Con su preciada madera perfumada construimos el linde sagrado donde se posa y reposa lo divino imaginado.

Oscuros y luminosos, fúnebres o venturosos, la progenie de Cipariso vela por nuestros umbrales.

* Con todo, hay «cipreses» que son parientes más lejanos, como el araar (*Tetraclinis articulata*), también conocido como ciprés de Cartagena.

5

La flor que contempla amaneceres: *Helianthus annuus*

Difícilmente pudiera
Conseguir, señora, el sol
Que la flor del girasol
Su resplandor no siguiera.

Pedro Calderón de la Barca,
Casa con dos puertas mala es de guardar (s. XVII)

Iluminan los campos allende los cipreses, radiantes como amaneceres. Majestuosos y rústicos a la vez, los girasoles son mundialmente conocidos y apreciados tanto por su belleza como por su gran utilidad; y, mientras recorremos el sendero que discurre junto a ellos, tendremos ocasión de conocer un poco mejor sus historias.

La planta que comúnmente conocemos como girasol es uno de los cincuenta-y-pico hermanos dentro de un género cuyo nombre lo dice todo: *Helianthus*, o «flor del sol» (*anthos* es flor, y *helios*, sol). Para más señas, es *Helianthus annuus*, y su epíteto específico no miente: se trata de un vegetal anual que se marchita y muere tras haber finalizado su ciclo reproductor.

Los *Helianthus* son oriundos del Nuevo Mundo, y crecen silvestres en toda Norteamérica y México septentrional. Sin embargo, una vez los europeos nos tropezamos con ellos, nos gustaron tanto que los trajimos al Viejo Mundo, donde se convirtieron sin tardanza en plantas ornamentales de enorme popularidad en jardines tanto rústicos como de postín (según la época y el lugar). Su prodigiosa estatura ha sido muy admirada —y objeto de alardes más o menos exagerados— desde el mismo s. XVI; el récord actual de altura girasolística lo detenta un ejemplar alemán de 9,17 m.

Pronto se convirtieron también en flores de metáfora fácil dentro de la poesía amorosa, que abunda en «girasoles enamorados» y similares. Estas apariciones poéticas y ornamentales no se dan solo en la Europa occidental, sino también en regiones como Polonia, donde el girasol (percibido como planta «típicamente polaca») evoca el verano maduro, en todo su apogeo solar, así como el encanto del mundo rural tradicional. Estas connotaciones rústicas no pasan desapercibidas al mundo de la publicidad, que emplea a *Helianthus annuus* en anuncios de productos «auténticos» y «naturales».

El girasol es un motivo artístico y ornamental que se verá catapultado a la fama gracias a artistas como Vincent Van Gogh, quien pintaría varios lienzos retratando a *H. annuus*. No obstante, sería otro movimiento artístico el que lo tomaría como emblema: el esteticismo inglés, una corriente surgida entre mediados y finales del s. XIX que defendía la belleza como el máximo bien al que debía aspirar el arte, por encima de cualquier consideración moral o filosófica. No sabemos exactamente por qué este movimiento escogió el girasol como uno de sus emblemas, o cuándo se convirtió en un signo distintivo, pero para 1880 parece que las damas londinenses se dejaban ver en los salones de postín con calas (*Zantedeschia aethiopica*, otro gran marcador floral de esta corriente) o girasoles en las manos. Oscar Wilde, poeta y dramaturgo irlandés (además de máximo exponente del esteticismo), aparecía a menudo caricaturizado en la prensa victoriana rodeado de —o convertido él mismo en— *Helianthus annuus*.

No es extraño que el Art Nouveau, que heredó y desarrolló muchos elementos del esteticismo, también incluyese girasoles en muchas de sus obras; generalmente aparecen como alusión al verano y al astro rey, pero en alguna ocasión se les adivina un simbolismo ligado a su capacidad para, haciendo honor a su nombre, girarse hacia el sol.

Pero ¿es realmente cierta esa habilidad?

La respuesta breve es que sí, y no. Como bien habrás notado si tienes un girasol en tu campo o jardín, las enormes inflorescencias no se mueven: las plantas adultas en plena floración suelen tener sus capítulos florales orientados hacia el este, y ahí se quedan, mirando hacia el oriente las 24 horas del día. Sin embargo, los girasoles jovencitos, que aún no han florecido, sí dan muestras evidentes de lo que en biología conocemos como *fototropismo*.

La parte final de la palabra (*tropismo*) indica que hablamos de movimiento, y en este caso se da en respuesta a la luz (*foto*). Si lo piensas, es normal: teniendo en cuenta que las plantas son seres fotosintéticos que, en cierto modo, «comen» luz, moverse hacia ella es un comportamiento bastante lógico.

La luz es uno de los estímulos más importantes para las plantas desde que son chiquitas: cuando una semilla germina y saca esas primeras hojillas en pañal, los cotiledones, estos buscan la luz como desesperados, porque si se quedan bajo tierra (y salvo honrosas —y parásitas— excepciones), se morirán. De ahí que todas las habitantes del reino vegetal muestren, en algún momento o en alguna parte de la planta, fototropismo.

No obstante, hay algunas que van un paso más allá, y que muestran *heliotropismo*: un tipo especial de fototropismo que toma como señal una fuente de luz* que es dinámica, que se mueve, como el Sol. Y los girasoles jovenzuelos sí son heliotrópicos: sus hojas y tallo siguen, efectivamente, el movimiento del Sol durante el día, recibiendo al astro rey al amanecer y girándose para despedirlo cuando desaparece por el oeste. Más aún: por la noche, la planta hace el movimiento inverso y se va al este, a esperar al Sol.

El heliotropismo no es un comportamiento exclusivo del girasol, ni mucho menos. En el s. XVI, el médico sevillano Nicolás Monardes hablaba de *Helianthus* en los siguientes términos:

* Entendiendo como tal la región del espectro electromagnético que le sirve a la planta para realizar la fotosíntesis, y que cae dentro de la franja visible a ojos humanos; aquí no nos valen infrarrojos ni rayos ultravioletas.

> Es yerba eſtraña en grandeça, que la he viſto de dos lanças en alto, y así lo es eſtraña en la flor, porque echa la mayor flor y más particular que jamás se ha viſto [...] buelbese [sic] eſta flor de contino [sic] hacia el Sol, y por eſto la llaman de su nombre: lo cual hacen muchas otras flores y yervas: parece muy bien en los jardines.

(Observa el detalle: «lo cual hacen muchas otras flores y yervas».)

Tenemos incluso un mito clásico relatado por (cómo no) Ovidio donde aparece un triángulo amoroso entre el dios del Sol, Helios, y dos hermanas que, por supueſto, acaban mal (o bien, según juzgues el tema de la metamorfosis vegetal): una —la amada del Sol, Leucothoe— termina convertida en un árbol de olíbano (*Boswellia sacra*, franquincienso); la otra —la enamorada no correspondida, Clitie—, transformada en una flor condenada a moverse siguiendo la luz de su amado Helios. Aunque hay algunas obras de arte muy bonitas donde aparece Clitie transformada en girasol, es evidente que los griegos no conocían a *Helianthus*, pero sí a otras plantas heliotrópicas. Exiſte, de hecho, un género botánico conocido precisamente como *Heliotropium,* con integrantes en los cinco continentes, como la hierba verruguera (*H. europaeum*) o los heliotropos de jardín; también tenemos a una lechetrezna llamada *tornasol* (la *Chrozophora tinctoria*). Con todo, hay que admitir que de todas las plantas heliotrópicas, los girasoles son las más impresionantes, porque sus inflorescencias parecen soles.

No, no es un error: has leído *inflorescencias*, porque un girasol jamás deja que sus flores asomen en solitario, sino que las reúne en grupos que además siguen una disposición muy concreta —típica de su familia— conocida como *capítulo.* Sus enormes discos de aspecto solar son capítulos florales, bandejas llenas de flores diminutas, llamadas *flósculos*, que se disponen encima del receptáculo-bandeja siguiendo proporciones impecablemente bellas que se repiten en todo el reino vegetal, y que llevan el nombre del matemático que las describió por primera vez: Leonardo Pisano, llamado il Fibonacci. Tras su polinización, cada flósculo se convertirá en un fruto seco, conocido técnicamente como un *aquenio*: la pipa de girasol (que no *es,* sino que *contiene* una semilla). Y enmarcándolo todo aparece una orla de *lígulas* (pétalos exageradamente largos que hacen las veces de «rayos solares»).

Es un sol de flor, y sus nombres lo reflejan, desde el inglés *sunflower* hasta el chino o el japonés (*himawari*, que significa literalmente girarse hacia el sol/luz), pasando por el francés *tournesol*, el italiano *girasole*... Podríamos pensar que *Helianthus annuus* es lo más parecido que hay a una flor con una simbología prácticamente universal. ¿Quién no le vería el parecido o le daría un nombre que no haga referencia al Sol?

Sin embargo, si indagamos un poco, pronto descubrimos que no siempre le hemos encasquetado nombres solares a esta planta...

❧

> «Del CHIMALACATL peruano o grande, que otros suelen llamar flor del sol.»

Así empieza una de las entradas escritas por el que posiblemente fuese el primer naturalista estatal de la historia: el protomédico de las Indias Francisco Hernández, quien viajó en 1571 desde la península ibérica hasta los reinos españoles en América, y allá recogió una enorme cantidad de información sobre la flora autóctona de México, sus nombres nativos y sus empleos. Su obra no vio la luz en vida suya (y luego vio muchísima luz y calor, porque se quemó en un incendio acaecido en 1671 en la biblioteca de El Escorial, donde estaba guardada). Hemos ido recomponiéndola a partir de las copias fragmentarias que tenemos, para luego averiguar la identidad de las plantas que incluía la obra... o al menos intentarlo, pues no es empresa fácil.

Uno de los nombres que aparecen en los materiales de Hernández es *chimalacatl*, un término que literalmente significa «escudo» y «caña» o «carrizo»; y justamente uno de los nombres indígenas mexicanos para referirnos a los girasoles es *chimalacatl*, o *chimalxochitl*, «flor de escudo», en referencia al aspecto de sus capítulos florales, que aquí ya no son soles, sino instrumentos de defensa armada.

En la poesía náhuatl antigua existen menciones a las *chimalxochitl* como una de las «flores de guerra», con fuertes connotaciones bélicas. Sin embargo, es difícil asegurar que se tratase de referencias a los girasoles, porque *Helianthus annuus* no era la única planta a la que los aztecas daban este nombre, y, dado que por aquel entonces no existían los nombres científicos, no podemos saber con absoluta certeza si las *chimalxochitl* mencionadas eran girasoles.

Y aprovechando la ocasión, te invito a que te adentres conmigo en un campo de batalla científica (no muy violenta, todo hay que decirlo: en biología nos lanzamos *papers* en lugar de liarnos a mamporros, así que un girasol bien manejado podrá protegerte de publicaciones científicas usadas como proyectil). Si hiciesen una película sobre el tema, sería del género suspense, y su título podría ser algo así como: *¿Quién domesticó al girasol?*

Aunque a veces (o a menudo) los urbanitas lo olvidamos, la mayoría de seres humanos hemos vivido en sociedades agrícolas, y durante los últimos milenios nos hemos nutrido, sobre todo, a base de alimentos cultivados (pese a que la caza y la recolección pudiesen funcionar como un complemento esencial en determinadas épocas y regiones).

Y, como no podía ser de otro modo, durante muchísimo tiempo la agricultura, esa «Revolución neolítica» que me contaban a mí en el colegio, se ha visto como un logro, un avance cultural enorme respecto a las estrategias alternativas —o complementarias— de abastecimiento de comida.

En resumen: que los agricultores hemos pasado muchos siglos sintiéndonos superiores a cualquier pueblo que no practicase la agricultura, y este es un dato que me parece importante tener en cuenta cuando abordamos el tema de los centros de domesticación de plantas (o de animales).

El centro de domesticación de una planta determinada es un área geográfica donde suponemos que se produjo el paso de su versión silvestre, a su versión domesticada. Este paso, que en realidad está compuesto por una larga secuencia de pasitos, tiene efectos distintos según la especie que consideres; en el caso de los **altramuces**, por ejemplo, de los que hablaremos más adelante, la domesticación reduce el amargor y la toxicidad de las semillas, para que puedas cocinarlas y comértelas sin tener una indigestión. En el caso de los girasoles, en cambio, el capítulo floral aumenta de tamaño, así como los frutos, que también se vuelven más grandes (entre otras cosas).

A mediados del s. XX se situó la domesticación de *Helianthus annuus* en el sureste de Estados Unidos, alrededor de Tennessee, donde se han encontrado restos paleobotánicos de frutos de girasol domesticado de más de 4000 años de antigüedad. El área en cuestión resultaría ser el único centro de domesticación en tierras norteamericanas, mientras que en Meso y Sudamérica tenemos varios, y muy bien identificados.

Durante la primera década del s. XXI surgió una propuesta novedosa: que el centro de domesticación del girasol no estuviese en Norteamérica —o al menos no solo—, sino en... ¡México! Un grupo de investigadores había aislado una pipa de lo que parecía ser girasol domesticado, en el estado de Tabasco, en un yacimiento olmeca conocido como San Andrés. Se envió la pipa a otro laboratorio, donde la examinaron expertos (los mismos que habían formulado la hipótesis a favor de Norteamérica) y la declararon proveniente de girasol domesticado. Luego la pobre se sacrificó por la ciencia, pues tuvo que ser destruida al someterla a las pruebas de carbono 14 para fechar su antigüedad, y la cifra que salió fue... ¡2.600 años antes de la era común (con una horquilla de error de unos 50 años más o menos)!

Y eso es más antiguo que la pipa norteamericana. Y se armó una buena.

Como espectadora externa y sin conflicto de interés alguno, la impresión que me llevé leyendo los artículos que fueron publicándose durante unos años sobre el tema fue... curiosa, y la resumiría así: el equipo investigador del experto «original» (una autoridad reconocida en su campo, que formuló la teoría norteamericana) se opone de forma sistemática al grupo que propone la hipótesis alternativa (que el girasol se domesticó en el norte de México de forma independiente).

Fíjate si la cosa se caldea (para estándares científicos educados, claro) que desde el laboratorio del experto veterano llegan a decir algo así como «Oye, ¿sabes aquella pipa que nos mandaste y que te confirmamos que era de girasol domesticado? Pues nos retractamos, ya no nos lo parece, ahora creemos que podría ser una semilla de **calabaza vinatera**». Y como la muestra ha desaparecido, no hay forma de demostrarlo o desmentirlo.

Episodios así son los que me recuerdan que a veces pensamos en la ciencia como algo muy aséptico, practicado por una especie de sacerdocio de espíritus puros que están al margen de cualquier pasión humana, que no tienen ideologías ni cariños ni egos que interfieran o coloreen en modo alguno lo que hacen. Y no, claro que no. La ciencia la construimos las científicas y científicos, que somos personas y que tenemos nuestras cosas; si has dedicado toda tu vida a defender una teoría y alguien la pone en entredicho, difícil será sopesar las cosas de forma objetiva, porque, en general, a los seres humanos nos gusta tener razón, y no es raro que la defendamos con uñas y dientes.

Con ello no pretendo invalidar la ciencia, que es un método extraordinario para interrogar al mundo que nos rodea; pero sí quiero proponer que, para practicarla y enseñarla bien, debemos ser conscientes de sus límites, y ser conscientes de que sus respuestas no son dogmas de fe, sino modelos de la realidad. Que lo más importante que nos da la ciencia no son respuestas, sino una manera de formular preguntas.

Por ejemplo: ¿quién domesticó al girasol?

Y me complace anunciar que, tras analizar el ADN de girasoles silvestres y domesticados en México y Estados Unidos, hemos obtenido una respuesta: los resultados apoyan la hipótesis de que la domesticación se produjo en Norteamérica.

Una vez que los humanos conocimos a los girasoles, ¿cómo nos relacionamos con ellos?

Lógicamente, nos los comimos, incluso en su versión silvestre; hay muchas tribus de nativos americanos que recogían sus frutos secos para comer, ya fuesen crudos o tostados y machacados para obtener una especie de harina (y tenemos noticias de variedades que daban pipas de distintos colores: negro, blanco, rojo, a rayas...). Al otro lado del Atlántico, cuando los europeos lo miramos con hambre e intentamos asimilarlo a alguna verdura que nos resultase familiar, lo imaginamos como una especie de alcachofa; de ahí que fuese relativamente frecuente consumir sus capítulos florales inmaduros enteros.

Existe otra hermana del girasol común cuyo uso es mayormente gastronómico, y cuyo —equívoco— nombre subraya de nuevo la conexión imaginada con las alcachofas: se trata del tupinambo o pataca (*H. tuberosus*), que los ingleses conocen como «alcachofa de Jerusalén» (*Jerusalem artichoke*); de ellas no se consumen las flores, sino los tubérculos, que muchos pueblos norteamericanos comían cocidos, asados o incluso crudos.

Los *Helianthus* —tanto domesticados como silvestres— tienen y han tenido empleos medicinales entre los nativos, pero quizás sean igualmente frecuentes sus usos ceremoniales. Entre los hopi, tribu que actualmente vive en el estado de Arizona, un girasol conocido como *H. anomalus* forma parte de sus rituales: se emplean las lígulas para preparar un tinte especial con que decorarse el rostro. De no ser así, quizás esta especie de distribución reducida ya habría desaparecido, pues los humanos solo protegemos aquello que valoramos.

Durante muchos siglos, los girasoles nos ofrecieron frutos y capítulos florales comestibles, medicinas, elementos decorativos y rituales; sin embargo, tuvimos que esperar un poco para lograr que nos regalasen aceite, un desarrollo agrícola tardío que tuvo lugar... ¡en Rusia!

Al parecer, los girasoles llegaron al país de los zares en el s. XVIII, gracias a Pedro el Grande, pero fue la Iglesia Ortodoxa quien los catapultó accidentalmente a la popularidad o, mejor dicho, fueron las estrictas prohibiciones dietéticas que se imponían en Cuaresma, Adviento y demás días de ayuno, durante los cuales la mayor parte de grasas no podían consumirse. Sin embargo, como el girasol era un recién llegado y tal vez no tenían muy claro dónde ubicarlo, quedó fuera de la prohibición. Los rusos no tardaron mucho en aficionarse a aquellas sabrosas semillas —primero consumidas directamente, y como fuente oleaginosa después. De ahí que las variedades con elevado contenido de aceite (del 50% o más) se desarrollasen en Rusia, donde se tomaron en serio el potencial de *Helianthus* como productora de aceite.

La sombra del girasol es alargada, y hoy Rusia es uno de los primeros productores mundiales de *H. annuus*, solo superado por Ucrania (que antiguamente formaba parte del imperio ruso, y, por tanto, también debe su afición girasolística a aquel desliz oleoso de la Iglesia Ortodoxa).

Quién le hubiese dicho a esta planta que, tras milenios de vida en América trabando alianzas con bisontes para su dispersión, terminaría asociándose con una especie, la nuestra, que lo llevaría más allá del horizonte, a conquistar todas las tierras que yacen en ese oriente que todo girasol en flor contempla siempre.

Pero... ¿por qué los girasoles miran hacia el este?
(alguna ventaja debe de ofrecerle a la planta, ¿no?)

Varios experimentos han demostrado que un girasol mirando al este recibe más visitas de polinizadores, algo que depende —al menos en parte— de la temperatura de los flósculos fértiles que forman el centro de la inflorescencia.

Pero también las lígulas externas tienen su importancia: aunque nosotros las vemos amarillas, el ojo de un insecto percibe los pigmentos ultravioletas que se acumulan sobre todo en la base de estos grandes pétalos. Estos patrones resultan muy atractivos para los polinizadores, que al verlos de buena mañana se dejan seducir por el reclamo de tan apetitoso banquete para desayunar.

6

Oda a los cereales que se volvieron invisibles: *Los mijos*

Moram si quaeres, sparge miliu[m] et collige.
(«Si quieres pasar el rato, esparce mijo, y recógelo de nuevo.»)

Grafito en una columna del peristilo
de la Domus M. Holconi Rufi (VIII.4.4), Pompeya

Eran tan pequeños, que se cayeron por los resquicios de nuestra memoria y terminaron desapareciendo. O quizás dejamos de hablar de ellos, y entonces, en cierta forma, dejaron de existir. Los mijos son los grandes olvidados en la historia agrícola y cerealística humana, y creo que debemos sacarlos de la invisibilidad para saldar nuestra deuda con ellos.

Es fácil que los ninguneemos, y más aun considerando que «mijo» es una palabra con tintes algo despectivos que solemos asociar con la comida para pájaros —que, de hecho, llamamos precisamente *alpiste*, otro término más o menos sinónimo con el de mijo—. Sin embargo, el universo de estos maravillosos cereales es amplio, tremendamente variado e igualmente complejo. De ahí que los haya sembrado en los campos que atravesaremos a continuación, un mar de susurros pequeños que la brisa matutina encrespa, transformando hojas en oleaje.

❧

Para empezar, el término «mijo» no se corresponde con ninguna entidad biológica; no refleja una categoría natural, sino cultural, que podríamos definir como: «cereal comestible de grano pequeñito», y las especies que encajan en esta descripción son *muchas*.

Hay algunas que tienen nombre propio, y que están saliendo poco a poco de este cajón de sastre lingüístico y cultural mijístico, como el teff (*Eragrostis tef*); hay otras que están en el borde del saco y a veces se caen dentro y otras fuera, como el caso del sorgo o alcandía (*Sorghum bicolor*). Pero como ya se sabe que quien mucho abarca, poco aprieta, aquí nos limitaremos a una introducción general a los principales mijos, para pasear después por las historias de tres especies concretas: una en China, otra en la India y otra en África.

¿Empezamos?

❧

Panicum. Setaria. Eleusine. Echinochloa. Pennisetum. Eragrostis. Digitaria. Paspalum. Brachiaria.

He aquí nada más y nada menos que nueve géneros botánicos con alguna especie dentro del mijo-saco (y sin contar los americanos). Como ves, la cosa se complica deprisa.

A pesar de haber tenido un peso más o menos notable dentro de la dieta y los ciclos agrícolas en muchos lugares del mundo, su historia es muy difícil de escribir, porque los restos que dejan en el registro arqueológico son muy chuchurríos: siendo tan pequeños los granos, de unos pocos milímetros nada más, es más difícil que se conserven, primero, y localizarlos después. Una cariópside de trigo carbonizado es relativamente fácil de ver, pero una de mijo... es bastante más complicado.

Una dificultad extra al indagar en la historia de los mijos es que a menudo se han visto menospreciados en la jerarquía agri-cultural, y las fuentes —¡o los sesgos inconscientes de quienes las investigan!— los invisibilizan, creando una imagen que no siempre se corresponde con la realidad, y el caso japonés nos ofrece un ejemplo paradigmático.

Si nos preguntan qué cereal es, y ha sido, la base del sustento en Japón, es muy probable que respondiésemos «arroz» (*Oryza sativa*). Este es el cereal de mayor importancia y prestigio social, hasta el punto de que durante la época Edo (1603-1868) el arroz servía como unidad económica básica para medir los sueldos de los *samurai* o la riqueza de un *daimyō*, un señor feudal. Pero si imaginas a *toda* la sociedad japonesa de hace tres siglos poniéndose tibia de arroz para desayunar, comer y cenar, te equivocarías. Sabemos que en muchos entornos rurales, incluso en los que se cultivaba arroz, este se consumía poquísimo, porque se empleaba para pagar impuestos. Los cereales cotidianos que saciaban el hambre a menudo eran mijos, que en el caso nipón solían ser mijo escobero (*Panicum miliaceum*), mijo cola de zorra (*Setaria italica*) y mijo japonés (*Echinochloa esculenta*). Estos tenían la ventaja añadida de crecer bien incluso en tierras norteñas, donde la ricicultura —es decir, el cultivo del arroz— tiene más problemas para rendir.

Porque, aun cuando nos resultan invisibles, los mijos son mucho más que alpiste para canarios; y para explorar su enorme importancia en la historia, empezaremos con la especie que enraíza en las primeras páginas de la aventura agrícola de la humanidad...

Lo llaman *Panicum*, *Panicum miliaceum*, y puede decirse que es El Mijo por excelencia en prácticamente toda Eurasia; aunque casi siempre lo acompaña su fiel comparsa, el mijo cola de zorra (*Setaria italica*), aquí la dejaremos a un lado, para no alargarnos demasiado.

A *Panicum* se lo conoce también como *mijo escobero*, un nombre que quizás suene poco fino, pero que facilita la tarea de imaginar el aspecto de este alpiste, cuyas panículas parecen pequeños plumeros desgarbados. En inglés lo llaman *broomcorn millet*, literalmente «mijo de grano escoba». Sospecho que se trata también del «mijo» que venden hoy en día para cocinar (y de cuyo agradable sabor doy fe en primera persona); sin embargo, como en los paquetes no incluyen nombres científicos, es difícil saberlo con total seguridad.

Supe de la existencia y la importancia del mijo escobero mientras escribía *La invención del reino vegetal*, al documentarme para la sección sobre los orígenes de la agricultura, pues el cultivo agrícola es un conjunto de prácticas que surgen de forma independiente en distintas partes del mundo, y una de ellas es China. Allí —y aunque parezca increíble—, los primeros cereales que se cultivan y domestican son mijos, no arroz. Incluso hoy día, buena parte del territorio chino no permite el cultivo de arroz, que requiere una cantidad de agua bárbara, y en las regiones más áridas del norte siguen cultivándose preferentemente cereales de secano, como el mijo.

Si la historia de China te resulta familiar, quizás recuerdes que una de las dinastías más antiguas*, fundada en el año 1046 a. e. c. es la dinastía Zhōu. Este periodo es especialmente conocido por su notable producción de piezas de bronce, de un refinamiento técnico y artístico muy elevados. Los Zhōu también fueron los primeros que introdujeron el concepto de «Mandato del cielo» (*tiānmìng*) para legitimar su poder político, concepto que tendría una larga carrera en China y que sucesivos gobernantes invocarían para justificar su ascensión al trono, pese a tener orígenes humildes (o incluso invasores que habían tomado el trono por la fuerza, como la dinastía mongola Yuan).

Cuando los Zhōu elaboran sus mitos de origen, se otorgan descendencia directa a partir de un ser mítico conocido como El Señor del Mijo o el Príncipe del Mijo, *Hou Ji*. En el *Libro de las Odas* (obra clásica de la literatura china, recopilada entre los siglos XI y VII a. e. c.) se incluye un poema que habla, precisamente, de cómo el Señor del Mijo fundó las prácticas agrícolas, regaló los mijos a la humanidad e instauró los sacrificios que establecían vínculos entre las esferas humana y sobrehumana:

> Él concedió a su gente los hermosos cereales, el mijo negro y el de grano doble, el alto mijo rojo, el mijo blanco —y ellos sembraron el negro y el de grano doble, los cosecharon y amontonaron en el suelo. Sembraron también el alto mijo rojo y el blanco, y los acarrearon sobre sus hombros y espaldas de vuelta al hogar, para honrar los sacrificios que el Señor del Mijo había instaurado.

De hecho, los mijos aparecen en ofrendas, y no solo en forma sólida, ¡sino también líquida! Al parecer, y al menos durante algunos periodos del reinado Zhōu, sabemos que la producción de cerveza estaba controlada por el estado y el grano preferido para prepararla era el mijo escobero. Sin

* Y también la más longeva, pues se mantuvo en el poder casi ocho siglos.

embargo, no todas las cervezas de mijo eran iguales: había distintas clases según el color del grano y el grado de refinamiento del preparado, hasta el punto de que las variedades más valiosas se empleaban como regalo real (antes de darte vestidos, tierras o armas, tu soberano te regalaba un soberbio perolón de bronce decorado y lleno de cerveza).

El mijo también tiene el honor de ser el ingrediente principal de los fideos más antiguos jamás hallados en el registro arqueológico, de 4.000 años de antigüedad; se recuperaron en las regiones chinas del noroeste, y están hechos de mijo escobero y mijo cola de zorra. Dado que estos cereales no tienen gluten, la pasta no se comporta como una de trigo, y resulta prácticamente imposible preparar los tallarines extendiendo la masa y cortándola a tiras. Sí puede lograrse, en cambio, a través de la extrusión, que en su versión más sencilla prevé el uso de un recipiente con agujeros en el fondo, dentro del cual colocas la masa y, a continuación, aplicas presión, obligando a que la masa salga por los agujeritos y adopte así forma de fideo.

Si bien China puede parecer tierra de arrozales, hay muchas provincias donde más del 80% de lo que se cultiva es cereal de secano (que antaño era mayormente mijo y que ahora incluye también notables cantidades de trigo, *Triticum* spp.). Este detalle en apariencia tan banal podría, en realidad, no ser baladí para una cultura: hay investigaciones psicológicas que proponen que la identidad del cereal que siembras es un factor que contribuye a que una sociedad sea más o menos individualista. Al comparar el nivel de individualismo entre regiones chinas en las que se cultiva arroz (al sur) y las que siembran cereal de secano (al norte), los resultados parecen indicar que ambas cosas están correlacionadas.

El mijo escobero es un cereal ideal para una sociedad individualista, en la cual los proyectos colectivos son escasos y la supervivencia de la persona depende sobre todo de sí misma y sus capacidades. Este tipo de organización social se da en grado sumo en culturas nómadas o ganaderas, en las que cada uno se las apaña como puede... y, de hecho, resulta curioso que el mijo sea uno de los viajeros más precoces a lo largo de la Ruta (o Rutas) de la Seda.

¿Por qué?

Probablemente sea debido a que es un cereal fantásticamente cómodo para un pueblo nómada que quiere cosechar los beneficios de la agricultura, sin renunciar a su movilidad —y esos son los pueblos que viven en los territorios del Asia central, que hacen de puente y difusor cultural entre Oriente y Occidente... y que aún hoy siguen cultivando mijo.

El mijo escobero crece deprisa, y sin que tengas que regarlo: se dice que tiene los requerimientos hídricos más bajos de todos los cultivos cerealísticos, así que puedes echar un puñado de semillas cerca de algún riachuelo, en un campo sin arar, y luego despreocuparte casi por completo de él, hasta que sea la hora de cosechar las cariópsides (que, al ser tan pequeñas, se cuecen más deprisa que las de cebada o trigo, y con un gasto menor de combustible).

A todo ello hay que añadirle que el metabolismo del mijo es, además, extremadamente eficiente, al ser lo que conocemos como una planta C4. ¿Pero qué significa este término y qué relevancia tiene?

Como bien sabes, las plantas son capaces de transformar moléculas de CO_2 y luz solar en azúcares (glúcidos) y agua, en el proceso que conocemos como fotosíntesis, y la principal enzima encargada de realizar esta tarea se conoce como ribulosa-1,5-bisfosfato carboxilasa/oxigenasa —o *rubisco*, para los amigos. Pues bien: la rubisco no es precisamente lo que se dice... eficiente. Vamos, que se distrae con cierta facilidad, y esas distracciones implican que, en lugar de convertir el CO_2 en azúcares, se despista y hace exactamente lo contrario (observa que su nombre completo ya apunta a esta doble capacidad: puede ser *carboxilasa*, pero también *oxigenasa*). A eso hay que sumarle un problema más que las plantas deben solucionar: y es que la misma acción que les permite absorber CO_2, las deshidrata. Los poros —*estomas*— que se abren en las hojas para dejar entrar al dióxido de carbono son también la vía de fuga perfecta para las moléculas de agua.

Hay plantas que sufren en silencio esta situación y se las apañan como pueden; las conocemos como plantas C3 (cuyo nombre hace referencia a sutilezas bioquímicas que quizás analicemos en otra ocasión).

Pero luego están aquellas que innovan, que luchan por la eficiencia, por el derroche de agua cero... y lo consiguen. Su proteína rubisco sigue siendo igual de distraída, pero algunas plantas se lo montan para limpiarle el entorno de distracciones y lograr así que se concentre en su trabajo principal: fijar CO_2 y convertirlo en glúcidos.

A lo largo de la historia evolutiva vegetal han surgido distintas alternativas innovadoras que apuestan por la eficiencia máxima, y el mijo escobero —al igual que el maíz (*Zea mays*), entre otras—, pertenece a la corriente metabólica que conocemos como C4.

Este no es un fenómeno que únicamente interese a la planta en sí, o a los humanos y las civilizaciones que las han cultivado (no es casualidad que sea el maíz el cereal más exitoso de todos los tiempos, o que se esté intentando convencer a plantas como el arroz, que es C3, a que innove y se convierta en una C4). Al analizar el esqueleto de una persona que vivió hace milenios, podemos saber si su alimentación se basaba en plantas C3 o C4, porque deja una señal química en nuestro esqueleto. Somos, literalmente, lo que comemos, incluso después de haber quedado reducidos a polvo y hueso.

Pese a las innegables ventajas agrícolas que supone el cultivo del mijo escobero, y aun siendo un alimento versátil y de sabor agradable, el valor social de *Panicum* y cía. en Occidente nunca fue muy elevado.

En la antigua Roma, por ejemplo, los mijos no se consideraban exactamente los reyes entre los cereales; sin embargo, se consumían en cantidades mucho mayores de lo que pensamos. En el norte de Italia se han recuperado muchos restos de mijo escobero y mijo cola de zorra* entre los restos de ofrendas rituales depositadas en piras funerarias. E incluso más al sur, en Pompeya, las excavaciones en algunos barrios de la ciudad han revelado que el mijo escobero era tres veces más frecuente que la cebada. Lejos de ser una rareza, prácticamente todo el mundo estaría familiarizado con su sabor y su diminuto aspecto.

Su escasa valoración social ha contribuido a que haya sido sustituido en no pocos casos por otros cereales; allá donde en la China Zhōu la cerveza de mijo era el *non plus ultra*, las antiguas recetas para bebidas alcohólicas a base de mijo en lugares como los Balcanes —sobre todo en regiones de la antigua Yugoslavia— se han perdido, y el mijo ha sido sustituido por trigo y maíz.

* En latín, y para confundir a todo el mundo que sepa sus nombres científicos, se denominaban *milium* (*Panicum miliaceum*) y *panicum* (*Setaria italica*).

❧

Los mijos son cereales tremendamente viajeros —a veces *sorprendentemente* viajeros, como sucede con el mijo de dedo, *Eleusine coracana*. Este mijo también lleva su aspecto en el nombre (común), pues no dispone sus granos en un único racimo, sino en lo que parecen manitas abiertas hacia el cielo, con dedos hechos cereal.

Eleusine se cultiva en buena parte de África y Asia, por ejemplo, en la India, donde supone el 85% de todos los mijos cosechados; se da sobre todo en los estados más al sur, donde se encuentra especialmente a gusto y se conoce como *ragi*. Con su harina se preparan panes planos, como los *roti*, pero también gachas, que no solo están ricas, sino que además son muy nutritivas y saciantes. En la India pude probar un mejunje de *ragi*, tibio y dulzón, gracias a una encantadora estudiante de un colegio para sordomudos en Andhra Pradesh, quien me contó que la merienda de cada día es un buen vaso de *ragi* caliente. Estaba rico, pero me costó terminarlo porque me quedé llena a los pocos sorbos. De hecho, se dice que aquellos que se dedican a profesiones físicamente exigentes prefieren dietas ricas en mijo, que les da energía.

Quizás hayas oído o leído alguna referencia al elevado contenido en calcio del «mijo», afirmación que no es necesariamente válida para *todos* los mijos, sino para este en concreto —*Eleusine coracana*— que tiene un perfil nutricional más interesante que el trigo o el arroz. Por eso hay varios institutos de desarrollo y mejora agraria que están promoviendo el cultivo y consumo de este cereal.

Sin embargo, el asunto que a mí me resulta más fascinante del *ragi* es que, a pesar de encontrar restos suyos en el subcontinente indio de hace 4.500 años (ligados a una de las civilizaciones clásicas, en Harappa), el mijo de dedo no es de origen indio, ni siquiera eurasiático: *E. coracana* es uno de los tres mijos africanos que se plantaron en la India antes de que terminase de erigirse Stonehenge. Asombroso pero cierto: más o menos cuando en Egipto estaban construyéndose las pirámides, una serie de cereales viajaron miles de kilómetros y se instalaron en una tierra muy lejana, demostrando que existían contactos entre la India y África hace más de 4.000 años.

Uno de los países africanos en los que se cultiva y consume el mijo de dedo es Uganda (donde se conoce como *wimbi*, *oburo*, *akuma*... según la región y la etnia que consideres), y una de las formas más típicas de prepararlo es en forma de cerveza, o *malwa*. Esta bebida no suele consumirse de forma individual, sino colectiva, y —según un amigo ugandés al que pedí si podía indagar sobre el tema—:

> «el mijo favorece la unión entre las personas de las comunidades donde se cultiva, porque su siembra, cosecha y preparación requiere mucho trabajo, y colaboran varias familias juntas para llevarlo a cabo. Esa unidad también se manifiesta a la hora de beber malwa: la gente se reúne alrededor de una olla común y todos beben de la misma olla, aunque cada uno deba sorber con su pajita individual. Y mientras beben, suelen charlar sobre asuntos de sus familias, sus comunidades, y del país.»

Mijo: *connecting people*!

Para terminar, nos desplazaremos hasta el otro extremo del continente africano para conocer a un mijo que está adquiriendo nombre propio: el fonio, una de las especies que se clasifican como «mijos pequeños» —y teniendo en cuenta que un mijo ya es, por definición, chiquitín, estos son doblemente pequeños—.

El fonio, científicamente conocido como *Digitaria exilis*, es un cereal del África occidental: hace miles de años que se cultiva entre Senegal y el lago Chad. Aunque quizás esta sea la primera vez que escuchas su nombre, el fonio y su especie hermana el *iburu* (*Digitaria iburua*) dan de comer diariamente a varios millones de personas.

Como buen mijo pequeño, las cariópsides del fonio son diminutas, como granitos de arena gordos, y su procesado es un poco laborioso; pero no creas que uno se los come por penitencia: es frecuente que el fonio se considere todo un manjar, una *delicatessen* que encima crece en suelos paupérrimos, sin necesidad de fertilizantes o pesticidas. El principal cuello de botella al que se enfrenta el fonio es lo farragoso de su procesado, pero se está trabajando en ello...

Y uno podría preguntarse, ¿por qué? ¿No es más cómodo que sea sustituido por otros cereales que cunden más y están ganando terreno, como el maíz?

A lo que respondo de dos formas.

La primera es que cada cereal, cada planta, es única. Tiene un sabor distinto, requerimientos distintos, puntos fuertes y puntos débiles distintos; por eso, los agricultores en sociedades tradicionales saben que tener una huerta y unos campos diversos y diversificados es una apuesta de futuro inteligente.

La segunda es que cada cereal, cada planta tiene asociadas toda una serie de historias, una riqueza cultural insustituible que no veo por qué deberíamos tirar a la basura. Por ejemplo: en Togo, un estado africano estrecho y larguirucho situado en el gran golfo de Guinea, el fonio es un cereal de gran relevancia social, que protagoniza ceremonias de iniciación femenina, interviene durante el bautismo de los recién nacidos e incluso sirve como regalo entre las familias de quienes vayan a contraer matrimonio. En algunas comunidades, el fonio es alimento revelado por la divinidad al pueblo, y es la comida ritual que comparten marido y mujer durante su noche de bodas.

Nunca he tenido la ocasión de probar fonio, pero confío en tropezármelo algún día y probar el que, según dicen, es el mijo más rico de toda África. Confío en poder probarlos todos algún día y disfrutar de las peculiaridades de cada uno. Pero para conseguirlo tendremos que lograr dejar a un lado las jerarquías cerealísticas subjetivas, las comparaciones y las clasificaciones despectivas del alpiste-para-periquitos.

Solo entonces nos acercaremos de nuevo a los mijos, los veremos con la mirada limpia de prejuicios y los valoraremos como se merecen.

III
Un baño en verde

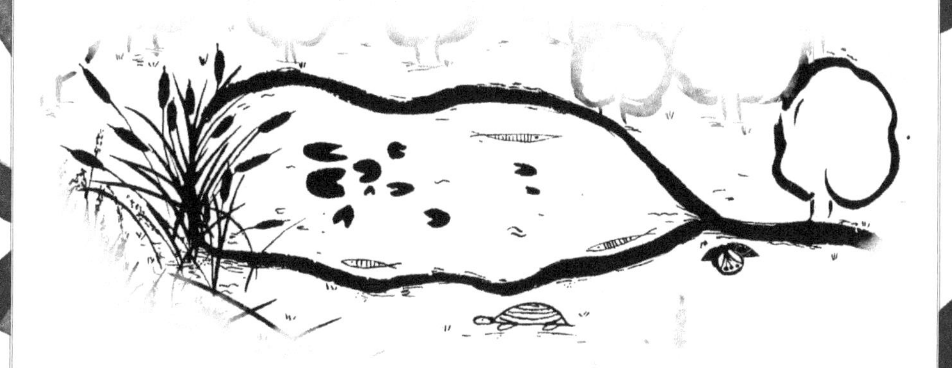

Se divisa allende el mar de mijos que atraviesa nuestro sendero, ¿lo ves? Entorna los ojos; aguza el oído. Quizás te lleguen los ecos de chapoteos discretos; pronto, tal vez, el croar de una rana.

Nos acercamos al agua.

El agua también tiene sus sendas, que dibujan hilos y botones de plata líquida sobre la piel de la Tierra. La primera orilla que nos acoge es pantanosa, más o menos somera, poco profunda; en ella nos recibirán nuestras primeras anfitrionas de apetencias acuosas, plantas esbeltas cuyas hojas de espada nos han proporcionado asiento desde tiempos antiguos.

Pero el calor empieza a hacerse notar, y quizás querrás darte un chapuzón; aprovecha para acercarte a las ninfas en flor que salpican la superficie del lago y escuchar el susurro líquido de algunas de sus historias.

Allá donde la transición entre los huertos y los campos puede ser relativamente suave, el agua es un cambio brusco: para seguir adelante y atravesarla, tendrás que mojarte. Este remojón purificador es una línea de confín entre un antes y un después; si lo piensas, no es casual que muchos ritos de iniciación estén coprotagonizados por el agua.

Sin embargo, las aguas tienen una carga ambivalente en la imaginación humana. Traen vida, pero también su contrario, la muerte, y a menudo nos las figuramos rebullendo de espíritus con intenciones más bien opacas en lo que a nosotros respecta.

Estas connotaciones ambivalentes a veces se pegan a la vegetación que hunde sus raíces cerca del agua, y de ello nos hablarán los árboles anfibios que enraízan en el otro extremo de la pequeña laguna, donde un arroyo nacido en las montañas vierte su modesto caudal...

7

Fibras de agua y polvo de oro: *Typha* spp.

Ciñen las aguas con su abrazo de hoja y tallo subterráneo; chapotean en el lodo, lanzando al aire mareas de oro y algodón; enriquecen la orilla que tocan, creando ecosistemas anfibios que rebosan actividad. Pero esta riqueza no afecta solo al medio natural, sino también a la imaginación humana que se relaciona con ellas...

Para conocer mejor a estas plantas nos acercaremos a explorar una frontera borrosa—o más bien *fangosa*: a esa franja malamente definida que orla las orillas de lagos y pantanos, o que bordea los flancos de meandros fluviales, de ríos en sus tramos más perezosos, de ensenadas y deltas salobres donde el agua fluye ora dulce, ora salada según respiren las aguas. Una forma poética de hablar de ciénagas, vamos.

En estas tierras húmedas, frecuentemente inundadas (de agua y de mosquitos), viven las eneas o espadañas.

Las eneas pueden presumir de ubicuidad casi absoluta: el género *Typha*, que agrupa a las cuarenta especies de espadañas, vive en aguas dulces o salobres de todos los continentes. Son facilísimas de reconocer cuando están en flor, porque sus inflorescencias tienen una forma muy característica: son esos puros o cigarros que se yerguen entre las largas hojas verdes, cuya forma puede recordar vagamente al filo de una espada (de ahí el nombre de *espadaña*).

De entre todas las eneas que existen, unas cuantas destacan por su estrecha relación con las culturas que han convivido con ellas, como *Typha domingensis*, *T. angustifolia* o *T. latifolia*; la más «resistente» de las tres, la menos tiquismiquis a la hora de escoger hogar, es la primera, y, en consecuencia, sus dominios son los más extensos, viviendo en las regiones tropicales y templadas (pero no muy frías) de todo el planeta.

Hace 30.000 años, la última gran edad del hielo estaba en su apogeo; en todo el globo los glaciares avanzaban, las temperaturas bajaban, las precipitaciones disminuían. Era un mundo frío y árido, y si bien el descenso del nivel del mar reveló tierras hoy bajo el agua, buena parte del hemisferio boreal quedó sumergido bajo el hielo como contrapartida.

Por aquel entonces, nuestra especie ya pululaba por cuatro continentes (solo nos faltaba llegar a las Américas), pero quizás los yacimientos arqueológicos más famosos se encuentran en Europa, donde aparecen algunas de las primeras expresiones artísticas que *Homo sapiens* deja para la posteridad. Y las sociedades humanas que habitan aquella Europa glacial, poco apta para pusilánimes, se han imaginado como esencialmente cazadoras. Eran tiempos de renos, de mamuts, de pintura rupestre, de rotundas figurillas femeninas que hoy conocemos como Venus paleolíticas, y... ¿de espadañas?

Pues sí: el análisis de una serie de metates hallados en un yacimiento italiano del Paleolítico Superior revela que se emplearon para moler plantas ricas en almidón, entre ellas rizomas de enea*. Estos tallos subterráneos con aspecto de raíz son ricos en carbohidratos y perfectamente comestibles. Salvo excepciones, este empleo ha caído en el olvido en buena parte de Europa, pero otras culturas lo han tenido y tienen muy presente desde hace milenios.

Los aborígenes australianos, por ejemplo, consumían los rizomas de las especies nativas de *Typha* (*T. orientalis*, *T. domingensis*) conocidas bajo el

* No son las únicas, claro; también hallamos restos de helechos y otras plantas silvestres. No estaban los tiempos para hacerle ascos a nada que fuese mínimamente comestible...

nombre de *cumbungi*, tras cocerlos al vapor en un horno de tierra; y los maoríes de Nueva Zelanda también los aprovechaban tanto cocidos como crudos una vez pelado el exterior (aunque las descripciones de su sabor crudo —«insípido, aguado»— no suenan especialmente apetitosas...).

Sin embargo, comer eneas no es un hecho anecdótico que hallemos solo en sociedades poco urbanizadas: en China, los rizomas secos se muelen hasta obtener una harina que se emplea para preparar bollos al vapor o budines, ya sea sola o mezclada con otras harinas.

De hecho, a nivel nutricional, su composición ¡no es muy distinta a la de un cereal como el trigo!

Con todo, no te apresures a cosechar rizomas de enea apenas te tropieces con un bodón (es decir, un lugar henchido de eneas, que en latín se conocían como *budas*). Hoy sabemos que varias *Typha* son excelentes bioacumuladores de sustancias como metales pesados (cadmio, níquel, cromo, plomo...); ello las convierte en plantas interesantes para proyectos de biorremediación* en aguas contaminadas, pero hincarle el diente a una espadaña que rezuma cadmio es más bien poco recomendable.

No sabemos si hace 30.000 años solo aprovechábamos los rizomas, o si habíamos aprendido que también los brotes jóvenes, las inflorescencias, el polen e incluso las semillas pueden comerse.

Sí es posible que nos diésemos cuenta de que sus hojas quizás no estén muy ricas, pero son un material fibroso excelente para trenzar canastos, esteras, cordel —¡y para preparar asientos de sillas!—. Estos usos están ampliamente extendidos a lo largo y ancho del globo: en muchas partes de África, por ejemplo, las espadañas son materia prima para elaborar techumbres, cercados, biombos, sombreros o incluso pequeñas embarcaciones.

Con todo, es difícil (por no decir imposible) saber desde cuándo las eneas enriquecen las fibras de nuestras vidas... y muertes: en las regiones más áridas de China hemos recuperado esteras, así como fibras de enea hilada, en tumbas de varios milenios de antigüedad. No es el único lugar donde hallamos esta conexión entre eneas y contextos funerarios; en Izmir, situado en la costa turca del mar Egeo, las eneas son el material con que

* En sentido amplio, se trata del empleo de organismos vivos para recuperar entornos contaminados.

se tejen las esteras-sudario para envolver y enterrar a los muertos (aunque la lejanía —tanto geográfica y temporal como cultural— respecto a los yacimientos chinos apunta a una convergencia independiente).

❧

Las aguas tienen una carga ambivalente en la imaginación humana, y los pantanos y humedales donde crecen bodones son lugares peculiares, con un halo de sacralidad, de vida a la vez que de muerte. Liminares.

A lo largo de la historia hemos realizado sacrificios a las aguas; hay quien plantea, por ejemplo, que las famosas momias de los pantanos —como el hombre de Tollund (s. IV a. e. c.) o el de Lindow (de datación problemática, alrededor del año 2 a. e. c. y el 119 e. c.)— fuesen víctimas de sacrificios humanos a los dioses. Y algunas de las culturas más íntimamente asociadas con esta encantadora costumbre a lo largo de la historia fueron mesoamericanas.

En Mesoamérica, las espadañas (conocidas como *tules*, junto con otra vegetación de humedal) forman parte de la geografía sagrada de aztecas, mayas, toltecas y quizás otros pueblos anteriores. La ciudad arquetípica en el mito mesoamericano, esa urbe paradisíaca donde reina la paz y la armonía entre los dioses y la humanidad (hasta que viene alguien y lo fastidia todo), es un —o al menos lleva nombre de— bodón, un lugar de espadañas: Tollan (que aparece también como Tulla o Tula en las fuentes), que se convierte en sinónimo de «lugar de fertilidad y prosperidad». Según cuentan textos como el *Códice florentino* de Fray Bernardino de Sahagún, el gobernador y gran sacerdote de esta ciudad mítica era Topiltzin Quetzalcóatl, la Serpiente Emplumada, origen de toda la sabiduría y todas las artes.

Es curioso que en el *Popol Vuh*, libro sagrado de la tradición oral maya *k'iche'*, aparezcan las espadañas en el mito de creación de la humanidad —o, mejor dicho, de *las* humanidades, pues hay varios fracasos antes de lograrlo por fin, no al tercero, sino al cuarto intento—. En la tercera prueba, los dioses crean el cuerpo del hombre a partir de *tzité* (*Erythrina* sp.), y el de la mujer a partir de espadañas. Pero a los dioses no les sale bien; al parecer, aquellos humanos son un poco desagradecidos y no se acuerdan de sus divinos progenitores, fallo grave que desencadena una serie de calamidades, como lluvias de resina, además del ataque de seres bastante violentos (que les vacían los ojos y les cortan la cabeza y cosas así... con el evidente resultado de que se mueren). Así se descubre que las eneas no sirven para crear humanidades longevas, pero imagino que para saberlo había que probarlo...

La cuarta creación de la humanidad según este texto es a partir de maíz (*Zea mays*), una planta que, fijándonos sobre todo en las tradiciones americanas, tiene algo en común con las eneas: algo minúsculo que viaja a lomos del viento, de color amarillo dorado, y que hoy sabemos sirve a las plantas para reproducirse: el polen.

> En su estado crudo, se parece a nuestra mostaza molida; con él se preparaba una especie de masa ligera y amarilla, y se horneaba. Resultaba dulce al paladar, no muy distinto al pan de jengibre londinense.

Estas son las palabras de un naturalista oriundo de las islas británicas, William Colenso, sobre las costumbres de los maoríes de Nueva Zelanda en el s. XIX. Los maoríes conocían las eneas como *raupô*, y con su polen preparaban una especie de pan horneado, conocido como *pungapunga*.

Al igual que otras muchas plantas, como los **cipreses**, las eneas son *anemófilas* (es decir, que se polinizan gracias al viento); en consecuencia, producen enormes cantidades de polen, que cualquier persona armada con un cubo o una bolsa puede recoger al agitar las inflorescencias con suavidad.

Tenemos noticias de pueblos comiendo polen de espadaña en lugares tan alejados entre sí como Nueva Zelanda, Medio Oriente (en las regiones pantanosas de los ríos Tigris y Éufrates) o China; sin embargo, quizás sea en el continente americano donde mayor importancia se ha concedido al polen, no solo como alimento, como medicina o como pintura corporal, sino como elemento ritual y sagrado.

En las tradiciones amerindias, las grandes productoras de polen son sobre todo dos: el maíz, una planta de enorme relevancia cultural en todo el continente, y las eneas. El polen de maíz es muy importante para pueblos como los navajos (o diné), pueblo que se instaló en el suroeste norteamericano hace medio milenio largo y aprendió a cultivar maíz gracias a sus vecinos —los hopi—; a partir de entonces, «el maíz se convirtió en parte de la identidad navajo». De los navajos proviene el fascinante concepto del *Camino del polen*, que ya el mitólogo Joseph Campbell citó con estas palabras:

> Los navajos tienen una imagen maravillosa de algo que llaman el camino del polen. El polen es la fuente de vida, el camino del polen es la senda hacia el centro. Los navajos dicen, «Oh, belleza ante mí, belleza detrás de mí, belleza a mi derecha, belleza a mi izquierda, belleza sobre mí, belleza debajo de mí, estoy en la senda del polen».

Pese a que hoy es el polen de *Zea mays* el protagonista indiscutible, hay quien propone que antiguamente este polvo sagrado no provenía del maíz, sino de las eneas, cuyo polen aún participa y protagoniza varias ceremonias navajo.

Se cuenta también que los apaches creían que la Vía Láctea había tenido origen al esparcir un puñado de polen de enea por el rostro de los cielos; y uno de los elementos más importantes guardados en las *medicine bundles*, las bolsas medicinales sagradas de estos nativos, era polen de enea, con el que se llevaban a cabo ceremonias y bendiciones.

Si exceptuamos los jardines con estanque donde hemos querido colocarlas para embellecer el lugar, no puede decirse que hayamos cultivado adrede a las chicas del género *Typha*. Sin embargo, sí hemos controlado y gestionado activamente los espadañales en varias partes del mundo, y el elemento principal para lograrlo ha sido el fuego. Las eneas arden tan bien, de hecho, que alguna vez las hemos empleado como antorchas, una vez embebidas en grasa; y esas fibras de aspecto algodonoso con que la planta equipa sus semillas han funcionado, entre otras cosas, como yesca para encender fuegos rápidamente, y, dada su suavidad y ligereza, también para rellenar cojines o colchones, para añadir capas extra de aislamiento térmico en calcetines o guantes, o como material para pañales (como bien indica uno de sus nombres en la lengua potawatomi, *bewiieskwinuk*, que significa «envolvemos al bebé en ella»). Durante la Primera Guerra Mundial se empleaba como relleno de salvavidas, y hoy en día le estamos buscando (y encontrando) aplicaciones como absorbente de sustancias contaminantes en el agua.

Quizás no vayan muy desencaminados los mohawk cuando dicen que *Typha* es una planta que nos envuelve en sus dones, regalándonos todo lo necesario para vivir, como si de un hada buena se tratase. Uno de sus nombres en gaélico es, de hecho, *cuigeal nam bàn-sìth*, que —según tengo entendido— significa algo así como «el huso del hada», *the fairy wives' spindle**. Este apelativo tiene que ver con sus supuestos poderes para sanar la epilepsia (creencia que proviene de las Highlands escocesas), pero a mí me sugiere algo distinto, teñido de poesía: la capacidad de estas ubicuas compañeras de *Homo sapiens* para hilar, cual huso de las hadas, nuestra historia común —la del reino vegetal y la humanidad entera— a partir de fibras compartidas.

* Sí, *fairy wives' spindle* técnicamente se traduce como «el huso de la esposa feérica», o del hada esposa, o algo parecido... pero me suena muy raro.

8

De ninfas y soles sumergidos: *Nymphaea* sp.

Allende las eneas, lago adentro, emerge una constelación de estrellas. Las leyendas hablan de ellas, y cuentan cómo las aguas del caos se iluminan con el nacimiento de una flor: un nenúfar, en cuyo seno se acurruca el sol dormido.

Las hermanas del género *Nymphaea*, reinas de las aguas, han encandilado a la humanidad desde la noche de los tiempos; hermandad universal, existen especies de nenúfar en todos los continentes habitados del mundo, desde las Américas hasta Australia. Han servido como alimento y como perfume, han sido fuente de inspiración mítica y artística en culturas tan diversas como el antiguo Egipto, la India o la civilización maya. Los efectos de su bioquímica sobre la mente humana siguen levantando pasiones.

Sin embargo, primero tenemos que aclarar una confusión muy común y generalizada, e ilustrar qué es un nenúfar y qué *no* lo es.

En sentido botánico estrecho, un nenúfar es una planta perteneciente al género *Nymphaea* que, como quizás hayas adivinado, toma su nombre de unos seres de la mitología griega que también gustaban de ambientes húmedos para vivir: las ninfas. Ya Dioscórides —famosísimo médico de principios del s. I e. c. que escribió uno de los herbarios más influyentes en Occidente— las incluye en su obra como *nymphaia*, y dice que «Parece que se denomina así por las ninfas, porque le gusta un lugar húmedo».

Hasta aquí, todo bien: los nenúfares son plantas acuáticas que sacan bellas flores. Las confusiones surgen porque *no toda planta acuática que saca bellas flores es un nenúfar.*

En el hemisferio norte, por ejemplo, pueden aparecer menciones a «nenúfares amarillos», que generalmente no son *Nymphaea*, sino primas suyas del género *Nuphar*; estas pertenecen a la misma familia, con que este empleo lingüístico puede tener un pase, pues todo queda entre parientes próximos.

El gran problema viene con los lotos, otro término de historia compleja y enmarañada, pero que aquí emplearé únicamente para referirme a los lotos sagrados, del género *Nelumbo*. Estas son plantas que, a pesar de tener hojas redondeadas y grandes y bellísimas flores, no tienen nada que ver con los nenúfares.

Las principales diferencias entre los nenúfares (*Nymphaea*) y los lotos (*Nelumbo*), pueden resumirse en los siguientes puntos:

- Si tiene las hojas redondas con el pecíolo que se inserta en el centro de la lámina foliar*, como si fuese un plato enorme en equilibrio encima de un palo que sobresale fácilmente un metro por encima de la superficie del agua, no es un nenúfar.
- Si las flores también están elevadas a una altura considerable sobre la superficie, tiene grandes pétalos como cucharas, y rodean una especie de copa central dorada, no es un nenúfar.
- Si puedes ver el fruto por encima del agua y parece una mezcla entre una copa y un panal donde se insertan muchas semillas, no es un nenúfar.

Lo que acabo de describir es un loto sagrado.

* Es decir, si tiene hojas *peltadas*.

Por el contrario, las hojas de las *Nymphaea* no suelen elevarse demasiado por encima de la superficie de las aguas donde viven, y muchas veces las láminas foliares no forman un círculo perfecto, sino que parecen más bien una tarta a la que alguien ha cortado una porción.

Lo mismo sucede con las flores de nenúfar, con un aspecto que a menudo puede recordar a una estrella, con las puntas de los pétalos más finas; pese a que varias especies sacan flores que se yerguen por encima de las aguas, no suelen elevarse tanto como las flores de loto. Ello puede resultar lógico si pensamos que los frutos de las *Nymphaea* se desarrollan bajo el agua: tras la fecundación, la flor se sumerge para convertirse en fruto y ya no vuelve a salir jamás a la superficie (a no ser que el lago se seque, pero ahí el nenúfar poco puede hacer al respecto).

Otro detalle diagnóstico importante atañe al color: pues los nenúfares dominan una amplia gama de recetas cromáticas: hay *Nymphaea* blancas, amarillas, rosas, violetas, azuladas, etc., mientras que los lotos, en cambio, son incapaces de sacar flores violetas o azules. Ello significa que cualquier referencia a «lotos azules», ya sean en los cómics de Tintin o en las traducciones de poesía hindú, son una metedura de pata botánica —o, lo admito, referencias a una planta ficticia— porque no existen los lotos azules, sino únicamente los nenúfares azules.

La confusión entre lotos y nenúfares no sucede únicamente en Occidente; también en la India existe una larga y venerable tradición de mezclar ambos géneros en las escrituras sánscritas.

El loto sagrado, asiento de dioses y flor bella por excelencia, es *padma*; los nenúfares, en cambio, se conocen como *kamala*. Sin embargo, tenemos numerosas referencias a «lotos azules» (*nilpadma*) botánicamente imposibles, que deberían aparecer como *nilkamal* (nenúfares azules). Estos términos han creado un notable caos lingüístico-botánico, pues quienes se dedican a traducir textos antiguos raramente destacan por su interés en taxonomía vegetal («¿y cómo no va a existir un loto azul, si en la literatura dice claramente que sí?»).

Las flores azules, incluidos algunos nenúfares, revisten gran importancia en el subcontinente indio sobre todo porque su tonalidad tiene una notable relevancia cultural y religiosa: hay varias deidades hindúes que tienen la piel azul —ya sea por completo, como Krishna, avatar del dios Vishnu; o solo parcialmente, como Shiva (del que se dice que tiene el cuello azul oscuro, por haber tragado un veneno capaz de emponzoñar al mundo entero).

Sin embargo, el papel cultural de los nenúfares en la India es más limitado que el de los lotos sagrados, como puedes notar en el siguiente fragmento de poesía tamil dedicada a Shiva:

> O, dios de enmarañados cabellos, grita la muchacha, tú eres mi único refugio. Tú que cabalgas el toro, grita, se desmaya. Oh señor de Marukal donde los nenúfares azules florecen en las aguas de los campos, acaso es justo dejar que esta mujer se consuma de amor? Objeto de mis pensamientos, grita ella. Shiva, Ser Primordial, primero entre los dioses, grita ella. Oh, padre que mora en Marukal donde los nenúfares azules florecen en racimos, es justo ver a esta mujer consumida por el anhelo?

Pese a estar presentes, estos «nenúfares azules» (*nilkamal*) aparecen más como parte del decorado que por asociaciones simbólicas o míticas.

Tendremos que viajar a otra civilización, y retroceder en el tiempo, para encontrar a otro nenúfar azul que sí tuvo mucha importancia...

Se halla en el capítulo 81, cuyo título reza: *Fórmula para transformarse en nenúfar*.

La obra quizás te suene: solemos llamarlo el *Libro de los muertos* —aunque, siendo egipcio, no era un libro, sino un papiro; no es único, sino que existen distintas versiones; y su nombre egipcio no hace referencia a la muerte, sino a la luz, al día; los egiptólogos suelen referirse a él como *Libro de la Emergencia a la Luz* o *Libro de la salida al día**.

Pero volviendo a nuestro nenúfar, ¿por qué querría el difunto (que era quien teóricamente se valía de las instrucciones y sortilegios del texto) convertirse en un nenúfar?

Para comprenderlo, es necesario ahondar un poco en la relevancia mítica y ritual de los nenúfares en Egipto, ¡que no es poca!

* Claramente, llamarlo «Libro» es una licencia poética que se adopta por comodidad, pero no aparece en el original egipcio.

Existen dos especies de nenúfar en el Nilo: una de flores blancas y apertura nocturna, conocida como *Nymphaea lotus* (epíteto perfecto para seguir enturbiando la distinción entre lotos y nenúfares); y una de flores azuladas y apertura diurna, muy perfumada, cuyo nombre (según qué texto o base de datos consultes) oscila entre *Nymphaea caerulea* y *N. nouchali* var. *caerulea*. De las dos, esta última es la más importante a nivel religioso; uno de los mitos sobre la creación del mundo está protagonizado por un nenúfar azul que emerge de las aguas oscuras primordiales y, al abrirse, da luz al mundo: de su interior nace el Sol, cuya divinidad principal era Amón Ra (aunque en Egipto haya muchas más con conexión solar, como Horus).

El nenúfar azul, pues, tiene una conexión muy directa con el sol, quien se alza cada mañana por encima del horizonte con una de estas flores adornando sus divinas narices.

Claro está que debemos tener en cuenta que la civilización egipcia fue tremendamente longeva (entre la unificación de los dos reinos, el bajo y el alto Egipto en el 3150 a. e. c., y el relevo grecorromano, en el 332 a. e. c., echa números: ¡casi 3000 años!). La relación de una cultura con una flor puede evolucionar mucho a lo largo de tres milenios, adquirir nuevos significados, nuevos usos... Lo que parece bastante probable es que, desde el principio, existiese una relación entre los nenúfares, el perfume y la religión; algunos de los recipientes más antiguos hallados con forma de capullo de nenúfar estaban en templos y en tumbas. La primera vez que aparecen jeroglíficos que representan nenúfares (y hay varios), estos se emplean para expresar palabras como «tributo», «sacrificar» o, curiosamente, el número 1.000, que podría significar algo así como «un montón». Se trata de inscripciones de la Primera Dinastía, que empieza aproximadamente en el 3100 a. e. c. y termina unos doscientos años más tarde.

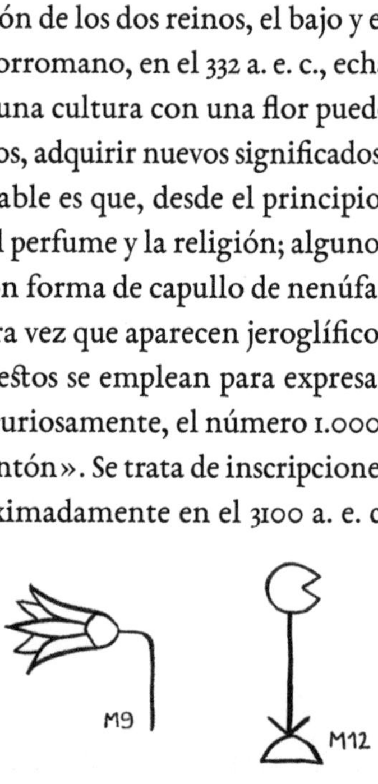

El glifo M12 corresponde a «1.000»; M9 y una variante suya corresponderían a «tributo».

M9

M12

Con el tiempo, los nenúfares terminarán siendo la flor bella por antonomasia, algo así como el equivalente cultural egipcio de la rosa en Occidente: aparece en poesía amorosa, en recetas de perfumería, en descripciones de los dioses... incluso llega a tener a su dios particular, Nefertum, que suele reconocerse porque es la divinidad que va por la vida con una flor de nenúfar encima de la cabeza.

Existen indicios de que los egipcios también aprovechaban las habilidades pocimísticas de estas plantas; de hecho, durante el siglo pasado hubo estudiosos que defendieron la tesis de que las *Nymphaea* se usaban como plantas alucinógenas. Pese a que esta idea no parece estar corroborada por análisis bioquímicos a día de hoy, sí he hablado con personas que se dedican al estudio de las plantas psicoactivas —que no es lo mismo que alucinógenas, ojo— y me han comentado que lo más probable es que se empleasen como sustancias con efectos afrodisíacos, más concretamente, afrodisíacos femeninos.

La relación de los nenúfares con la esfera del eros es un tema recurrente, aunque a veces los relatos al respecto sean contradictorios: la tradición occidental, por ejemplo, ha visto al nenúfar europeo más frecuente (*Nymphaea alba)* sobre todo como un anafrodisíaco. Cierto es que la mayoría de textos suelen ocuparse sobre todo del eros masculino, mientras que la libido femenina queda en segundo plano (siendo, además, mucho más discreta en sus vaivenes que su homónimo masculino).

Sea como fuere, el consumo de nenúfares es un fenómeno frecuente allá donde hemos convivido con estas plantas; y siendo *Nymphaea* un género que tiene especies en todos los continentes, desde América hasta Australia, comer nenúfar ha sido —y sigue siendo, en muchos casos— una costumbre bastante globalizada.

¿Y qué puedes comerte de un nenúfar? Pues, según la especie y el lugar que tomes en consideración, desde los rizomas hasta las flores, incluso las semillas; en Tailandia, por ejemplo, se comen los tallos florales, tanto crudos como fritos o en salsa. Consta también su empleo en América, con varias poblaciones indígenas usando los rizomas de *N. odorata* como alimento (aunque no sea este su empleo más frecuente).

En Mesoamérica, el uso nenufarístico que más interés ha generado atañe a la civilización maya, y a una especie de flores blancas, *Nymphaea ampla.* Esta aparece representada con cierta frecuencia en cerámicas, aunque quizás resulte difícil reconocerlas si no se tiene la vista entrenada, pues el estilo pictórico empleado estiliza muchísimo su aspecto. Al igual que en Egipto, se le adivina una simbología solar, y quizás también una conexión con las serpientes, animales que en el imaginario mítico aparecen asociadas muy a menudo al agua. La asociación ofidiana no sorprende: al contemplar los pedúnculos florales sumergidos de los nenúfares, es fácil encontrarles un cierto aire a serpiente.

También aquí se han sugerido empleos psicotrópicos de este nenúfar, que —al igual que otras especies de *Nymphaea*— contiene moléculas como la aporfina y la apomorfina, cuyos nombres apuntan a su parentesco con la morfina. Ello no quiere decir que tengan efectos idénticos, ni mucho menos (pues no es así), pero sí son bioquímicamente activos: afectar, está claro que afectan.

Con todo, no siempre necesitamos comernos un trozo de nenúfar para que alguna de estas ninfas vegetales nos afecte al cerebro: algunas nos vuelven locas sin necesidad de haberlas tocado siquiera...

❧

En 2014, el que quizás sea el jardín botánico más famoso del mundo se convirtió en la escena de un crimen que ha hecho historia dentro del mundo de la conservación, y su protagonista vegetal fue un nenúfar.

Un nenúfar muy raro, extinguido en su hábitat natural (unas fuentes termales ruandesas que se fueron a freír espárragos). Un nenúfar que es, además, muy, muy pequeño (lo que convierte su robo en algo más sencillo que si el objeto de tus desvelos criminales es una planta con hojas de un metro de diámetro, como su prima *Victoria amazonica*).

El nenufarcito robado de los jardines de Kew, conocido como *Nymphaea thermarum*, estuvo a punto de desaparecer de este mundo; y lo hubiese hecho, de no ser por los esfuerzos de Carlos Magdalena, conocido como el Mesías de las Plantas, quien logró descifrar el código para lograr que las semillas de esta especie no solo germinasen, sino que sobreviviesen y creciesen hasta convertirse en adultas sanas y florecientes.

Hace unos años tuve la oportunidad de charlar con Carlos, y los nenúfares —que son uno de sus géneros botánicos preferidos— protagonizaron buena parte de la conversación; especial mención merecieron los nenúfares australianos, pues la isla-continente alberga numerosas especies endémicas de gran belleza. Las culturas aborígenes, como es natural, las emplearon como alimento y medicina: los cormos de especies como *N. gigantea* o *N. macrosperma* se consumen asados, o las semillas se muelen hasta obtener una harina para preparar panes planos, o *damper* (un pan «de acampada» típicamente australiano, a menudo cocinado en las brasas). Los tallos se comen crudos —como si fuesen apio— o, a veces, se emplean como pajita para sorber agua de abrevaderos profundos con toda comodidad (en el caso de *N. gigantea*).

Y son —además de notablemente difíciles de cultivar— plantas muy hermosas, al igual que el resto de sus hermanas *Nymphaea*.

> *J'ai mis du temps à comprendre mes nymphéas... Je les cultivais sans songer à les peindre... Un paysage ne vous imprègne pas en un jour... Et puis, tout d'un coup, j'ai eu la révélation des féeries de mon étang. J'ai pris ma palette. Depuis ce temps, je n'ai guère eu d'autre modèle**.

La historia de amor entre los nenúfares y Claude Monet, el artista que los convirtió en leyenda, no fue un flechazo instantáneo, sino más bien una danza de seducción lenta, bailada entre luces, agua, pinturas y pinceles.

Uno de los fundadores del Impresionismo en la década de los setenta del s. XIX, Monet se traslada al pueblo de Giverny y, en 1883, se instala en la casa cuyo jardín embellecerá, pintará y habitará hasta su muerte, en 1926. Es aquí donde el pintor decidirá crear su *jardin d'eau*: pedirá permiso al ayuntamiento para desviar un pequeño arroyo afluente del río Epte y convertir momentáneamente sus aguas en estanque, antes de devolverlas a su curso natural.

Este jardín acuático de riberas cuajadas de **sauces**, cañas e iris alberga también a las protagonistas indiscutibles de los lienzos de Monet durante sus últimos años: sus *nymphéas* multicolores... *Nymphaea* que no existían cincuenta años antes.

Pues el estanque de Giverny fue posible gracias a la aparición, a finales del s. XIX, de toda una serie de nenúfares híbridos fruto del ingenio hor-

* «He tardado en entender a mis nenúfares... Los cultivaba sin pensar en pintarlos... un paisaje no te entra dentro en un solo día... Y entonces, de repente, se me revelaron las hadas de mi estanque. Tomé mi paleta. Desde entonces, apenas he tenido otro modelo.»

tícola del momento, que proporcionaron al pintor-jardinero una paleta de colores ninfeáceos considerable, cuando pocas décadas atrás hubiese tenido que conformarse con nenúfares blancos.

Si bien el número de especies dentro del género *Nymphaea* oscila entre 45 y 50, la cantidad de híbridos y variedades obtenidas a partir del cruce entre especies asciende a cientos, ¡quizás miles! No obstante, no todos los cruces son válidos: los nenúfares se clasifican en cinco subgéneros, y los intentos de combinar especies que pertenezcan a distintos grupos suelen terminar en fracaso.

La persona que obtuvo las primeras *Nymphaea* híbridas europeas, en 1877, fue Joseph Bory Latour-Marliac, de cuyos viveros salieron todos los nenúfares de Monet. Antes de Latour-Marliac existían nenúfares en Francia, pero de una única especie y un único color: *N. alba*, con flores blancas (como su propio nombre indica). En cambio, este horticultor logró desarrollar nenúfares rosados y amarillos a partir de cruces con especies americanas y eurasiáticas (p. ej. *N. odorata*, *N. mexicana*, *N. tetragona*...).

No consiguió, en cambio, su santo grial particular: obtener un nenúfar azul que aguantase los inviernos europeos. Existen muchas *Nymphaea* con bellas coloraciones violetas o azuladas, pero son tropicales y pertenecen a un subgénero distinto de los nenúfares de clima templado, con lo que su hibridación resulta, si no totalmente imposible, sí extremadamente complicada. Por ello no verás ningún lienzo de Monet donde aparezcan (al igual que no verás lotos sagrados, pero eso es por otro motivo).

Solo recientemente hemos conseguido ninfas que traigan el color de los cielos a las regiones templadas del planeta. El primer nenúfar que combinó los azules tropicales con el temple necesario para sobrevivir temperaturas más bajas apareció en Tailandia en 2007, su creador lo bautizó como 'Siam Blue Hardy'; desafortunadamente, al cabo de cuatro años, el país sufrió unas inundaciones catastróficas, y el nenúfar fue una de sus víctimas.

Por suerte, se ha repetido la hazaña desde entonces, conque si lo deseas, puedes llenar tu estanque de los nenúfares que Claude Monet hubiese deseado tener en Giverny.

Ya no es necesario vivir en un mito egipcio para que el sol salga de las aguas en tu jardín.

La pureza del nenúfar

Hay plantas con una *enorme* facilidad para hibridarse entre sí, como los cítricos que tantos quebraderos de cabeza dan a la taxonomía (más sobre el tema en el capítulo 26).

Otras, en cambio, son más reacias a mezclarse entre sí, como sucede con las muchachas del género *Nymphaea*: estas se clasifican en cinco subgéneros, que suponen verdaderas barreras para la hibridación exitosa. ¡Hay que sudar mucho para que un nenúfar se digne a tener descendencia con una *Nymphaea* de un subgénero distinto!

En caso de que tengas curiosidad, estos subgéneros son: *Anecphya* (al que pertenecen los nenúfares australianos), *Brachyceras* (al que pertenece la diminuta N. *thermarum*, o el loto egipcio azul), *Hydrocallis* (oriundas de América), *Lotos* (donde encuentras a nuestro nenúfar egipcio nocturno, *N. lotus*), y *Nymphaea* (al que pertenecen los nenúfares del hemisferio boreal templado).

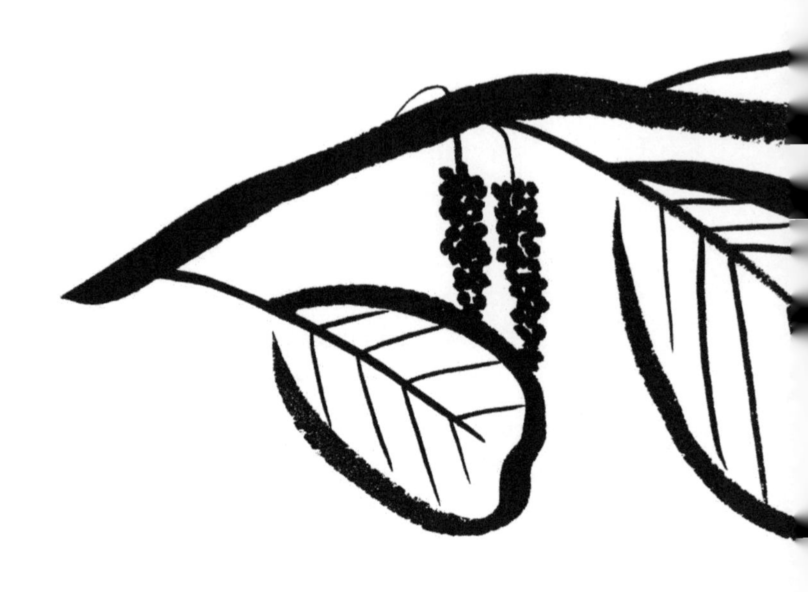

9

El árbol que sangra junto al río: *Alnus glutinosa*

En las orillas del arroyo que desagua en el lago, se yergue un bosquecillo de ribera, donde habita nuestro siguiente guía por los senderos de savia, sombrío morador de ríos y arroyos que suele pasar bastante desapercibido a ojos de quien no sabe dónde buscar.

No es árbol que se yerga a grandes alturas como los **fresnos** de leño de lanza; no dispensa la muerte por ponzoña o por flecha lanzada en arco letal como el tejo. No tiene corona como el roble, ni el encanto mágico del avellano.

Pero los habitantes del género *Alnus* no se deben a la humanidad, sino al agua, y no revela sus secretos fácilmente.

Definido por algunos como «el más anfibio de los árboles», puedes tropezarte con un aliso en todos los continentes, salvo Oceanía. En Europa, el más frecuente se conoce como *aliso negro* o *común*, y pertenece a la especie *Alnus glutinosa*, cuyo epíteto específico hace referencia al hecho de que sus yemas jóvenes son algo pegajosas.

Para conocer en persona (o más bien en árbol) a un aliso deberás buscar un lugar con agua, pues les gusta que sus raíces prácticamente chapoteen en el cauce mismo de ríos y arroyos, formando bosquetes o alisedas umbrías que, personalmente, encuentro maravillosas. Entre las múltiples habilidades de estos árboles de vida elativamente corta (unos 60 años más o menos) destaca la de ser capaces de establecer relaciones simbióticas con bacterias como *Frankia alni*, que fijan nitrógeno atmosférico y mejoran la calidad del suelo donde enraízan.

Al ser polinizados por el viento, sus flores no necesitan sobornar a ninguna celestina animal y optan por una estética minimalista, ni vistosa ni perfumada. Las femeninas están agrupadas en pequeñas piñuelas, verdes en su juventud; las masculinas, en estructuras larguiruchas que conocemos como *candelillas* o *amentos*, más bien compactos.

Sin embargo, no han sido sus flores (o sus frutos) aquello que más peso ha tenido en nuestra relación con los alisos, sino las peculiaridades de su madera, íntimamente ligadas a algunas de sus leyendas y simbología...

Lo primero que sorprende del aliso es que, al cortarlo, bajo una corteza oscura y grisácea aparece una madera pálida que al cabo de poco adopta una tonalidad rojiza. Esta coloración ha despertado en nuestra imaginación la idea de la sangre, y cortar árboles que sangran no suele ser cosa buena.

Quizás por eso, entre los pueblos celtas de Irlanda e Inglaterra —en las actuales áreas de Gales y Escocia— los alisos estaban asociados a la guerra; probablemente también haya contribuido el hecho de que es madera ligera y fácil de trabajar, empleada p. ej. para hacer escudos, uso que al parecer estaba bastante extendido por la Europa medieval.

El aliso figura en el enigmático poema galés medieval conocido como *Kat Godeu*, que se traduciría como «La batalla de los árboles», donde el poderoso mago Gwydion encanta a un bosque para que luche a su lado. De todos los árboles descritos, los alisos van los primeros, y parecen ser especialmente belicosos:

> Cuando los árboles fueron encantados para obrar destrucción, por la gracia de Dios y los poderes del gran mago, el bosque marchó a la batalla.
>
> Y cuenta la leyenda que los sauces y los serbales se unieron con retraso al ejército, y los ambiciosos abedules se despabilaron tarde... pero los primeros en saltar al fragor del combate, en primera línea de ataque, fueron los alisos de ardiente madera.

De Gales proviene también una colección de textos medievales conocida como *Cuatro Ramas del Mabinogi*, donde aparece una tenue conexión entre *Alnus* —árbol de la guerra y del derramamiento de sangre— y los cuervos, animales con connotaciones similares.

La segunda rama de la colección narra las aventuras y desventuras matrimoniales de Branwen, hermana del rey Brân de Gran Bretaña (y cuyos nombres significan, respectivamente, «cuervo blanco» y «cuervo»). La pobre Branwen, ay, no es una chica con suerte: en primer lugar, tiene a un sádico desequilibrado como medio-hermano, Efnysien; y, para empeorar las cosas, se desposa con un hombre que, pese a ser rey de Irlanda, es mezquino y vengativo. Cualquier boda cuya celebración incluya insultos por parte del hermanastro de la novia y la brutal mutilación de los caballos del novio... no puede salir bien.

Branwen viaja a Irlanda con su nuevo marido y da a luz a un niño que llamarán Gwern, palabra que en galés significa «aliso» (y también «pantano», conque el aliso es la «arbolificación» del pantano). Pese a todo, el rey no olvida y no termina de perdonar la afrenta que sufrió a manos de su medio-cuñado, y la que paga los platos rotos es Branwen. Maltratada y relegada a las cocinas, la muchacha avisará a sus familiares en Gales, que acudirán en pie de guerra a la corte irlandesa; entre ellos se encuentra el hermanastro sádico, que acabará asesinando al pobre Gwern lanzándolo a una hoguera. Este pequeño incidente no sienta bien a nadie, y se recrudece una guerra sin cuartel que termina con prácticamente todo el mundo muerto, incluido el rey Bran.

Así pues, si lo leemos en sentido puramente metafórico, la historia de Gwern es la de un aliso en llamas que nace de un linaje de cuervos y que desencadena (aún sin quererlo) una guerra sin cuartel.

En consonancia con su carácter anfibio, la madera de aliso tiene otra característica fascinante; y es que, aunque hoy en día la mayoría de personas imaginemos que «la» madera es un material único, en realidad hay tantas maderas como tipos de árboles existen, y sus propiedades pueden variar mucho, tanto en su coloración como en parámetros de resistencia, densidad, tendencia a astillarse, etc., no todas las maderas valen para todo.

Según a quien le preguntes, escucharás decir que la madera de aliso vale para más bien poca cosa. En algunas regiones de Francia se decía que «habías tomado aliso por **fresno**» (que tiene una madera muy dura y resiſtente) para indicar que habías cometido un fallo garrafal. Tampoco su poder calorífico tenía mucha fama, diciéndose que «el aliso dejó morir de frío a su madre», porque al arder no calienta demasiado.

Y sí, es cierto, la madera de aliso es ligera y poco resiſtente, expueſta al aire... pero si la sumerges, en cambio, se vuelve prácticamente indestructible. Sus poderes ocultos se revelan únicamente bajo el agua, y de ahí que se emplease para conſtruir los cimientos de obras de ingeniería que debían tener los pies en remojo conſtante, por ejemplo, en ciudades emplazadas sobre lagunas como Venecia, que se soſtiene —al igual que su puente más icónico, el Rialto— en buena parte gracias a sus cimientos de aliso. Asimismo, los yacimientos de islas artificiales fortificadas (conocidas como *crannog*) medievales en Irlanda revelan cimientos cuya madera era, sobre todo, de *Alnus*.

Allá donde el agua pudre a otras maderas, a la de aliso la hace más fuerte, gracias a la mineralización del leño: van depositándose sales inorgánicas en el interior de las células lignificadas, lo que mejora notablemente sus propiedades. De hecho, en un herbario polaco del s. XIX aconsejaban «curar» en agua durante tres años la madera de aliso deſtinada a los carpinteros y escultores.

Alnus y aguas: una hiſtoria de amor que trasciende incluso la muerte del árbol.

❧

Ya sea por su madera sangrante o por su especial relación con las aguas, los alisos han sido árboles tocados por lo sobrenatural en la imaginación humana, con una relación particular con el mundo feérico (es decir, «de las hadas»).

En el folklore de regiones de cultura celta se decía que cuando las hadas raptaban algún animal doméſtico, dejaban en su lugar un tocón de aliso; y una leyenda tirolesa cuenta cómo un grupo de brujas se reúne de noche y hace trocitos el cadáver de una mujer, sin darse cuenta de que tienen un espectador: un niño que las observa desde lo alto de un árbol y les ha pispado un trozo de cadáver. Al ver que les falta una pieza para poder recomponer el cuerpo, ni cortas ni perezosas, las brujas colocan un trozo de madera de aliso en lugar del trozo ausente... y la mujer muerta vuelve a la vida.

Y por esa ambivalencia que caracteriza a las plantas con un deje fantástico, el aliso también ha funcionado como protector contra rayos, contra enfermedades, etc.; en la Valonia belga, colgar ramas de aliso en los establos el primer día de mayo, se decía, alejaba los maleficios; en la Borgoña (el Morvan), se plantaban en los campos cruces benditas el día de la Exaltación de la Santa Cruz, hechas con dos ramitas de aliso.

Incluso sus propiedades medicinales terrenas a veces se tiñen de secreto sobrenatural, como en el norte de Francia, donde se contaba la historia de una mujer que se encontró a un niño feérico y se lo llevó a su *chaumière* (típicas casas rurales con el techo de paja), pero la madre hada fue a por su hijo antes de que hubiesen pasado tres días y se lo llevó, sin dar tiempo a que el crío pudiese revelar —y cito textualmente— «el maravilloso secreto del aliso».

Los alisos aparecen en cuentos más bien poco conocidos, como el relato de Hans Christian Andersen titulado *La Hija del Rey del Pantano*, donde un tocón de aliso es el mismísimo soberano del pantano.

En danés, además, las palabras para hablar de «elfo» y «aliso» son relativamente parecidas (*elf* y *erl*); ello ha dado lugar a alguna que otra confusión lingüística, y ha terminado incluso dando título a una poesía de Goethe: *Erlkönig*, «El Rey de los Alisos», obra que se ha musicado en varias ocasiones (como p. ej., el *lieder* de Schubert del mismo nombre, o la balada de Roger Mas *El rei dels verns*).

Imagina la escena: una noche de tormenta en los valles; un jinete que cabalga a través de la oscuridad con un niño arropado bajo su manto.

> «Hijo mío, hijo mío,
> ¿por qué escondes tu cara con tanto temor?»
> «¿No ves, padre, al rey de los Elfos?
> ¿El rey de los Elfos con corona y manto?»
> «Hijo mío, es la neblina.»

Pero, fuese la neblina o no, lo cierto es que el niño termina muerto en brazos de su padre. La obra, inspirada en una leyenda danesa, debería haberse titulado *El Rey de los Elfos*, pero un error en la traducción en la que Goethe se basó transformó al elfo en aliso, y apareció *Alnus*.

También despuntan alisos en los nombres de personas que enriquecieron nuestra literatura, como la francesa Mme. d'Aulnoy, conocida por haber escrito varios libros de cuentos de hadas, y cuyo apellido deriva de *aulne*, uno de los términos para hablar de *Alnus*. No es el único: otro vocablo sinónimo es *vern*... igual que en *Jules Verne*: Julio Verne era Julio Aliso.

❧

Existen unas cuarenta especies de *Alnus* en todo el mundo, y aunque sería arriesgado meterlas a todas en el mismo saco, sí es cierto que muchas han sido empleadas de formas similares para obtener tintes. Desde las Américas hasta el lejano Oriente, *Alnus* nos ha proporcionado colores, sobre todo en la gama de los rojos, marrones y negros.

La corteza y hojas de la especie meso- y sudamericana *Alnus acuminata* (conocida como *aliso*, *aile*, *huayau*, etc.) se emplean en comunidades indígenas peruanas y del norte de Argentina; *A. incana*, aliso de amplia distribución boreal, aparece una y otra vez como fuente de rojos, marrones, naranjas o amarillos en varias tribus indígenas norteamericanas, que igual sirve para colorear ropa que redes de pesca, contenedores de corteza de abedul... ¡incluso como tinte de pelo! También el aliso rojo americano —*Alnus rubra*— ha sido una fuente de tintes en su área de distribución, entre Alaska y California.

Algo parecido sucedía en Eurasia: en combinación con sales de hierro como mordiente, la corteza rica en taninos de muchos alisos ha sido uno de los principales métodos para obtener negros sobre lana o seda en Europa. En Oriente, aún hoy siguen empleándose especies como *A. firma* (*yashabushi*) o *A. japonica* (*hannoki*) para tintar telas en tonos marrones o negros.

Colores de fuego y oscuridad para un árbol que guarda sus secretos sumergidos en el agua que corre por su madera.

Para teñir frotando
el vestido de mi amada,
tomad color,
alisedas de Shima,
pese a que el otoño aún no ha llegado.

Man'yōshū, Poema 1965.

❧ IV ☙
Adentrarse en la espesura

Bajo la sombra de los alisos flanqueamos el umbral para adentrarnos en uno de los ambientes naturales más mágicos y atractivos: el bosque.

Sin embargo, los bosques pueden ser muy distintos en función del clima y las especies que los compongan. No es lo mismo pasear en un bosque de lenga (*Nothofagus pumilio*) patagónico o en un bosque de niebla mexicano, que adentrarte en una arboleda de *hinoki* japonesa, o un bosque de tilos lituano. Cada bosque tiene ritmos distintos, una respiración distinta, una flora distinta.

La ventaja que tienen los bosques literarios es que nos permiten crear espacios que no existen a base de coser retales de ambientes que en el mundo real hallaríamos muy alejados entre sí. Nuestros primeros pasos nos acercarán a los bosques templados del hemisferio boreal, donde nos encontraremos con una hermandad de árboles míticos, duros como lanzas, asociados al agua y al rayo.

Y entonces el fuego llegará a la floresta.

Pero no te preocupes, que no toda la vegetación sufrirá; hay plantas que tienen una relación especial con las llamas, y de ello nos hablarán los árboles de luminosa corteza que nos acompañarán en el siguiente tramo del camino. Un hilo de fuego nos guiará después hasta el borde del bosque, y allí escucharemos a un grupo de árboles madereros a menudo vilipendiados en tierras donde son inmigrantes, pero cuyas historias van mucho más allá de sus poderes de descongestión o desecación de terrenos...

10

El árbol que se hizo lanza, bronce y rayo: *Fraxinus* spp.

Æ.

Al entrar en el bosque de los mitos, resuena entre las hojas un lamento antiguo, de sensibilidad casi elegíaca:

¡Canta, oh ninfa, la tristeza del árbol de bronce, que antaño protagonizó innumerables gestas, que fue amado y temido, y que ahora ve cómo el mundo lo olvida!

Legendarios por su dureza *—madera de lanza, de nave, de bastón—*, estos árboles han sido tan útiles como mágicos para las civilizaciones que los han conocido. Sin embargo, y a pesar de este glorioso pasado, la modernidad los está dejando a un lado.

Por ello, nos acercaremos a la sombra de estas plantas de raíz potente, generalmente amantes de los suelos frescos y profundos donde el agua yace a flor de piel (pero no demasiado, pues las inundaciones no suelen entusiasmarles). Aquí, generalmente acompañados por otros árboles con apetencias similares, hallarás al fresno.

Fresno es aquel cuyo nombre científico empieza por *Fraxinus*; este género, extendido por todo el hemisferio norte, alberga entre 40 y 60 especies de árboles y arbustos, generalmente con hojas compuestas imparipinnadas (con un número impar de folíolos) y frutos secos en forma de sámara (eso es, que cada semilla está rodeada por un ala que ayuda a su dispersión por el viento).

En el caso de los fresnos, estas sámaras están dispuestas en manojos colgantes y tienen alas largas y estrechas, aspecto que les ha valido nombres como «llaves de fresno» (*ash keys*), o incluso «lenguas de pájaro» en varios idiomas; hoy en día es frecuente ver a niños jugar con ellas, llamándolas «helicópteros», al lanzarlas al aire para verlas rotar en caída libre.

En ciertos lugares, estas sámaras se comían, recogidas aún verdes y hervidas para quitarles el amargor, y luego maceradas en salmuera y vinagre. Con todo, y a juzgar por las descripciones de personas que las han probado, las sámaras encurtidas no suenan a *delicatessen* digna de las mejores mesas, sino más bien a un invento que solo el hambre transforma en alimento.

Quienes sí aprecian a los fresnos como un manjar exquisito son animales domésticos, (p. ej., cerdos o vacas), o así lo cuentan las tradiciones europeas, que estimaban mucho el follaje de este árbol como forraje de invierno. Los humanos quizás seamos reacios a comer hojas de *Fraxinus*, pero beberlas es harina de otro costal; de hecho, en Francia aún hoy se comercializa una bebida fermentada conocida como *frênette* o sidra de fresno. (También el cava *Freixenet* lleva nombre de *Fraxinus*, ¡pero no por tenerlo como ingrediente!)

Los fresnos son árboles de hoja caduca, cuyas yemas rebullen y estallan al llegar la primavera; según el color y el aspecto de las yemas, es posible determinar la especie de fresno dormido*.

En Europa tenemos tres especies principales de *Fraxinus*, hermanos que, pese a compartir parecidos, también tienen diferencias importantes:

1 | El primero es el hermano alto: *Fraxinus excelsior*, que vive en toda Europa. Si escarbas en las historias de fresnos en tierras germanas,

* Negras, si es *F. excelsior*; parduscas, si es *F. angustifolia*.

francesas, británicas, irlandesas... ten presente que su protagonista es *excelsior*.

2 | El segundo es el fresno de hoja estrecha, *F. angustifolia*, el más común en muchos ambientes mediterráneos, de aspecto parecido a su hermano mayor, aunque no alcance tamaños tan elevados.

3 | El tercer hermano es el perfumado: el fresno de olor, *F. ornus*, el único de los tres que tiene flores vistosas, blancas y fragantes, polinizadas por insectos, mientras que los otros dos fresnos tienen flores desnudas de pétalo y perfume.

Hay quien defiende que los fresnos que aparecen en los mitos griegos corresponden a este tercer hermano, muy común en la Hélade, y cuyo nombre (*melìa*) lo relaciona justamente con la sustancia dulce por excelencia en la antigüedad: la miel.

La dulzura no es una característica típica del género *Fraxinus*, sino una ocurrencia rara que aparece en unas pocas especies, y la más importante de ellas es *F. ornus*, árbol del que se extrae una sustancia dulce como la miel: el maná.

Para obtenerlo hay que realizar una serie de incisiones en el tronco de los fresnos durante el periodo veraniego, y la savia dulce sale lentamente y se solidifica hasta formar estalactitas blanquecinas de maná (el de mayor calidad). Este no solo tiene efectos medicinales (como laxativo blando), sino que contiene *manitol**, un alcohol dulce con índice glicémico más bajo que la sacarosa, por lo que suele emplearse para personas con diabetes o como edulcorante (p. ej., en chicles).

En Sicilia, en la región alrededor de Palermo, tenemos plantaciones dedicadas al cultivo y extracción de maná, tanto a partir de *F. ornus* como del otro fresno mediterráneo por excelencia, el de hoja estrecha (*F. angustifolia*). Del resto de *Fraxinus* que existen, solo una especie del Himalaya, *F. floribunda*, parece haberse empleado para obtener exudados parecidos.

No tenemos noticias de que los antiguos griegos supiesen cómo extraer este maná de *Fraxinus*; sin embargo, los fresnos están muy presentes en

* En general, las palabras que terminan en -OL como manitol, xilitol, sorbitol, etc., son alcoholes.

varios mitos y obras griegas, como símbolo del cuidado o, sobre todo, de la dureza extrema...

§

> Y Zeus creó una tercera estirpe de hombres mortales —de bronce, en nada parecida a aquella de plata— a partir de los fresnos, terrible y violenta.

Para Hesíodo, esta tercera estirpe humana, que no se alimentaba de pan y amaba «los crímenes de Ares», dios de la guerra, es la dureza cruda hecha persona... y una humanidad así no podía sino estar asociada al metal duro por excelencia, el bronce, y descender del árbol de madera dura por antonomasia: los fresnos.

Algunos han interpretado este pasaje de forma ligeramente distinta, sugiriendo que aquella humanidad salvaje no descendía de fresnos, sino de las ninfas de los fresnos, las *melíades*, que son las primeras ninfas de los árboles que aparecen mencionadas en la literatura griega, más concretamente en la *Teogonía* de Hesíodo.

Hesíodo fue un poeta que suele considerarse contemporáneo de Homero, allá en el lejano 700 a. e. c. aproximadamente, cuyas obras narran (entre otras cosas) el origen del mundo y de los dioses. Entre los primeros personajes que aparecen en la *Teogonía* destacan Gaia o Gea, la Tierra; y su consorte Urano, la bóveda celeste. Uno de los hijos de ambos, Kronos, como suele pasar en familias bien avenidas, castra a su padre, y de la sangre vertida que cae sobre Gaia nacen tres grupos de seres relacionados con los fresnos de una u otra forma: las fuertes Erinias, los Gigantes ataviados con armaduras relucientes y largas lanzas en sus manos, y las ninfas melíades.

En el caso de las melíades, su conexión fraxinística es evidente, pues moraban y protegían a estos árboles. En cambio, las aladas Erinias (o Furias, en su versión romana) eran las personificaciones femeninas de la venganza, encargadas de perseguir y atormentar a los culpables... y se dice llevaban bastones de fresno.

¿Y esos Gigantes armados hasta los dientes? Hesíodo los describe llevando lanzas en sus manos —y en el mundo antiguo todos sabían que las mejores lanzas estaban hechas de madera de fresno, hasta el punto de que las palabras para hablar del árbol y del arma se confundían, y eran la misma.

Y la lanza del héroe griego más famoso, Aquiles el de los pies ligeros, cuyas gestas se cantan en la *Ilíada* homérica, era de fresno.

§

Se acercaba el solsticio de verano del *anno Domini* 793 cuando la abadía de Lindisfarne, situada en una pequeña isla en la costa noreste de Inglaterra, fue saqueada por gentes violentas montadas en barcos de fresno. Con el paso del tiempo, llamaron a estos piratas navegantes *aeschere* o *aeskman*: hordas vikingas o, literalmente, «hombre de fresno».

Aquella primera incursión en Lindisfarne suele considerarse como el inicio de la Era Vikinga en Inglaterra, y aún hoy el apellido Ashman pervive como derivado de la palabra que se daba antaño a aquellos apodados Aescman, que venía a significar «marino», «navegante», «pirata».

Entre los pueblos nórdicos la palabra *askr* significaba *fresno*, pero también *lanza*, *barco*, u otro objeto hecho a partir de madera de fresno. En el poema más conocido de la Edda poética*, la Völuspá, una vidente narra la creación del mundo (además de profetizar su final cercano), y en ella aparecen† los fresnos en varias ocasiones.

En las estrofas 17 y 18 se narra cómo los Æsir, principales dioses del panteón nórdico, infunden vida, habla y emociones a los dos primeros seres humanos, que fueron creados a partir de madera y aún llevan nombre de árbol: Askr, el primer hombre, y Embla, la primera mujer.

Askr es el fresno belicoso que, si en Grecia se considera demasiado duro y violento para haber originado a la actual humanidad, en el norte se ve como digno antepasado arbóreo de la raza humana.

Pero quizás el fresno mítico más famoso de todos nos lo presenta la vidente de la Völuspá en la estrofa siguiente:

> Sé que existe un fresno llamado Yggdrasil, un árbol alto, salpicado con blanco barro, de su ramaje proviene el rocío que cae en los valles, este fresno siempre verde sombrea la fuente de Urd. Vírgenes sapientísimas se acercan, salen en número

* Colección de poemas en nórdico antiguo conservada en un manuscrito islandés del s. XIII. Es una de nuestras principales fuentes para el estudio y conocimiento de la mitología escandinava.

† Aparecen también los nombres de muchos personajes de la Tierra Media tolkieniana: ¡cuánto enano debe su bautizo a la Völuspá!

> de tres, de la sala debajo de Yggdrasil [...] daban leyes, decidían sobre la vida para los hijos del hombre, y sobre sus destinos.

Yggdrasil, que literalmente significa «corcel de Odín», es el nombre que suele dársele a este árbol mítico que sostiene los nueve mundos creados, y que será el único superviviente cuando llegue el Ragnarök, el fin del tiempo presente en la mitología nórdica.

Hay varias teorías sobre la supuesta identidad botánica de este árbol, que algunos dudan fuese un fresno, apuntando a que Yggdrasil es un fresno «eternamente verde», mientras que todos los *Fraxinus* son de hoja caduca. Sea como fuere, y teniendo en cuenta que Yggdrasil sostendría nada más y nada menos que *nueve* mundos entre raíces y ramas... su estatus como perennifolio o caducifolio parece un detalle de importancia menor a la hora de descartar al fresno como candidato. La única especie que crece en Escandinavia (mas no en Islandia) corresponde a *F. excelsior*, que puede alcanzar los 50 m de altura; juegan a favor de su candidatura las asociaciones identitarias que se le adivinan (lanzas, vikingos, guerra, navegación...), así como la estrecha relación que guarda Yggdrasil con Odín, dios guerrero y viril, hombre de fresno por excelencia.

Lleve Yggdrasil el nombre de *Fraxinus* o no, si tuviésemos que encargarle a un árbol de majestuosa figura que sostuviese nueve mundos entre sus ramas, *F. excelsior* no sería una mala opción a la que encomendarle el trabajo.

⁂

El fresno (sobre todo *F. excelsior*) posee una especial relación con el rayo, pese a que, curiosamente, estas asociaciones pueden ser absolutamente contradictorias según la región que consideres. Por ejemplo, en el norte de la península ibérica existe la creencia de que los fresnos son árboles que protegen del rayo, mientras que en culturas eslavas o en Inglaterra se dice todo lo contrario.

La ciencia parece darles la razón a los ingleses (y a los eslavos): a día de hoy sabemos que distintas especies arbóreas son más o menos sensibles a que les parta un rayo, y los fresnos se cuentan entre los sensibles, aunque aún desconocemos exactamente el porqué de este poder de atracción variable.

Desde un punto de vista mítico-poético, tiene un cierto sentido que el árbol-lanza por excelencia guarde una relación especial con los rayos: al fin y al cabo, ¿qué es el rayo sino la lanza incendiaria de una divinidad celeste?

La madera de *Fraxinus* es, además, un combustible de reconocido talento; se dice que «el fresno, naciendo y ardiendo» pues, así como las maderas de otros árboles deben dejarse secar antes de darlas como pasto a las llamas, la de *Fraxinus* arde bien cuando está verde.

Y si el aliso nos enseñaba que no todas las maderas se comportan de igual modo cuando las sumerges en agua, es igualmente cierto que las llamas nacidas de leña distinta tampoco son iguales. Mi *pizzaiolo* de cabecera, que prepara sus pizzas en horno de leña, encarga y emplea únicamente madera de *F. ornus*, por la llama viva, potente y rápida que proporciona, ¡perfecta para cocer pizzas!

Quand le frâgne boute L'iviér est oute.
Cuando el fresno crece, el invierno perece.

Dicho belga, s. XIX.

F. excelsior tiene una relación especial con el equinoccio de primavera en las culturas europeas; se cuenta que, dos siglos atrás, en Francia aún se encendían las hogueras nuevas con madera de fresno (para atraer las lluvias primaverales, o eso dicen). El más tardío de los árboles en sacar hoja, una vez dejada atrás la estación fría y oscura, *Fraxinus* es árbol luminoso, y los fresnos que moran (o moraban) en nuestra imaginación colectiva aparecen a menudo como árboles mágicos y protectores; incluso la sombra que arrojan es benéfica, como recoge el dicho «*Sub fraxini umbra non urgent venena*»: los venenos no reinan bajo la sombra del fresno. Su fama está ligada de modo particular al más temido de los animales venenosos: la serpiente, que desde la antigüedad se considera enemiga de *Fraxinus* hasta límites insospechados, al menos si hacemos caso a Plinio el Viejo. En su *Historia natural* relata que

> No se ha hallado ningún remedio mejor para las mordeduras de serpientes que beber el jugo extraído de las hojas, y aplicarlo a las heridas. Tan grandes son las virtudes de este árbol, que ninguna serpiente

> tocará su sombra, ni siquiera por la mañana o al atardecer, cuando es más larga, y escapan lejos de él. Podemos afirmar, habiéndolo visto con nuestros propios ojos, que si se forma un círculo con hojas de fresno que encierre a una serpiente y una hoguera encendida, el reptil preferirá arrojarse a las llamas antes que tocar las hojas del árbol. Por maravillosa benevolencia de la naturaleza, el fresno florece antes de que las serpientes salgan de sus madrigueras, y no pierde la hoja antes de su retiro invernal.

Lo curioso del asunto es que, si cruzamos el Atlántico y echamos un vistazo a los usos de los fresnos americanos entre los pueblos indígenas de Norteamérica, reaparece esta relación con las serpientes: entre los meskwaki y los iroqueses, se tomaba una decocción de fresno blanco (*F. americana*) como antídoto para mordeduras de serpiente, y los ohlone de la costa de California llevaban hojas de *Fraxinus latifolia* en las sandalias como repelente de serpientes. La ciencia moderna indagó sobre esta supuesta propiedad de los fresnos, y de ahí que hallemos artículos con títulos como *Noticia sobre la influencia magnética de las hojas de fresno* (Fraxinus americana) *sobre la serpiente de cascabel* (Crotalus horridus). Sin embargo, y a pesar de tener propiedades medicinales reconocidas, hoy en día no me consta que se cuente entre ellas efecto alguno sobre las serpientes.

Haya reptiles de por medio o no, lo cierto es que el fresno aparece entre las plantas que rozan el mundo sobrenatural: en el folklore popular serbio se trata de uno de los árboles preferidos de las hadas, y ¡ay de ti, si no reconoces al *Fraxinus* feérico y lo talas como si nada!

En Gran Bretaña, en cambio, suele estar asociado a la fortuna: en Cornualles, por ejemplo, la suerte no solo se pondría de tu parte si encontrabas un trébol de cuatro hojas, sino también si encontrabas una hoja de fresno con un número par de folíolos.

Y en estos momentos, los fresnos necesitan toda la suerte y la ayuda del mundo, dado que se ven amenazados por una enfermedad de difícil gestión, conocida como la *enfermedad del decaimiento del fresno* (o *ash dieback* en inglés). Se trata de una dolencia incurable producida por un hongo, *Hymenoscyphus fraxineus*, que está causando gravísimos estragos en las poblaciones de fresnos europeos y americanos. En bosques, 69 de cada 100 árboles mueren; en plantaciones, el número asciende a 85 de cada 100.

No todas las especies se ven igualmente afectadas, pero tanto el fresno mayor (*F. excelsior*) como el de hoja estrecha (*F. angustifolia*) son muy sensibles a este patógeno.

Ya hay mucha gente trabajando para intentar plantar cara al problema, pero la relativa oscuridad en que han caído los fresnos, el hecho de que en general ya no los tengamos muy presentes como sociedad, no ayuda.

Y, sin embargo, si te fijas un poco, verás la marca del fresno por doquier, ya sea dando nombre a pueblos y accidentes geográficos varios o sirviendo de arma y apoyo a magos surgidos de la fantasía de J. R. R. Tolkien, como Gandalf el Gris, cuyo nombre corresponde a un personaje del poema donde aparece Yggdrasil (la Völuspá), y que significa algo así como «elfo que blande una vara mágica».

De fresno tenía que ser...

De insectos y fresnos

El hongo que causa estragos entre fresnos europeos y americanos no afecta por igual a todas las especies de *Fraxinus*, y entre las poco sensibles destacan algunas especies orientales que han coevolucionado con este patógeno (y que hoy se emplean a menudo como alternativa en jardinería). Entre ellas se cuenta *Fraxinus chinense*, un fresno chino cuya relación con la humanidad es especialmente curiosa, pues se han empleado como criaderos para recoger cera china.

Esta sustancia proviene de determinadas especies de cochinillas, *Ceroplastes ceriferus*, o *Ericerus pela*, que secretan este material ceroso empleado para la confección de velas, así como para darle brillo al papel de elevada calidad, recubrir pastillas, o incluso directamente como medicina. Estos insectos se recogen cuando aún son jóvenes y se depositan en brotes y ramillas de ejemplares desmochados de *Fraxinus chinense*. Al cabo de tres meses, se podan las ramas recubiertas de cera blanca, se echan en un caldero de hierro con agua hirviendo y, una vez derretida y convenientemente retirada, la cera se enmolda para su posterior empleo. De ahí que el nombre del *Fraxinus* que permite todo el proceso sea *bailashu*: «árbol de la cera blanca».

Curiosamente, en España las fresnedas eran los lugares donde se iban a recoger cantáridas (*Lytta vesicatoria*), insectos con empleos medicinales por su efecto vesicante... y, tomada por vía oral, también usada antaño por un efecto secundario muy llamativo. Las cantáridas irritan la mucosa gastrointestinal y los tejidos del sistema urinario, causando (entre otras cosas) la erección espontánea del pene en hombres (lo que se conoce como *priapismo**). Su uso como afrodisíaco, sin embargo, ha caído en desuso debido a su elevada toxicidad, que puede resultar fatal en caso de calcular mal la dosis; de hecho, se han registrado numerosas muertes a lo largo de la historia, por ingestas de cantidades en ocasiones tan pequeñas como 10 mg.

* La irritación de la uretra, con efecto «afrodisíaco», también se da en mujeres.

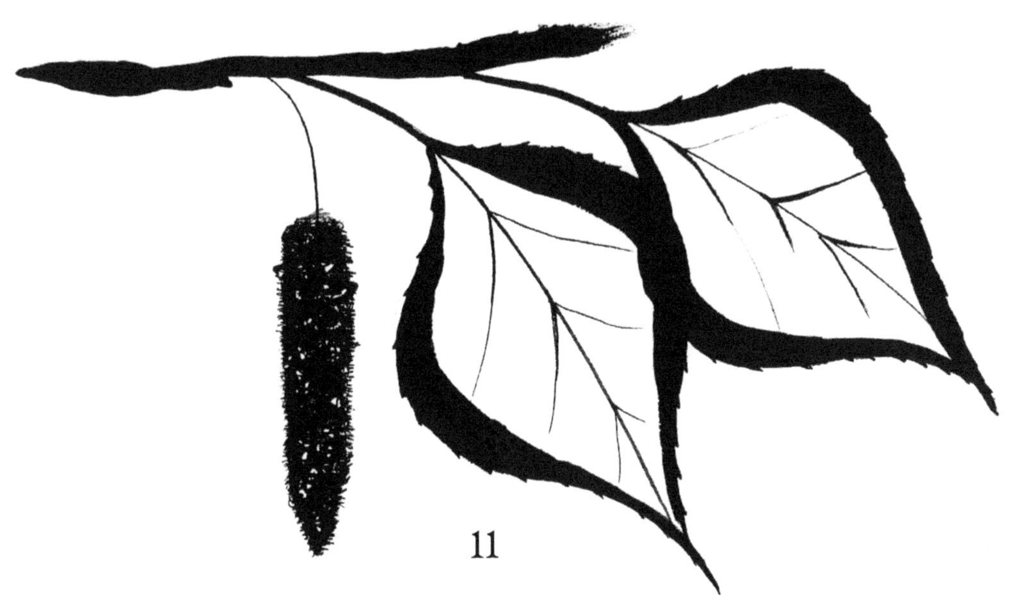

11

INICIOS DE HOJA, RAMA, LUZ Y FUEGO: *Betula* sp.

ᛒ. *Bjarkan.*

Abedul es ramita frondosa
Y pequeño árbol
Y arbusto joven y fresco.

Poema rúnico islandés, s. XV

Al principio se hizo la luz, y la luz se hizo abedul.

Conocidos por sus apetencias luminosas y frescas, los abedules enraízan en fronteras difíciles, donde pocos árboles lograrían sobrevivir a la dureza de las condiciones ambientales. Y a pesar de ello, son seres generosos que han procurado soporte material y simbólico para las creaciones humanas; su abrazo cálido nos ha echado una mano desde que pusimos pie en sus dominios y empezamos a desentrañar sus secretos, dotándolos de carácter femenino, dadivoso, estricto, iniciático... y llegando a imaginarlos cósmicos, capaces de conectar esferas distintas de la realidad.

Para senderear entre abedules emprenderemos un viaje hacia los bosques de la taiga boreal, a pesar de que estos árboles no solo viven en ella; de hecho, hay algunos que incluso cruzan el estrecho de Gibraltar y se plantan en el norte de Marruecos (donde no abunda precisamente el bosque boreal). No obstante, y dado que agradecen el fresco, en climas más cálidos los abedules suelen subir al monte, pues las condiciones de temperatura a mayor altura se asemejan a las que se dan en latitudes más frías*.

Encontramos abedules en la cuenca mediterránea, en Anatolia y en Oriente Medio, incluso en el sureste asiático, hasta llegar a Japón. Con todo, los dominios por excelencia de estos árboles están al norte, en los reinos de frío y nieve donde sus troncos de corteza pálida destacan en los meses invernales más grises y las noches más oscuras.

Bajo el nombre de «abedul» conocemos a unas 60 especies del género *Betula*, dentro de la familia de las betuláceas —a la que pertenecen también los avellanos y los **alisos** amantes del agua—. Los abedules, en cambio, son los pioneros de la familia: pertenecen a ese grupo de árboles raudos cual centella a la hora de colonizar nuevos espacios, en parte gracias a sus frutos secos y alados (como los **fresnos** o los **olmos**) que les permiten cubrir discretas distancias en un abrir y cerrar de ojos. Además, suelen ser especies muy apañadas, que se conforman con unos mendrugos de pan y mucha luz fresca para sobrevivir.

Sin embargo, como resulta típico entre los pioneros vegetales, los abedules no son muy longevos. La vida de *Betula* puede medirse a escala humana: no suelen superar los cien años de edad —algunos alcanzan los ciento cincuenta; poquísimos, los tres siglos—, dejando en herencia un ambiente más próspero y generoso a la vegetación que lo seguirá.

Pese a que solemos asociar el fuego con ambientes que tienen temporadas cálidas y secas (como Australia o el Mediterráneo, donde la flora ha desarrollado adaptaciones para convivir con las llamas) el fuego también es un elemento importante en la evolución del bosque boreal o, mejor dicho,

* No sucede así con otro parámetro muy importante: el régimen de luz. A medida que nos acercamos a los polos se producen cambios estacionales importantes en los ciclos día/noche, pero estos permanecen inalterados si variamos la altitud.

en su sucesión ecológica. Puedes imaginarla como un proceso cíclico, que siempre pasa por los mismos estados sin acabar en ninguno de ellos: el bosque boreal no se estanca nunca en una fase «cumbre», que correspondería a una comunidad integrada por coníferas como abetos (*Abies* sp.), píceas (*Picea* sp.) o pinos (*Pinus* sp.), creadores de un ambiente demasiado oscuro como para permitir el crecimiento de los abedules sedientos de luz. El círculo nunca queda abierto y en suspenso entre coníferas porque el fuego se encarga de cerrarlo, y así crea las condiciones para que el suelo vuelva a cubrirse de *Betula*.

Así pues, el fuego es lacayo de muchos abedules, que sacan raíces casi de entre las cenizas, lejos de quienes puedan hacerle sombra. Son, además, árboles luminosos no solo en apetencias, sino también en apariencias: muchas especies de *Betula* se caracterizan por tener una corteza muy pálida, prácticamente blanca*.

Por otra parte, los abedules están íntimamente conectados a la luz y a las llamas en la imaginación humana, porque nos han proporcionado un instrumento excelente para encender fuegos...

Taiga en llamas

La mayor parte de los incendios que se registran en la taiga se consideran debidos a causas naturales, como los rayos, y en sí mismos pueden suponer una forma de regenerar la comunidad, dar un nuevo empujón a la rueda de sucesión biológica que jamás se detiene.

Los problemas pueden venir no tanto por el hecho de que se produzca un incendio, sino más bien de que cambie la frecuencia o el tipo de incendios que afectan a una masa vegetal. Porque no existen las plantas adaptadas al fuego en sí, sino a un determinado régimen de incendios, y alterar ese régimen —ya sea aumentando la frecuencia, pero también disminuyéndola— puede acarrear consecuencias negativas para la comunidad.

* Típica de ejemplares jóvenes, puede oscurecerse con el paso del tiempo, como en el caso de *B. pubescens*.

De todas las partes visibles de un árbol o arbusto, la corteza probablemente sea la que pasa más desapercibida... a no ser que el árbol en cuestión sea un abedul. Si tienes ante ti a una *Betula*, es muy probable que sí repares en la blancura de su tronco, en las estrías horizontales que dibujan patrones característicos sobre la superficie. Quizás, según la especie, incluso veas pelarse alguna lámina de corteza, desprendiéndose como si hubiese tomado demasiado el sol o como si fuese una serpiente que muda la piel a tiras.

Esta corteza es lámina fina, flexible, fantástica: no imaginas la cantidad de usos que tiene, su increíble versatilidad.

Para empezar, es una sustancia altamente inflamable: dado que puede arder aun mojada, se ha empleado a menudo como yesca, con la que puedes prender una hoguera incluso bajo la lluvia. Tomando una lámina, enrollándola y encendiéndola, puedes usarla a modo de antorcha, algo que se hace tanto en Eurasia como en Norteamérica, donde la especie de mayor relevancia cultural es *Betula papyrifera*; los ojibwa empleaban antorchas de esta *Betula* —conocida como *paper birch*, «abedul papirífero, del papel»— como fuente de iluminación en lugar de velas o lámparas de aceite.

Los ingredientes que hacen de la corteza de abedul un combustible excelente también la convierten en una sustancia impermeable: centrándonos en América del Norte, podría decirse que prácticamente no hay pueblo indígena que no emplee este material para hacer canoas, trineos, techumbres; o para envolver y guardar comida, confeccionar cestas o, incluso, contenedores para cocinar, técnica que demuestra que pueden hervirse líquidos aun sin recipientes de cerámica o de metal. Pues sí: curiosamente, una sopita requiere una tecnología gastronómica ¡bastante más sofisticada y compleja que un asado! Claro que un contenedor de corteza de abedul no puede colocarse encima de un fogón, pues se quemará: la técnica consiste en calentar piedras y depositarlas dentro del recipiente lleno del líquido que se desea hervir, para lograr así aumentar su temperatura sin que el contenedor de corteza se incendie.

Los compuestos resinosos que proporcionan a la corteza de *Betula* sus múltiples propiedades pueden convertirse, si los sometemos a la pirotecnología adecuada, en brea de abedul, empleada como agente para sellar e impermeabilizar contenedores —y también como el primer pegamento de la historia: tenemos restos de brea de unos 200.000 años de antigüedad, hallados en yacimientos europeos que fueron ocupados no por *Homo sapiens*, sino por nuestros hermanos neandertales. Aprender a producir y manejar este material fue muy útil, además de relativamente intuitivo, dado que se forman pequeñas cantidades de brea de forma natural al quemar una antorcha de abedul.

La corteza betulácea también se ha empleado como si de una escayola médica se tratase, uso registrado entre el pueblo de los tananas, en la actual Alaska. Para ello, se tomaba el miembro roto, se envolvía en un paño u otro material que sirviese a modo de acolchado, se tapaba con corteza de abedul y se le aplicaba calor hasta que la corteza se encogía y quedaba ajustada al miembro como un guante.

Pero su utilidad medicinal no termina con el escayolado: las tradiciones populares a ambos lados del Atlántico atribuyen numerosos beneficios a preparados con corteza de abedul, tanto de uso externo (como un dos-en-uno, vendaje y cataplasma, en casos de quemadas, heridas, verrugas...) como interno. Los análisis bioquímicos han revelado la presencia de compuestos de probada eficacia, como la betulina, o moléculas emparentadas con la salicina (que abunda en **sauces**).

Las láminas de corteza de abedul también han servido durante milenios como soporte para escribir*, desde la India hasta Rusia, donde seguían empleándose postales de este material hasta entrado el s. XX.

El árbol de la luz es también árbol de los colores: a partir de los abedules se han obtenido preciosos tintes adecuados para teñir fibras animales, como lana o seda (amarillo-rojizos a partir de la corteza, la madera y las raíces; amarillos brillantes, grises, verdes y azulados a partir de las hojas, según la especie y los mordientes empleados). Y uno de los pigmentos a base de carbón empleados en el pasado, conocido como *Swedish black* o «negro sueco», estaba preparado con abedul.

Sin embargo, la importancia de las *Betula* va mucho más allá de su utilidad material, y para comprenderla debemos entrar en los mundos

* Otra conexión entre árboles y soportes de escritura se encuentra en los tilos (16).

simbólicos que crea el ser humano allá donde va; debemos explorar la pregunta: ¿cómo hemos imaginado a estos árboles blancos y hermosos?

❧

Betula es, en primera instancia, el inicio.

En el sistema de escritura ogámico que desarrollaron los celtas irlandeses, la primera letra del alfabeto (T) llevaba nombre de abedul: *beithe.*

Se dice que la gran mayoría de sus nombres comunes se relacionan con una raíz lingüística indoeuropea (*$bherh_{x}\hat{g}$) a la que atribuimos significados de «radiante, brillante, luminoso, blanco»: *abedul*, *bedoll*, *bideiro*, *(b)urki*, en las lenguas peninsulares e insulares; *bouleau* en francés; *birch* y *birke,* en inglés y alemán; *berëza* en ruso, *béržas* en lituano, *bhūrjás* en sánscrito... *Betula* en latín.

Árbol radiante, que desprende luz.

Los abedules son árboles de connotaciones esencialmente femeninas*, sobre todo en el norte de Eurasia; sin embargo, en culturas de habla castellana no parecen darse estas asociaciones.

Fue al percatarme de que me resultaba raro incluso hablar de abedules o **tilos** —ambas palabras masculinas— como seres de simbología femenina, que recordé haber leído una serie de estudios sobre el género de las palabras y algunos de sus efectos inesperados sobre cómo imaginamos la realidad que nombramos...

Es sabido que existen idiomas en los que los sustantivos están dotados de género —masculino, femenino, neutro—, como es el caso del español o del alemán; otras lenguas, en cambio, raramente lo especifican, como el caso del inglés o del japonés. Al ser una invención arbitraria, el género lingüístico del significante puede variar según el idioma que consideres, y así sucede en el caso de *Betula*: *abedul* es masculino en castellano, catalán (*bedoll*) o gallego (*bidueiro*); femenino en alemán (*birke*), en italiano (*betulla*) o en ruso (*bereza*); y desprovisto de género en inglés (*birch*) o en euskera (*urki*). Pues bien: parece que el género gramatical que tu idioma asigna (o no) a una palabra, aun siendo arbitrario, influye en las connotaciones que asocias a la realidad que aquel vocablo nombra. Se han realizado

* Al igual que otros árboles como los tilos (16).

varios experimentos muy interesantes en los que se pide a los participantes que describan características —o que le pongan voz— a cosas como un puente o una silla, y los resultados muestran una correlación con el género de la palabra en el idioma del participante (p. ej., se destacarán aspectos considerados más «femeninos» o más «masculinos»).

Desconozco si se ha investigado la relación entre el género de los árboles y su género simbólico, o si existen vínculos estadísticamente relevantes entre estas dos variables; no obstante, soy consciente de que tiendo a utilizar el nombre científico del abedul, *Betula*, cuando pienso o hablo de sus connotaciones más maternas y femeninas. ¿Será casualidad?

Estas conexiones son especialmente llamativas entre algunos de los pueblos que han desarrollado una relación más estrecha con estos árboles: los eslavos y, en los últimos siglos, sobre todo los rusos.

Pese a que los paisajes rusos son variados —comprenden desde los suelos helados de la tundra hasta estepas semidesérticas, así como varias tipologías de bosque boreal—, el elemento vegetal que se identifica con Rusia es *Betula*, llegando incluso a convertirse en metáfora identitaria: todos los rusos saben a qué país hace referencia una expresión como «La tierra bajo los abedules». Tierra madre, árbol madre.

En el imaginario ruso, *Betula* está ligada al agua y a lo femenino; los espíritus conocidos como *rusalki* a veces salen de las aguas, donde viven normalmente, y se encaraman a sauces o abedules, desde donde hacen de las suyas. El baño ruso, o *banja*, huele a abedul: en él se emplean unos instrumentos conocidos como *vénik*, una especie de escobas* de mano compuestas de varias ramas de *Betula*, provistas de sus hojas, con las que se masajea el cuerpo (con mayor o menos entusiasmo: hay descripciones que suenan muy agradables, y otras que parecen rayar lo masoquista).

Sirva como dato a tener en cuenta que, históricamente, las varas de abedul fueron utensilios de castigo corporal desgraciadamente muy extendidos, y no solo en Rusia: aparecen en manos de los magistrados en tiempos romanos, pero también como instrumentos de castigo con los que disciplinar a los niños revoltosos en la Alemania del s. XVI. Todo ello añade

* Las ramas de abedul han sido muy empleadas para confeccionar escobas, uso del que tenemos constancia en varios puntos de Europa.

un simbolismo más siniestro y doloroso a estos árboles, que no siempre evocan luz y serenidad maternal.

Sin embargo, a lo largo de la historia hay azotes que no han sido castigos, sino que, en determinados contextos (y por difícil que sea imaginarlo) han sido más bien lo contrario: en sociedades que veían determinadas plantas como especialmente llenas de, llamémoslo «espíritu vital», una de las formas que se les ocurrió para transferir a alguien toda esa vitalidad, toda esa vida... fue cortar una vara y azotar a la persona con ella. De hecho, hay constancia de azotes con varas de sauce —tanto a animales domésticos como a personas— alrededor de la Pascua ortodoxa, y a la posterior «siembra» de estas varas en los campos de centeno (*Secale cereale*), para propiciar la fertilidad de las mieses. En ocasiones, incluso ejemplares de abedul entero se arrancan y echan a los campos, como si de un abono espiritual-simbólico se tratara.

Además de sus conexiones con el mundo femenino, el agua y la fertilidad de los campos, *Betula* es también un árbol dadivoso y dulce: se recoge y se consume su savia, que contiene proporciones variables (según la especie) de fructosa, glucosa y sacarosa. Sin embargo, y por extraño que parezca, no contiene de forma natural la sustancia que se comercializa como «azúcar de abedul», o xilitol: se trata de un polialcohol dulce que tradicionalmente se sintetiza a partir de una molécula conocida como *xilosa*, obtenida de la corteza de *Betula pendula*, o de la madera de otras especies (y de ahí que aparezca el morfema *xylo-*, del término griego para referirse a la madera, *xýlon*).

Esta savia ha sido ampliamente aprovechada en buena parte de Europa central y septentrional para elaborar multitud de bebidas: frescas, fermentadas (como cervezas o vinos), reducidas en sirope... De hecho, la savia de abedul ha sido considerada uno de los productos forestales más rentables, y en los países de la antigua Unión Soviética llegaron a establecerse plantas de producción industrial de bebidas a base de *Betula*.

Algunas especies de abedul tienen connotaciones de melancolía o tristeza, como la ya mencionada *B. pendula*, cuyo nombre hace referencia a que las ramas jóvenes son un poco lloronas y le dan un aspecto elegantemente alicaído. Esta es una de las especies de abedul cuyos dominios se extienden de océano a océano, desde el Atlántico hasta el Pacífico, y de su mano (o ramas) nos adentraremos hacia el corazón de Rusia —corazón geográfico, al menos: pues Rusia no es toda eslava, y en la fría Siberia y sus aledaños aún quedan pueblos cuyas tradiciones son completamente distintas.

La enorme extensión que llamamos Siberia fue conquistada por el imperio ruso en tiempos muy recientes: para hacerse con el control de aquella inmensidad, los zares desplegaron campañas militares que empezaron a finales del s. XVI y no terminaron hasta el s. XIX. Los rusos no se comportaron precisamente como hermanitas de la caridad con los pueblos indígenas que fueron encontrando a su paso, pueblos que hoy son una clara minoría; la historia reciente de Siberia muestra un panorama cultural y lingüístico increíblemente diverso, y a la vez de una fragilidad extrema, con varios grupos ya extinguidos, o al borde de la extinción. Las políticas de colonización aplicadas por Rusia —el imperio primero, y la Unión Soviética después— quizás no fuesen buenas, pero sin duda sí eficaces.

Uno de los martillos que blandieron los rusos fue, en primer lugar, la cristianización forzada, y después, con la llegada del comunismo, la extirpación también forzada de todo sistema religioso. Por suerte, las tradiciones indígenas tenían raíces profundas, y en las últimas décadas hemos asistido a un renacer, a una reinvención, de formas de religiosidad de corte chamánico; y en varias de ellas, los abedules tienen un protagonismo especial.

Conviene puntualizar que los conceptos de «chamanismo» y «chamán» son complejos, y su empleo popular —y más bien, ehm, poco riguroso— en ocasiones tiene como consecuencia un revoltijo de churras y merinas que termina reuniendo prácticas o formas de espiritualidad que no tienen necesariamente una base común. Sea como fuere, el origen del término *chamán* está justamente en Siberia, en la etnia de los Evenki, así que su empleo en el contexto siberiano tiene su razón de ser. Podríamos decir que en varios de estos pueblos existen rasgos comunes —o, cuando menos, parecidos— relacionados con la presencia de figuras que tienen un estatus especial dentro de la comunidad, generalmente capaces de alterar su estado de consciencia (lo que solemos llamar «entrar en trance») con finalidades varias, p. ej., terapéuticas o mágicas.

Y todo esto ¿qué rayos tiene que ver con el abedul?

Pues resulta que, por algún motivo (o constelación de motivos*), de todos los árboles que viven en la taiga, los abedules han sido escogidos a menudo como El Árbol de mayor relevancia cultural en muchas etnias siberianas, y aparecen en mitos, ritos o incluso en poesías como la siguiente, recogida en una región del centro-sur de Siberia:

> Atravesando los doce cielos, en la cumbre de una montaña, se yergue un abedul en la bruma. Doradas son las hojas del árbol, dorada su corteza. En el suelo, a sus pies, un cuenco lleno a rebosar con el agua de la vida. En el cuenco, un cacillo dorado...

Difícil no notarle un regusto a árbol cósmico como el que se describe en la mitología escandinava, el fresno Yggdrasil, solo que aquí no es un fresno sino un abedul dorado.

Las referencias a árboles cósmicos abundan en el material etnográfico, y es frecuente que se identifiquen, de una u otra forma, con los abedules. Como ejemplo, deja que te presente a los saja, un pueblo de lengua túrquica que vive en Siberia nororiental, en la República de Saja o Yakutia.

En la cosmología saja el mundo está dividido en tres esferas (la de arriba, la intermedia y la de abajo), y en el centro de este sistema crece un árbol, cuyas raíces ahondan en el mundo de abajo, mientras sus ramas se elevan hasta el mundo de arriba. Este árbol ideal tiene su reflejo concreto en el que cada chamán escoge como árbol propio en la taiga. A partir de su madera, la persona se confeccionará su propio tambor, un elemento de gran relevancia en las tradiciones chamánicas siberianas. Y el más sagrado de los árboles entre los saja es el abedul, que figura en varias ceremonias y rituales de gran relevancia cultural (como las iniciaciones chamánicas), así como en los detalles más pequeños de la vida cotidiana, pero no por ello menos importante. Aparecen, por ejemplo, en los *salama*, objetos sagrados que consisten en una cuerda a la que se atan lazos, trozos de tela, decoraciones con pelo de caballo o corteza de *Betula*. Estas cuerdas suelen

* Uno de los que suele salir a colación es la relación simbiótica de los abedules con ciertos hongos con propiedades psicoactivas, conocidos como *Amanita muscaria*.

tenderse entre dos abedules (aunque también pueden colgarse en establos u otros lugares), y se consideran una forma de agasajar a las divinidades del mundo superior, al simbolizar el camino que emplean estas para transitar entre mundos, el de arriba y el intermedio.

Verdes hojas que dora el otoño, corteza luminosa... Bella senda han escogido los espíritus saja para posarse sobre el mundo.

12

Los árboles que encendieron el mundo: *Eucalyptus* sp.

Cierra los ojos e inspira hondo; ¿percibes ese aroma? ¡Ajá! Hemos cambiado de bosque. En dos zancadas hemos dejado atrás la taiga siberiana y, siguiendo el rastro del humo, hemos llegado a un paisaje tan exótico como, en cierto modo, familiar, marcado por las llamas.

El fuego es un elemento muy interesante; sin él no podemos comprender nuestra propia historia como especie, cuya cultura se ha fraguado alrededor de la lumbre de una hoguera. El fuego no solo nos abrió las puertas de la cocina y la gastronomía, sino que también nos permitió inventar un espacio profundamente humano, un intervalo nuevo en el ciclo diario natural que no pertenece ni al día ni a la noche: las horas pasadas a la luz del fuego, horas en las que inventar y compartir historias, hacer música, danzar, abonar los campos de la imaginación individual y colectiva.

El fuego es también un elemento esencial para comprender el desarrollo y mantenimiento de muchos ecosistemas; pese a que los incendios tengan mala fama (y los hay que la merecen de sobra), aquello que determina si sus efectos son positivos o negativos es, sobre todo, el contexto —y algo parecido sucede con muchas plantas que establecen lazos estrechos con las llamas.

Si los abedules del capítulo anterior están relacionados sobre todo con la cara más benéfica y regeneradora del fuego, aquí nos adentramos en espacios arbolados cuyos integrantes ocupan un espacio más ambivalente en nuestra imaginación colma de cenizas... Arrojemos luz sobre los eucaliptos y sus historias.

Hoy en día los eucaliptos crecen en todas partes, desde Chile hasta Japón (¡uno de ellos incluso sobrevivió a la bomba atómica de Hiroshima*!). Sin embargo, si no vives en Australia, lo más probable es que hayas conocido a una ínfima fracción de la hermandad *Eucalyptus*, en la que actualmente se cuentan más de 750 especies. Todas ellas —salvo dos excepciones— enraízan en Australia, y la mayoría solo se encuentran allí.

Aunque los eucaliptos que han conquistado el mundo tienen porte arbóreo, en realidad muchos *Eucalyptus* son más bien arbustivos, y en inglés se conocen como *mallee*: pese a que en ocasiones alcanzan alturas interesantes, no tienen un único tronco, pues este se ramifica desde su base o *lignotúber*, órgano subterráneo desde donde el eucalipto rebrotará tras un incendio. Por otro lado, entre las filas eucalípticas encontrarás también a verdaderos gigantes del bosque: la angiosperma† más alta del mundo es un *Eucalyptus*, de la especie *E. regnans*, que roza los 100 m de altura.

Como prácticamente toda la flora australiana, los eucaliptos están acostumbrados a sufrir incendios periódicos; hay especies adaptadas para rebrotar con fuerza tras el paso de las llamas, que diríase ejercen un efecto rejuvenecedor. En cambio, otros, como el altísimo *Eucalyptus regnans*, dependen por completo del fuego para cerrar sus ciclos reproductivos y renovar sus poblaciones: sus semillas necesitan sufrir un incendio a elevadas temperaturas para agrietarse y lograr germinar. Hay investigadores que han descrito la estrategia reproductiva de *E. regnans* como una especie de «suicidio-inmolación colectiva» que se da una vez cada varios siglos (al

* Se trata de un *Eucalyptus melliodora* que crece en la entrada al castillo de Hiroshima.

† Es decir, planta con flor; se contrapone a las gimnospermas (más explicaciones en el capítulo 4, dedicado al ciprés)

menos, antes de que los occidentales llegásemos a ese continente; ahora, por desgracia, los fuegos son bastante más frecuentes…). De hecho, la esquina sureste australiana, de donde son originarios estos eucaliptos, se considera la región más propensa a los incendios del mundo entero.

Ahora bien, recordarás que es erróneo pensar que haya plantas adaptadas al fuego en sí mismo: incluso las que dependen tan estrechamente de los incendios han evolucionado como respuesta a una determinada frecuencia y tipología de incendio, y si estos factores se ven alterados (como es el caso actual), se verán en aprietos más o menos serios.

La primera vez que la humanidad se encontró con un eucalipto fue hace unos 50.000 años, cuando los ancestros de los actuales aborígenes australianos y de los papúes llegaron al continente que conocemos como Sahul (nombre que se le da a la plataforma continental, hoy parcialmente sumergida, de la que asoma la gran isla de Australia, pero también Papua Nueva Guinea o Tasmania).

Para cuando los humanos desembarcamos en aquella enorme masa de tierra, la flora australiana ya llevaba milenios, incluso millones de años conviviendo con fuegos naturales. Y los aborígenes, con gran agudeza, observaron y aprendieron a emplear el fuego como una herramienta de gestión del paisaje, a través de lo que se conocen como *cool fires*, o incendios fríos.

Me atrevería a decir que no hubo pueblo aborigen que no conviviese y conociese a varios integrantes del género *Eucalyptus*, pero ello no significa que las relaciones entabladas entre humanos y eucaliptos siguiesen siempre un mismo patrón. Hay que tener en cuenta que, aunque existen muchos parecidos entre ellos (por algo son hermanos), también hay diferencias; y no abundan las especies cuya distribución cubra el continente australiano entero (algunas, de hecho, tienen hábitats muy reducidos, llegando a considerarse en peligro de extinción). Cada grupo humano cultivó relaciones con las especies de eucalipto concretas que crecían en su entorno y les dio múltiples usos, algunos de los cuales siguen vigentes. En el Territorio del Norte, por ejemplo, las cenizas de ciertos eucaliptos (como *E. camaldulensis*) se emplean como aditivo para el tabaco de mascar o para teñir fibras; la corteza de especies como *E. tetrodonta* se usa como soporte de pintura, y sus hojas como saborizante al asar carne de búfalo. Las semillas del *warrilyu* (*E. pachyphylla*), en cambio, se muelen y consumen entre las comunidades que conviven con esta especie de *Eucalyptus* en el Desierto de Gibson.

Además, los colores que pueden obtenerse a partir de las hojas de distintos eucaliptos son extraordinariamente bonitos, desde un rojo encendido hasta un crema pálido o distintos verdes de lo más delicados.

Con todo, es probable que el empleo más extendido y consistente de estos vegetales entre los pueblos aborígenes fuese el medicinal: pues como todo el mundo sabe, las hojas de eucalipto son las perfectas aliadas del sistema respiratorio.

Entre los jingulu, pueblo del Territorio del Norte australiano, se conocen y emplean varias especies de eucalipto, como el *E. camaldulensis*; sus hojas jóvenes se hierven en agua, que utilizan en baños medicinales para aliviar dolores internos, sobre todo en caderas y articulaciones, así como dolores de pecho. Los yanyuwa, vecinos lejanos, también usan baños de eucalipto —de las hojas, o de la corteza— para aliviar gripes y resfriados, y no son los únicos ni mucho menos. Mires a donde mires, los empleos tradicionales de muchas especies de *Eucalyptus* revelan aplicaciones parecidas: son medicina para problemas respiratorios, para evitar infecciones, para dolores internos.

Los ingleses fueron los primeros europeos que se establecieron en Australia; lo hicieron en 1788, veinte años después de haber proclamado —de forma totalmente unilateral— que los territorios orientales del continente australiano pertenecían a la corona británica. Lo que vino después no fueron buenas noticias para los aborígenes, y tampoco para los eucaliptos (aunque, desde su punto de vista, habría que ver si hacen un balance positivo o negativo de su historia colonial, dado que ha permitido a algunos *Eucalyptus* conquistar prácticamente todo el mundo).

Al cabo de poco, se localizaron eucaliptos cuyo aceite esencial destilado olía a menta (*Mentha* x *piperita*), que aún hoy se conocen en inglés como *peppermints*; efectivamente, el aceite esencial de especies como *Eucalyp-*

tus piperita comparte ingredientes con el de algunas mentas. Hoy puedes incluso encontrar a algunos de estos eucaliptos mentolados en farmacias y tiendas (como el *E. radiata*, o *black peppermint*).

Sin embargo, el componente químico más importante de los destilados de eucalipto fue aislado en 1870 (un siglo después de esa apropiación tan pancha por parte de los ingleses), y se bautizó como eucaliptol. Hoy lo encontrarás referenciado bajo el nombre de 1,8-cineol, y es el principal responsable del aroma típico que todos asociamos con los eucaliptos (aunque también se encuentra en otras familias botánicas). Si te gusta el campo de los aceites esenciales, probablemente hayas visto aparecer el nombre de esta molécula en los frascos —y no solo de eucaliptos—; de hecho, en ocasiones su presencia y abundancia incluso provoca un cambio en el nombre comercial del aceite (como los destilados de alcanfor, *Cinnamomum camphora*, que si son ricos en 1,8-cineol se venden como *ravintsara*).

El 1,8-cineol es una molécula fascinante que ha sido ampliamente estudiada. Sus principales efectos son... los que ya conocían y aprovechaban los aborígenes australianos: descongestiona las vías respiratorias por su efecto expectorante y mucolítico (es decir, que disuelve el moco), desinfecta (por sus poderes antimicrobianos) y disminuye la inflamación.

Como es lógico, cada una de las 750 especies del género *Eucalyptus* tiene un perfil aromático distinto (algunas incluso lo variarán según el lugar donde crezcan); de todas ellas, la que se ha convertido en la principal fuente de aceite esencial de eucalipto es *Eucalyptus globulus*, cuyo destilado foliar contiene hasta un 80% de 1,8-cineol.

Con todo, los aborígenes australianos no empleaban únicamente las hojas o la corteza como sustancia medicinal: en los botiquines indígenas destaca también un exudado gomoso producido por distintas especies de eucaliptos (como *E. camaldulensis* o *E. tetrodonta*) en respuesta a heridas en el tronco. Estos compuestos ricos en polifenoles podían diluirse en agua a modo de infusión y tomarse para combatir dolores de cabeza, tos, etc.; pero también se empleaban para desinfectar heridas, o para tratar los cortes decorativos tribales, para lograr que las cicatrices resultantes destacasen más. Tras la llegada de los europeos, en cambio, se usaron sobre todo como agentes curtientes y tintóreos.

Estos exudados, conocidos como *kino*, suelen adoptar coloraciones rojizas, y su aspecto resulta —al menos en algunos casos— escalofriantemente parecido al de la sangre; de hecho, los árboles que lo forman se conocen bajo el nombre común de *bloodwoods* («madera de sangre»).

En la actualidad existen comunidades aborígenes australianas que habitan lugares remotos y que aprovechan los kinos como medicina por sus efectos antibióticos, y la ciencia moderna aún tiene mucho que aprender sobre la composición y las propiedades de estos compuestos.

Los nombres de las cosas a veces pueden darnos información sobre aquello que designan, pero, sobre todo, siempre dicen algo sobre la cultura que ha celebrado los bautizos y qué características han considerado relevantes para darles un nombre. O a veces nos revela que hace más bien poco que conocemos aquella realidad y no compartimos una historia común especialmente larga; así pasa con la principal (y a menudo única) palabra en español para hablar de los árboles que nos ocupan: *eucalipto* deriva tal cual del nombre científico *Eucalyptus*, que en latín significa «bien cubierto» (en referencia a la estructura de su flor, donde los sépalos y los pétalos se unen en un opérculo muy característico). En este caso, no es tanto lo que un nombre dice, sino más bien lo que *no* dice.

Dejando a un lado la nomenclatura en lenguas aborígenes de los *Eucalyptus* (tema interesantísimo en el que, por desgracia, me confieso ignorante), llama la atención ver cómo la terminología inglesa es mucho más rica y diversa que la española. Los eucaliptos suelen ser *gum trees* («árboles de la goma», por sus exudados), o *bloodwoods* («madera de sangre», por los kinos), o *peppermints* (mentas), o *ironbarks* («cortezas de hierro»), estos últimos por lo duro de su madera.

De hecho, existen algunas especies que han sido ampliamente explotadas por la elevada calidad de su leño, como en el caso de dos eucaliptos del suroeste australiano de clima mediterráneo, ambos con nombre propio derivado de lenguas indígenas: el altísimo karri (*E. diversicolor,* que alcanza los 90 m de altura), o el famoso jarrah (*E. marginata*). Ambos fueron muy, muy valorados a partir del s. XIX, sobre todo la madera de jarrah, que se exportó en cantidades industriales por todas las colonias del imperio británico. Era legendaria su dureza y resistencia a las inclemencias del tiempo, la podredumbre y a básicamente cualquier cosa que hubiese mermado la calidad de otras maderas. Un texto de 1899 describía cómo con el paso del tiempo se vuelve extremadamente dura y se convierte en un material imposible de trabajar, «hasta el punto de que no lograrás ni clavarle un clavo». A pesar de que, para la mirada colonial estética, los bosques de jarrah no eran nada del otro mundo (se describen como paisajes para nada pintorescos, más bien sombríos y sin encanto alguno), la madera de los árboles era muy valiosa, y se usó como material para las traviesas o durmientes de las vías férreas (en un momento de enorme efervescencia ferroviaria, tengámoslo presente...). Pero también se empleó muchísimo como material de enlosado urbano, sobre todo en la ciudad de Londres, antes de que el asfalto fuese una solución viable.

Sin embargo, durante buena parte del s. XIX uno de los usos más curiosos de estos árboles —y que fue directamente responsable de su introducción en muchos puntos del mundo— no los quería talados y convertidos en tablas o adoquines: los necesitaba vivos y sanos, pues... ¿cómo sino podrían sanear los aires y extirpar las fiebres maláricas?

En el verano de 1847, un joven farmacéutico se embarcó rumbo a Adelaide, sur de Australia; atrás dejaba su Alemania natal, donde habían fallecido sus padres y su hermana mayor, todos víctimas de la tuberculosis. Y, al creer detectar síntomas de la enfermedad en otra de sus hermanas y en él mismo, el joven Ferdinand Müller decidió que no iba a arriesgarse a pasar otro invierno germano...

Aunque el plan inicial era instalar únicamente a su hermana en Australia y regresar él al cabo de unos años, pronto cambió de idea, solicitó y consiguió la ciudadanía británica, y terminó convirtiéndose en una de las personas que estudió, apreció y clasificó con más ahínco la flora australiana. Primero como Botánico del Gobierno (un puesto creado exprofeso para él) y, a continuación, como director del Jardín botánico de Melbourne, Mueller* entró a formar parte de una vasta red de intercambio de información, ideas, semillas y plantas.

* Al adoptar la nacionalidad británica, varió la ortografía de su apellido (del Müller alemán original, a Mueller)

Era, además, un eucaliptófilo convencido, como resulta fácil adivinar al abrir su obra *Eucalyptographia*, que rezuma amor por estos árboles en cada línea; sirva como ejemplo el siguiente fragmento, que cierra la introducción de su libro:

> El autor del presente monográfico se aventura a expresar una esperanza, de que la importancia de los Eucalyptos, ya sea vista en su celeridad de crecimiento, a menudo sin parangón entre los árboles de madera dura, ya estimada en sus innumerables aplicaciones para la vida industrial, o ya sea al reconocerlos como el grupo donde se encuentran los árboles más magníficos y de alturas más excelsas de todos los dominios de Su Majestad... su importancia será con mayor razón justamente reconocida tras haber ojeado estas humildes páginas.
>
> Melbourne, Pascua de 1879.

Le tenía especial cariño a *Eucalyptus globulus* (el *blue gum*, o *Tasmanian blue gum*), y envió miles de semillas alrededor del mundo ensalzando sus cualidades, entre las que incluía un punto que por aquel entonces preocupaba a muchísima gente: Mueller proponía que los eucaliptos eran capaces de prevenir o incluso curar la malaria.

El supuesto mecanismo de acción era doble: por un lado, los eucaliptos se veían como excelentes desecadores de zonas pantanosas insalubres; por otro, y dada la cantidad de aromas volátiles que los árboles liberaban al aire (y los efectos medicinales que se les reconocían), resultaba evidente que se producía un paso de mal-aire insano a un buen-aire saludable. ¡Eran la forma perfecta de acabar con las fiebres de ciénaga! Incluso teníamos unos cuantos casos que demostraban su validez: el saneamiento de la campiña romana, donde la malaria causaba verdaderos estragos entre la población, tras la siembra de miles de *E. globulus* a partir de 1870 (que efectivamente secaron parte del terreno y redujeron la incidencia de la enfermedad). Algo parecido había sucedido durante la década de los sesenta del s. XIX en Argelia y Túnez, donde las tropas francesas no solo tuvieron que vérselas con las guerrillas locales, sino con brotes recurrentes de malaria (y entre los remedios que se suministraban a los soldados destaca un licor de cuya protagonista botánica hablaremos más adelante...).

La misma esperanza llevó a sembrar eucaliptos en muchas partes del mundo donde la malaria era frecuente o temida, y así llegaron a distintas regiones de la India —que por aquel entonces formaba parte, igual que Australia, del imperio británico—, pero también a lugares como México, hacia finales del s. XIX.

Y así empezó el carrerón de los *Eucalyptus* como árboles globales, que quizás subrayan como pocos las contradicciones, los riesgos, los triunfos y los dramas de un mundo tan profundamente interconectado como el que habitamos hoy.

❧

De todas las especies de *Eucalyptus* que existen, solo unas pocas han cambiado el panorama económico a escala mundial, como los ya mencionados *E. globulus* o *E. camaldulensis*.

Sus historias no son idénticas, y las connotaciones que tienen (tanto los árboles en sí, como sus características/habilidades) han ido variando a lo largo del tiempo. Con todo, la tendencia general ha sido negativa: fuera de su Australia natal, los eucaliptos están peor vistos hoy que hace cien o doscientos años: en algunos casos, radicalmente peor vistos, dadas sus asociaciones con sistemas silvícolas de plantaciones intensivas, como los establecidos en varios puntos de la península ibérica o en Chile.

No han sido pocas las iniciativas políticas que han promovido la siembra de eucaliptos a lo largo y ancho del mundo, desde Etiopía hasta la India; las motivaciones han sido variables, no siempre malintencionadas, y todas guiadas por una lógica que a veces olvidamos. Y es que la palabra *madera* proviene del latín *materia*: la madera ha sido, durante milenios, *la* materia por excelencia con la cual construimos nuestras culturas. Un recurso renovable, sí, pero cuando el consumo excede la producción natural... ¡deforestación al canto!

Los eucaliptos tienen la habilidad de crecer prodigiosamente deprisa en comparación con otros árboles, y esta característica por sí sola ya contribuyó enormemente a su adopción en lugares de lo más variopintos; en algunos (¿muchos?) casos, los eucaliptos habrán cargado con las demandas de madera y combustible que de otro modo hubiesen pagado los bosques nativos. Algo tan aparentemente sencillo como construir una casa moderna con andamios de madera —procedimiento muy extendido en África, por ejemplo— implica la tala de muchos árboles (y normalmente también la muerte de algún trabajador durante la obra, pero eso es otro tema).

Actualmente hay varias zonas del mundo donde se cultiva eucalipto a gran escala, entre ellas Brasil, China, o la península ibérica, y buena parte de la producción se destina a... papel. Esto no siempre fue así, pues hasta los años veinte y treinta no contábamos con un proceso químico que fuese capaz de procesar la madera de eucalipto adecuadamente, pero hoy sí (se conoce como Proceso Kraft, pulpeo Kraft o al sulfato). Las predicciones globales sugieren que es un sector en crecimiento, y que uno de los principales factores detrás de esto es el creciente consumo de... papel higiénico. Ojo, que esta categoría no refiere únicamente a los rollos destinados a limpiar traseros (aunque también); lo que está creciendo es el uso de toallitas, pañuelos desechables, y demás elementos que emplean ese papel suave, flexible y absorbente.

Muchas plantaciones han generado enormes problemas ambientales, hecho que no sorprende, dado que los monocultivos no suelen dar buenos resultados a largo plazo (incluso si lo que estás cultivando no es un árbol estupendamente inflamable cuya presencia aumenta el riesgo de incendio). Por ello, en la actualidad están buscándose formas de gestión, maneras de concebir la plantación misma, que sean más sostenibles a nivel ecológico.

Con todo, los problemas que plantean aún no están bien resueltos, y nos queda mucho por hacer (o quizás en algunos casos, por deshacer); personalmente tengo la sospecha de que no llegaremos a solucionar esta cuestión, y tantas otras que comparten causa, hasta que no nos hagamos conscientes de que la economía y la ecología tienen una raíz común: la *oikos*, la casa, que en última instancia es la casa común planetaria que compartimos todos los seres vivos que habitamos la Tierra.

Un sistema económico que le dé la espalda a la ecología está condenado al fracaso; e idéntico destino aguarda a un modelo ecológico que no tenga en cuenta las necesidades económicas de las comunidades encargadas de ponerlo en práctica.

La dulzura del Eucalipto

Los eucaliptos no están especialmente interesados en que alguien se meriende sus hojas, cargaditas de compuestos secundarios como el 1,8-cineol, tan aromáticos como indigestos (... a no ser que seas un koala, claro).

Sin embargo, son maestros en atraer a una gran cantidad de polinizadores muy diversos: las flores de muchas especies tienen una estructura poco especializada que puede ofrecer chupitos de néctar (o paquetitos de polen) a pájaros, escarabajos, abejas, moscas, e incluso pequeños mamíferos o polillas ¡en un mismo día!

Hay eucaliptos que producen enormes cantidades de néctar, siendo excelentes plantas melíferas. Sin embargo, y teniendo en cuenta las más de 750 especies de *Eucalyptus* existentes, cada una con sus recetas particulares... ya imaginarás que la «miel de eucalipto» no es toda igual. Si la pruebas en Europa, lo más probable es que derive de *E. globulus*, o de *E. camaldulensis*.

V

Mediodía en las cumbres

Tras esta larga travesía por las luces y las sombras del bosque, el terreno bajo nuestros pies se vuelve más escabroso y el camino comienza a subir; los picos de los montes se entrevén entre los árboles. Ascendemos hacia el mediodía, rumbo a las cumbres.

En no pocas ocasiones las categorías «bosque» y «montaña» se confunden y son la misma; en castellano la palabra *monte* puede designar al terreno no agrícola cubierto de vegetación. En ocasiones, sin embargo, sus laderas se desvisten progresivamente de clorofila. Suelos pobres, oscilaciones de temperatura cada vez más extremas... el viento, la sequía, el frío y el calor hacen estragos, y solo algunas plantas resisten y prosperan en estas condiciones, duras y sublimes a la vez.

Atravesaremos el confín entre bosques y montañas de la raíz de un grupo de hermanas que ora crecen en el sotobosque y en el monte, ora pintan las tierras bajas con delicadas pinceladas de flor rosa y violeta.

Nuestra siguiente guía nos esperará en las laderas pedregosas de las montañas bajas, con sus flores blancas como encaje y sus bellas hojas perfumadas, dignas de consagrarse a una diosa.

Pero el último tramo lo recorreremos junto a un venerable conjunto de árboles y arbustos de lento y resinoso crecimiento, a cuya sombra nos cobijaremos del sol y del viento para escuchar historias de cócteles y brujas...

13

Las flores que sacan miel de la pobreza: *Los brezos*

En este preciso instante, en alguna sierra o monte solitario hay un brezo engalanado de flor.

Yo subía a verlos en otoño, con sus campanitas rosas cubiertas de rocío, flores que podías arrancar suavemente con la punta de los dedos y lanzarlas al aire como si de confeti vegetal se tratase, perfecto para celebrar el regreso de las lluvias. Los tuyos —si también vives cerca de sus dominios— quizás sean distintos y saquen flor en verano, o con las primeras caricias primaverales.

No importa cuándo estés leyendo estas líneas: en algún lugar hay un brezo en flor, y así nos dan la bienvenida a la montaña.

Los brezos son de lo más sufrido que hay en el reino vegetal: una esquina de monte lavado, un suelo paupérrimo, un terreno castigado por el ganado... allá donde otras plantas no terminan de encontrarse a gusto, ellos se instalan tan felices.

En español, *brezo* es toda especie dentro del género *Erica*, nombre que deriva del griego *ereike* (a través de su versión latinizada, *erice*). Sin embargo, las *Erica* tienen una prima pequeña que también solemos llamar *brezo* o *brecina*: *Calluna vulgaris*, única dentro de su género.

Tanto las hermanas *Erica* como *Calluna* tienen flores generalmente pequeñas, en forma de olla* o de campanita más o menos alargada, y las hojas también chiquitinas y alargadas, duras, preparadas para resistir todo lo que les echen. Una forma fácil de distinguir si tienes ante ti a una *Erica* o a una *Calluna* es observar cómo están dispuestas las hojas a lo largo del tallo leñoso: si salen de dos en dos y dan un giro de 90 grados entre pareja y pareja (hojas *decusadas*), el brezo en cuestión es *Calluna*. En cambio, si las hojas salen en tríos o grupos más numerosos, se trata de una *Erica*.

La historia de estos dos grupos de plantas es un viaje de ascenso, un itinerario de ida y vuelta que empieza en las regiones templadas del hemisferio boreal, y por eso nos dirigimos hacia el norte de Europa, para conocer de cerca los ambientes donde viven —y vivían— estas plantas...

❧

Si existe un paisaje cultural que se camufla a ojos de quien lo mira y admira desde lejos, esos son los brezales europeos. En foto parece un ambiente románticamente salvaje, algo inhóspito, con su vegetación más bien baja, que se cubre de flor morada durante el verano.

Los recuerdos más vivos que tengo corresponden a las *Highlands*, las Tierras Altas escocesas, donde la identificación de la región con los brezos es tan grande, que se venden perfumes de brezo, joyería con madera de brezo... Incluso en su música y lírica tradicional los brezales no solo aparecen, sino que llegan a convertirse casi ellos mismos en coprotagonistas de la historia, como en la canción *O'er the muir, among the heather* («allende el páramo, entre los brezos»):

> Una mañana de mayo en que los campos se alegraban y el tiempo era sereno, me encontré deambulando lejos de casa, allende el páramo, entre los brezos, allende el páramo, entre los brezos [...]. Seguí andando, tarareando una canción, el corazón ligero como una pluma, cuando me crucé con una muchacha preciosa, que

* Lo que se conoce como flor *urceolada*.

> andaba descalza entre los brezos... allende el páramo entre los brezos, la muchacha más bella que vi jamás la conocí una mañana entre los brezos.

Hubo varios clanes escoceses que escogieron brezos como emblema (MacAllister, MacCall, MacIntyre, MacDougal, MacDonald...). En inglés, las palabras para referirse a estas plantas se han convertido en nombres de chico (en el caso de Heath), o de chica (Heather). En general, las *Erica* son *heath*, y *Calluna*, la brecina, es *heather* o *ling*.

Los brezos europeos tienen fuertes asociaciones culturales, pero quizás la mayoría de estas no se refieren a las plantas en sí mismas, sino a los ecosistemas donde su presencia es dominante. En la Europa templada, estos ambientes suelen dividirse en dos grandes grupos, según la altura y el régimen de lluvias: hablamos de *moorlands* (páramos) si se dan en tierras altas, frescas y húmedas; o de *heathlands* (literalmente «tierra de brezos» o «brezal»), si bajamos a menor altitud. Sin embargo, lo que todos tienen en común es que los suelos donde se asientan suelen ser ácidos, muy pobres en nutrientes y asociados a actividades de pastoreo.

Pues si algo se les reconoce a los brezos es que tienen una excelente relación con el ganado, especialmente ovino —que se alimenta de *Calluna* y *Erica*, sí, pero precisamente eso contribuye, en determinadas circunstancias, a que pervivan las condiciones que mantienen a los brezos en el poder.

Hace unos capítulos comentábamos que el bosque de la taiga boreal no es un sistema estático, sino que la comunidad vegetal va evolucionando sin llegar a estabilizarse jamás, porque cuando llega a la fase cumbre, el fuego cierra el círculo y todo vuelve a empezar.

Otros paisajes, en cambio, ofrecen el ejemplo contrario, como es el caso de los brezales europeos. La mayoría de estos son sistemas que llevan siglos —¡incluso milenios!— en pausa, detenidos en una fase de su evolución, y en muchos lugares los hemos mantenido así al menos desde la Edad del Bronce, gracias a actividades como el pastoreo, pero también a través de incendios controlados. Si dejas de gestionar un brezal, te olvidas de él y lo dejas «tranquilo», no tardarás en ver cómo la sucesión vegetal vuelve a ponerse en marcha (y los primeros árboles que verás brotar a menudo serán **abedules**).

Llegados a este punto, podrías preguntarte: dado que nosotros somos los principales responsables de que existan los brezales —muchos de los cuales no surgen de forma espontánea sino por nuestra culpa—, ¿significa eso que son malos, que debemos dejarlos en paz y permitir que vuelva el bosque?

Una pregunta así, formulada desde las comodidades del s. XXI, ignora el papel que estos ecosistemas desempeñaron en los siglos pasados, cuando brindaban una ayuda indispensable para algunas de las comunidades más pobres del momento. También eran las más marginales y, a menudo, denostadas: antiguamente los páramos y brezales estaban asociados a lo incivilizado, lo inculto, lo salvaje. Si existían lugares donde pervivían supersticiones y costumbres paganas, esos eran los brezales, y esta asociación ha dejado huella incluso en la lengua: la palabra inglesa para referirse a lo pagano es *heathen,* «de los brezos».

Los brezales y los páramos no solo eran alimento para los animales domésticos de estas comunidades: también proporcionaban materia prima para techar casas o confeccionar escobas, pero sobre todo servían como combustible. Este último punto quizás parezca anecdótico para quienes vivimos en un piso urbano con electricidad, pero estas comodidades son muy, muy recientes; a lo largo de la historia, la mayoría de seres humanos han sido perfectamente conscientes de que sin leña no cocinabas, e incluso —según en qué lugares y momentos del año— podías morirte literalmente de frío. Todo el peso de la energía necesaria para sobrevivir que durante los últimos siglos hemos exprimido de fuentes no renovables (como el carbón o el petróleo) antaño tenían que cargárselo a cuestas las plantas.

Y me gustaría proponer un brindis de agradecimiento hacia todas esas especies que han desempeñado papeles socioculturales poco o nada carismáticos. Servir para escobas y techos no tiene mucho glamur, por lo que no sorprende que los brezos no naden en abundancias mitológicas, legendarias o simbólicas..., y, pese a ello, sin estas plantas humildes todo hubiese sido más pobre.

Así, los brezales han supuesto una tabla de salvación para miles de personas a lo largo de la historia; pero ¿son buenos para la Tierra, para la biodiversidad?

Los datos nos dicen que sí. Rotundamente sí.

No solo eso: actualmente hay varios programas de conservación activa de estos ambientes, financiados a nivel estatal y europeo, porque en algunos casos ofrecen refugio y hogar a una gran cantidad de reptiles, anfibios e invertebrados que gozan especialmente en las condiciones de un brezal, por no hablar de las aves —como los engañapastores (*Caprimulgus europaeus*), las totovías (*Lullula arborea*) o las currucas rabilargas (*Sylvia undata*)— que anidan en el suelo, y a las que estos ambientes van de perlas para instalarse y formar familia.

Porque la biodiversidad es también diversidad de ambientes, y aunque los bosques sean fantásticos y maravillosos, no todo el mundo puede, o quiere, vivir bajo los árboles.

Pero no vamos a quedarnos para siempre en las costas atlánticas europeas o en el Mar del Norte, pues los brezos también enraízan en la cuenca mediterránea. Aunque es más raro que formen brezales como los que acabamos de describir, están muy presentes en la vegetación, y es frecuente que suban a los montes (e incluso lleguen a dominar el paisaje sobre suelos lavados, pobres, donde la competencia es menor).

Los brezos son un componente clásico de la vegetación en las tierras que rodean el Mare Nostrum; no obstante, ellos ya estaban presentes desde antes de que apareciese lo que conocemos como «clima mediterráneo» (porque, sorprendente pero cierto, tampoco los climas son eternos ni existen desde el principio de los tiempos).

Quizás uno de los brezos mediterráneos con una historia más curiosa es la uncia, *Erica arborea*, que —como su propio nombre científico indica— puede llegar a adoptar un porte arbóreo. Al ser una de las pocas especies europeas que saca flor blanca (la mayoría la tienen entre rosa y violeta), también se la conoce como *brezo blanco*. Su madera —sobre todo la del cepo, la raíz— ha sido apreciada sobremanera para la elaboración de pipas, debido a su elevada resistencia al calor (lógico; imagina que te quedes sin pipa cada vez que intentas fumar en ella porque se te incendia...). En varios puntos del Mediterráneo se empleaba también para fabricar utensilios como cucharas, pues era una madera amable al paladar, que no se astillaba ni daba sabor a la comida.

Al echar un vistazo a la distribución de este brezo, notarás una cosa curiosa: no solo vive en la cuenca mediterránea, sino también en Macaronesia, en la península arábica... y en las regiones montañosas del África oriental. Y, si eres como yo, la pregunta surge espontánea: ¿por qué esta distribución?

Dos de mis palabras preferidas dentro de las ciencias naturales son *biogeografía*, y *filogenia*: la combinación perfecta para alguien que adora la Historia, el paisaje y los misterios. La biogeografía te explica en qué áreas geográficas vive un determinado grupo de plantas; la filogenia, en cambio, reconstruye su historia familiar, desenredando parentescos y edades a base de análisis genéticos —análisis que, en ocasiones, arrojan luz y ayudan a esclarecer misterios biogeográficos.

Por ejemplo, rascando oportunamente en el ADN del brezo blanco (*Erica arborea*) puedes descubrir (o aproximarte bastante a) la fascinante historia que explica por qué está donde está. Al parecer, este brezo nació en el este de África, avanzó hacia al norte cuando las condiciones fueron favorables —¡hasta la actual Alemania llegó!— y, al ver venir las glaciaciones, se batió en retirada y retrocedió hasta la península ibérica. Sin embargo, su baile geográfico no se detuvo ahí, sino que desde los montes africanos partió una segunda remesa de *Erica arborea* rumbo al norte, y las poblaciones mediterráneas actuales son fruto del encuentro entre estas dos oleadas, ambas surgidas de África en dos momentos distintos.

El brezo blanco no es la única *Erica* en el *East Africa*, ni mucho menos: tiene hermanas, como *E. excelsa*, que crecen en la franja subalpina del Kilimanjaro, la montaña más alta de todo el continente africano (5.895 m, nada más y nada menos). Estos brezos pueden alcanzar los 28 m de altura y forman verdaderos bosques, los últimos bosques que encontramos, de hecho, a medida que ascendemos hacia la cima. Las siguientes comunidades vegetales son arbustivas —con abundante presencia de otras especies de *Erica*, como nuestra conocida *E. arborea*—, luego comunidades de matorral bajo, y, por fin, las cumbres del volcán dormido cubiertas por nieves perpetuas (aunque su perpetuidad está bastante en entredicho, y los estudios científicos ya les han puesto fecha de caducidad a aquellos glaciares... porque sí, ¡hay glaciares en Tanzania!).

A estas alturas, a nadie sorprenderá descubrir que uno de los factores más importantes que da forma a estos bosques es el fuego: las *Erica* tienen estrategias excelentes para sobrellevar los incendios, y muchas de ellas rebrotan sin mayores problemas. Algunos de estos fuegos son de origen natural, pero otros son provocados por las poblaciones que viven en las faldas del volcán... y el motivo, según parece, suele ser muy dulce.

Hace milenios que la humanidad reconoció la afición de las abejas por pecorear entre brezos; ya en el s. I e. c. tenemos referencias a la «miel silvestre» de brezo otoñal, que marcaba la última cosecha del año, tal y como relata Plinio el Viejo (HN 11.15):

> El tercer tipo de miel, el menos apreciado de todos, es la miel silvestre, conocida como *ericæum*. La recogen las abejas tras las primeras lluvias de otoño, cuando únicamente los brezos están en flor en los bosques* [...].

Como apunte curioso, Plinio comenta que algunos apicultores pesaban las colmenas para retirar solo la mitad de lo producido, añadiendo que «debería observarse estrictamente un reparto equitativo» entre el enjambre y el ser humano, pues de lo contrario podría «morir de pena» (¡tal cual lo afirma!). Más allá de que sea biológicamente necesario o conveniente (asunto que desconozco, como ignorante en apicultura que soy), me enternece el espíritu de respeto que parece guiar tales comportamientos hacia esas colaboradoras no-humanas que son las abejas.

En Europa existe una larga tradición de apicultura itinerante, que contempla el uso de colmenas móviles que pueden trasladarse allá donde haya alimento bueno para las abejas, y un brezal en flor es un festín de proporciones épicas para ellas. Además, hace poco hemos descubierto que puede ser un banquete de lo más saludable también, pues el néctar de *Calluna vulgaris* es rico en compuestos como el *calluneno*, que actúa como una medicina capaz de proteger a los abejorros comunes (*Bombus terrestris*) frente a uno de sus parásitos más comunes (*Crithidia bombi*).

* Los otros dos tipos serían miel de primavera y de verano.

A lo largo de la historia ha habido regiones famosas por su producción de miel de brezo, como Escocia, por ejemplo. Sin embargo, y a pesar de las semejanzas en apariencia entre *Calluna* (la brecina) y las *Erica*, en cuestiones melíferas la identidad del brezo que liben las abejas no es indiferente: la miel obtenida a partir de brecina, de un color más oscuro, tiene unas características muy especiales que no comparte con la miel de brezo *Erica*. La más curiosa y destacable es su clasificación entre los fluidos tixotrópicos. ¿Pero qué peculiaridad tienen estos fluidos (entre los que se cuenta ¡el ketchup!) para merecer un nombre tan rimbombante? Yo te explico... La miel es un líquido cuya viscosidad puede cambiar con el tiempo: si no ha sido tratada o adulterada, al cabo de unas semanas empieza a cristalizar y a volverse (semi)sólida*. Sin embargo, no todas las mieles se comportan igual: si tienes entre manos una miel tixotrópica, en ausencia de movimiento es sólida; al moverla o agitarla, en cambio, pasa al estado líquido y fluye sin problemas —hasta posarse encima de una tostada, por ejemplo, donde el reposo la devolverá a su solidez quieta—.

Este es un fenómeno curiosísimo que no se da en la miel de brezos *Erica* y que, por tanto, puede servir como prueba del algodón si compras miel de brecina, para asegurarte de que no te han vendido gato por liebre.

En África del Este no hay brecina, pero sí mucha *Erica*, y una larga tradición de apicultura. En Etiopía, por ejemplo, los registros indican que se exportaba miel y cera desde el siglo V, y una de las tres plantas melíferas más importantes es nuestra conocida *E. arborea* (el brezo blanco, o *asta* en amhárico†).

Las poblaciones locales del Kilimanjaro, como los Chagga, también instalan colmenas en los brezales, destinadas a hospedar a dos abejas distintas: la más grande es una subespecie de la abeja melífera común en Europa, *Apis mellifera* ssp. *monticola*, (*njukî*, «el hermano mayor») que viene armada de aguijón y no tiene ningún reparo en usarlo; la otra es una abeja local sin aguijón más chiquita (de ahí su nombre de *nyorì ́*, «el hermano menor»), del género *Meliponula*. Como estas últimas no pican, recolectar su miel es coser y cantar; obtener el dulce botín de las

* Notable excepción, al parecer, es la miel de acacia.
† Idioma hablado en el norte y centro de Etiopía.

abejas armadas, en cambio, es más complicado y se hace con la ayuda del fuego. Para protegerse mientras recogen la miel, los apicultores emplean una especie de antorchas —que confeccionan con ramillas de brezo, muy inflamables— para ahumar las colmenas.... y si estás en un brezal sequito con palos encendidos es muy fácil que se produzca un incendio.

Estos fuegos semi-accidentales pueden ser problemáticos para muchas especies en la montaña, pero no para los brezos; es más, a menudo las llamas favorecen y afianzan su dominio en las franjas altas del volcán, a expensas de otras plantas peor adaptadas al fuego.

No obstante, el reino de los brezos está aún más al sur. Pues los estudios cuentan que las primeras *Erica*[*] nacieron en Europa, y desde su cuna europea emprendieron a continuación un largo viaje hacia las tierras de mediodía, hasta que llegaron al fin del mundo... y estallaron.

Las *Erica* son uno de los géneros con mayor número de integrantes dentro de la familia de las ericáceas: existen casi 860 especies en todo el mundo, y aproximadamente ocho de cada diez viven única y exclusivamente en Sudáfrica, en la región florística que conocemos como el reino capense. Hay nada más y nada menos que casi 680 brezos sudafricanos distintos, cifra que convierte a las *Erica* en soberanas indiscutibles de ambientes como el *fynbos*, ecosistema de matorral autóctono adaptado a los veranos secos y calurosos típicos del clima mediterráneo[†].

Al observar una explosión de diversidad tan descomunal, las hipótesis que la ciencia baraja para intentar darle sentido son dos. La primera sugiere que el lugar con un índice de biodiversidad más elevado corresponde al lugar de origen de aquellas plantas. Sin embargo, esto no siempre es cierto, y entonces entra en juego la segunda hipótesis, basada en la existencia de puntos en el mapa donde las circunstancias parecen activar un resorte evolutivo en aquellos seres vivos y se produce una diversificación desproporcionada, espectacular.

* Hablamos de las *Erica* ancestrales, de las que descienden todas las actuales (incluso aquellas especies que han nacido en África, como *Erica arborea*, tienen raíces en Europa).

† El reino capense es una de las cinco regiones en el planeta con estas condiciones climáticas; y, curiosamente, ¡las tiene desde hace mucho más tiempo que la cuenca mediterránea!

¿Cómo saber qué hipótesis se ajusta mejor a la historia de los brezos? A ojo, resulta imposible saberlo con seguridad; no obstante, si echas un vistazo a su genética, las *Erica* te explicarán a través de su ADN que nacieron en Eurasia, pero que vieron grandes oportunidades al otro lado del Mediterráneo, y allá que se fueron a conquistar y embellecer montañas y reinos africanos, hace una decena de millones de años.

Los brezos africanos tienen una característica curiosa; y es que, allá donde han mantenido el esquema típico de las hojas de *Erica* (ideal para sobrellevar la sequía estival) se han desmelenado florísticamente. Es como si hubiesen decidido que, una vez perfeccionado su atractivo para seducir abejas, el desafío en aquel nuevo reino estaba en diversificar o engatusar a otros agentes de polinización. Por eso, además de las típicas campanillas u ollas entre blanco y violeta de los brezos europeos, en Sudáfrica el abanico se expande drásticamente: aparecen flores grandes, pequeñas, amarillas, rojas, naranjas, fucsia, en forma de olla, de campana, de tubo, de estrella... Y no solo las polinizan abejas u otros insectos, sino que algunas dependen de aves, como el bellísimo pajarito suimanga pechinaranja (*Anthobaphes violacea*), endémico del *fynbos*, que se alimenta sobre todo de néctar.

Un espectáculo evolutivo de primera categoría.

❧

Cuando por fin los europeos llegamos al Cabo de Buena Esperanza, la cuenta atrás se puso en marcha; era solo cuestión de tiempo que algún imperio instalase una base en el Cabo (fueron los holandeses), solo cuestión de tiempo que las naves de la Compañía Neerlandesa de las Indias Orientales holandesa (*Vereenigde Oostindische Compagnie*, o VOC para amigos y conocidos) hiciesen largas paradas en su base sudafricana. En estas naves viajaba siempre un médico, y a menudo era una persona muy interesada en la historia natural; de hecho, hay varios casos de naturalistas de corazón con ganas de irse a explorar las floras del lejano Oriente, que financian su deseo convirtiéndose en médicos e ingresando en la VOC para lograrlo.

Así, poquito a poco, la flora del reino capense va revelándose a los imperios occidentales, que durante el s. XVIII transportarán a varias *Erica* sudafricanas para instalarlas —no sin dificultades— en el norte de Europa, donde causarán sensación. Esta moda de invernadero (porque estas plantas no sobreviven a los inviernos del norte de Europa) será pasajera, y terminará por dar paso a una flora tropical que requiere entornos con más humedad que estos brezos, acostumbrados a los veranos tórridos y soleados en el *fynbos*.

> Años atrás los brezos del Cabo eran habitantes destacados en los invernaderos de nuestros abuelos y en las obras horticulturales ilustradas de su tiempo... [...] No menos de 186 especies de *Erica* se cultivaban [en Kew] en 1811. Ahora no tenemos más de 50, junto con muchos híbridos y variedades.
>
> Joseph Dalton Hooker, 1874

Sin embargo, algunas —como *E. gracilis* o *E.* x *hyemalis*— aún pueden encontrarse como plantas ornamentales: las últimas que quedan de aquella oleada de *Erica* que, millones de años después de haber emigrado hacia el otro cabo del mundo, regresaron para contarnos las maravillas que habían descubierto en aquel reino lejano.

14

La corona del verdor eterno: *Myrtus communis*

La piel verde que cubre la ladera entre montes se ha vuelto compacta, densa como un secreto. A lado y lado del camino polvoriento se yerguen los bordes cerrados de la maquia mediterránea de mi tierra.

La maquia es una formación vegetal de arbustos y árboles chaparritos que raramente superan los 4 m, de hoja perenne y apetencias termófilas (es decir, que disfrutan del calor). A diferencia de un bosque —cuyos senderos invitan, más o menos, a adentrarse en sus profundidades—, las maquias suelen tener entrada complicada: a menudo te encuentras con una maraña tupida de ramas y arbustos bajos que dejan hecha unos zorros a la persona que intenta penetrar en sus secretos. No es casualidad que las guerrillas en Francia o en España durante los últimos siglos se refugiasen en las maquias, y que justamente el nombre de *maquis* terminase pegándose a este estilo de resistencia armada.

Sin embargo, la planta que guiará nuestros pasos a través de la maquia y más allá es vegetal pacífico; de hecho, en el Mediterráneo lleva milenios simbolizando ideas tan poco bélicas como el amor y la belleza: se trata de *Myrtus communis*, el mirto o arrayán.

Aunque la botánica antaño le reconocía muchos hermanos, hoy en día el arrayán se ha quedado prácticamente solo dentro el género *Myrtus*, con una única pariente próxima en África (*M. nivellei*). En cambio, el mirto común vive en todo el Mediterráneo, Oriente Próximo y Oriente Medio: sus dominios llegan hasta Irán (hay quien dice que incluso la India, pero eso ya no es del todo seguro).

Aunque suelen vivir como arbustos, pueden alcanzar los 4 y hasta los 5 m de altura, con hojas perennes pequeñas de un verde brillante, y normalmente dispuestas de dos en dos a lo largo de los tallos. Sacan flores de un blanco luminoso, con cinco pétalos y una mata de estambres inconfundible, y aunque suelen florecer a finales de primavera o verano, yo he visto alguna que otra flor incluso a mediados de diciembre. Sin embargo, en otoño e invierno lo que sueles encontrar no son flores, sino frutos: los llamados *murtones*, unas bayas redonditas del tamaño de un garbanzo pequeño y cubiertas con un velo de pruina*. Aunque la mayoría de arrayanes silvestres tienen murtones de un hermoso color negro-azulado, hay variedades que los tienen más claros, incluso blancos. Todos ellos son muy astringentes, lo que significa que, si masticas unos cuantos, al cabo de poco te quedarás con la boca más seca que una alpargata. Antiguamente decían de las sustancias astringentes que «favorecen las virtudes retentivas», porque estriñen, aprietan... y por eso se han empleado medicinalmente para desarreglos digestivos varios (p. ej., macerados en alcohol para preparar licores).

Las moléculas responsables de esta característica arrayanística (que también saben sintetizar muchísimas otras plantas, como los **alisos** o los robles) se conocen como *taninos*, término que quizás resulte familiar, pues estos compuestos se encuentran en bebidas tan conocidas como el vino, el café o el té. Las plantas suelen emplearlos como parte de su arsenal espanta-herbívoros (porque ¿a quién le gusta que se le quede la boca como una suela de zapato?). No obstante, los humanos descubrimos que, si los empleábamos con criterio, podían obrar maravillas como convertir la piel en cuero, dado que los taninos tienen poderes curtientes, y el arrayán (sobre todo sus ramas y hojas) se ha usado como tal en varios de los lugares

* Capa blanquecina tenue de aspecto polvoriento o harinoso que en ocasiones recubre la piel de frutos como las endrinas o las uvas.

donde crece. Empleo quizás poco poético, pero muy útil a lo largo de la historia de la humanidad.

Tiene más poesía el empleo cosmético de *Myrtus communis*; la decocción de sus frutos, por ejemplo, se recomienda para teñir el pelo ya desde el s. I e. c., y sus hojas machacadas en polvo, aplicadas «en las ingles y los sobacos, impiden el mal olor», según describía José Quer en el s. XVIII, para después añadir que

> El agua destilada es admirable cosmético. En la Isla de Mallorca, terreno que abunda de Arrayanes, hacen el agua destilada de este vegetable; y la usan las Señoras, y las que no lo son, para lavarse la cara y brazos [...].

No sé en qué categoría me hubiese clasificado don José, pero puedo dar fe de que lavarse la cara y las manos con agua de arrayán recién destilada es muy agradable... y perfumado.

Si tuviese que embotellar el Mediterráneo en un frasco de perfume, el aroma resultante tendría notas de arrayán; de hecho, el mismo nombre de *arrayán* proviene del árabe *rayḥān* (de la raíz árabe ح و ر), que vendría a significar algo así como «el perfumado».

El aroma ha sido una característica importante a la hora de juzgar la belleza de una planta, y por eso no sorprende que el mirto despunte como planta ornamental en el Mediterráneo, donde lo encontramos íntimamente asociado a la tradición de jardinería árabe. El ejemplo más famoso tal vez sea el Patio de los Arrayanes de la Alhambra granadina, joya del Palacio de Comares, cuya alberca central aparece orlada de setos de arrayán. Estudios recientes han revelado que, además, los arrayanes de la Alhambra, de los que ya quedan pocos ejemplares «originales», pertenecen a una variedad genéticamente distinta (var. *baetica*) de la que suele sembrarse actualmente en jardinería (var. *tarentina*), digna de ser conservada como el tesoro horticultural que es.

El característico aroma del mirto no está en sus flores, sino sobre todo en sus hojas, ricas en aceites esenciales (que hoy se emplean para ayudar a resolver problemas respiratorios, entre otros). La flor es adorno hermoso pero prescindible; el cofre de los aromas está en el follaje. De ahí que las novias persas se perfumasen junto a un brasero donde se quemaban ramas de mirto verde junto con olíbano (*Boswellia sacra*) y semillas de ruda siria o alharma (*Peganum harmala*). De ahí que las recetas grecorromanas para la elaboración del aceite de mirto —*myrsinon élaion, myrsinélaion*— especificasen que debían cocerse en aceite las hojas tiernas majadas del arrayán.

Y, al igual que otras plantas perfumadas, el mirto se empleó en tiempos antiguos para elaborar guirnaldas y coronas, siendo un material muy popular no solo por su aroma, sino también por tener *Myrtus communis* una divinidad tutelar muy interesante: la diosa del amor y la belleza, Afrodita (y su versión romana, Venus).

La historia de amor entre el arrayán y las diosas mediterráneas viene de lejos y probablemente tenga raíces orientales, dado que los mismos griegos situaban el nacimiento de Afrodita en la isla de Chipre, enclave con una fuerte influencia fenicia; tanto es así, que hay quien plantea que la diosa del amor es, en realidad, una adaptación-adopción de la divinidad fenicia Astarté, con la que comparte bastantes parecidos.

Sea como fuere, en Grecia nos encontramos que, entre los elementos más típicos del culto a Afrodita están el incienso, el sacrificio de palomas y las coronas de arrayán. Aun apareciendo a menudo en compañía de rosas y **violetas**, *su* planta es *Myrtus communis*, y hay varios relatos que la relacionan con este arbusto. En algunos la conexión es más o menos tenue, como en el mito de Fedra —castigada por Afrodita a enamorarse de su hijastro Hipólito— que en su tormento apuñala con una aguja las hojas de un mirto*. Sin embargo, en otros casos es más explícita, como cuenta Ateneo de Náucratis (s. II e. c.) al relatar un episodio en que la diosa salvó de morir ahogada a una tripulación que a ella se encomendó durante una tormenta al regreso de un viaje a Chipre. El estilo salvífico de la diosa se describe como deliciosamente vegetófilo: tapizó la cubierta del barco con ramas de arrayán «y esparció por toda la nave un

* Durante la antigüedad se asociaba esta leyenda a una planta de arrayán concreta en Trezene —o así lo cuenta Pausanias, viajero y autor de la primera «guía turística» de la historia, en el s. II e. c.

perfume dulcísimo», que suponemos hizo maravillas para contrarrestar las náuseas de los pobres marineros. Una vez concluida la travesía, uno de estos navegantes, devoto de la diosa, «invitó a sus parientes y amigos más próximos a un banquete en el mismo templo [de Afrodita] y a cada uno de ellos ofreció una corona hecha con ramas de mirto».

Y es que las coronas de mirto fueron tremendamente populares en la antigüedad. Pese a que nos solemos imaginar a los vencedores romanos coronados de laureles, en realidad muchos celebraron su triunfo coronados de arrayán: según contaba Plinio el Viejo, estas coronas estaban asociadas a las victorias sin derramamiento de sangre, que se celebraban con una ovación (en el sentido literal del término: se denominaba *ovatio* a este tipo de celebraciones de triunfo «menores»). Corría también el rumor de que el arrayán era capaz de contrarrestar o disminuir los efectos de la embriaguez, conque, si tenías pensado empinar el codo, nada más práctico que ceñirse una corona de *Myrtus communis* para la ocasión.

Su popularidad alcanzaba incluso la esfera de los nombres: Myrrhine, «corona de arrayán», fue un nombre femenino bastante popular en la Atenas clásica (aunque al parecer la palabra también podía funcionar como un eufemismo para referirse a los órganos sexuales femeninos, que caen de lleno en la esfera de influencia de la diosa del amor).

Las coronas y ramas de mirto se empleaban con mucha frecuencia para honrar y adorar a los dioses —a menudo en compañía del olíbano—, así como para realizar algunos rituales mágicos. Al parecer, adornar los altares y los bustos de las divinidades con arrayán estaba a la orden del día, y esta asociación no sucede únicamente en el mundo del Mediterráneo clásico: un texto zoroástrico tardío, conocido como *Bundahišn*, menciona al arrayán como vegetal consagrado a Ahura Mazdā, la deidad principal del zoroastrismo. Y en una de las tablillas (la XI) de la *Epopeya de Gilgamesh* se menciona a *Myrtus* como ofrenda agradable a los dioses tras el diluvio:

> en el fondo destas [siete y siete jarras] vertí (esencias de?) cálamo, pino y arrayán. Los dioses olieron la fragancia, los dioses olieron la agradable fragancia, los dioses se congregaron como moscas alrededor del sacrificio.

Pero hay otra esfera en la que *Myrtus communis* tiene un papel destacado a lo largo de la historia, pues con él no solo se adornan los altares a los dioses, sino también las tumbas de los muertos.

❧

En el s. V a. e. c., el gran poeta trágico griego Eurípides compone su obra *Electra*; en este encantador enredo de familia post-guerra de Troya, la protagonista, Electra, junto a su hermano menor, asesina a su madre (y a su amante) para vengar la muerte de su padre Agamenón. (Como puedes ver, describirla como familia disfuncional es quedarse corto). La cuestión es que, en un momento determinado, Electra se queja —con razón— de que, mientras su madre se divierte junto a su amante en el trono de Micenas, la tumba de su padre Agamenón yace en deshonra, sin recibir libaciones ni ramas de mirto, y sus altares permanecen vacíos de ofrendas.

Para la Electra de Eurípides, el deber exige que se honren las tumbas con arrayán.

Myrtus tenía muchos números para que le tocase ser planta fúnebre: planta de larga vida, de hoja perenne y perfumada, de porte elegante y sobrio, el mirto estuvo asociado a la esfera de los muertos en el judaísmo (aunque no de forma estrecha, pues tiene otros papeles rituales interesantes), y es planta que aún se siembra en cementerios del área de Palestina. Curiosamente, al parecer también se empleó como planta de funeral en regiones que quedan fuera de su área de distribución original, a las que *Myrtus* llegó como arbusto ornamental importado, como es el caso de Inglaterra.

Esta conexión del Más Allá con el arrayán es muy frecuente, pero no se da en todas las tradiciones religiosas; entre los drusos, por ejemplo, *Myrtus communis* no tiene la menor connotación fúnebre, a pesar de tener una gran importancia cultural: es tradición secar y pulverizar las hojas de este arbusto para emplearlas, normalmente mezcladas con aceite de oliva, como desinfectante tópico para bebés. Tan importante es, que existe un verbo en árabe (literalmente, «arrayanar» o «mirtear») para referirse a la acción de preparar y tratar a alguien con este polvo. Y pulverizar hojas de arrayán en mortero ¡no es trabajo para pusilánimes! Solo alguien que te quiere mucho y bien se pondrá a hacerlo. Por eso, una imprecación como «¡Maldita sea quienquiera que te arrayanó!» sería una forma fina y vegetófila de mandar a la porra a la madre del insultado (o a parientes muy cercanos y encargados de su educación).

Sin embargo, el conjunto de rituales —con participación arrayanística— más elaborados de los que tengo noticia se enmarcan en el mandeísmo o sabianismo, una religión minoritaria y bastante desconocida, cuyos hoy escasos creyentes viven dispersos en comunidades de Irán e Irak, donde lo han pasado (y probablemente sigan pasándolo) bastante mal.

El mandeísmo es lo que se conoce como religión gnóstica, monoteísta, que reconoce algunas figuras religiosas de la tradición hebrea y cristiana (Adán, Noé, San Juan Bautista), pero otras no (Abraham, Moisés o Jesús). Las comunidades mandeas son, al parecer, muy reservadas, y hay relativamente pocos estudios académicos que los tengan como protagonistas. En uno de ellos, escrito por E. S. Drower a mediados del siglo pasado, se describen numerosos ritos y creencias en los que aparece, una y otra vez, una planta: el arrayán. Y no como mero *attrezzo* o decoración, sino como un elemento simbólico y religioso insustituible en muchos ritos mandeos, como el bautismo (que no es una ceremonia puntual y única en la vida del creyente, sino que se repite con cierta frecuencia, ya sea en versión completa o no).

En el caso del ritual mandeo para limpiar y preparar a la persona moribunda para la muerte, este contempla realizar una serie de abluciones, vestir al enfermo en sus ropajes rituales, y colocarle una corona de arrayán, o *klila*, en el dedo meñique de su mano derecha (una corona pequeñita, se entiende...). Sin arrayán, no hay muerte ritualmente pura. Su mismo nombre en mandeo, *as**, significa «curación» o «curado», y se considera que el poder de la corona va más allá lo lo simbólico, siendo de alguna forma capaz de otorgar salud y vigor. *Myrtus communis* incluso protagoniza un ritual entero, durante el cual se reparten ramos de arrayán y se recitan pasajes como

> «En el nombre de la Gran Vida, todo aquel que huela tu perfume y se envuelva en ti, verá cómo fluyen lejos sesenta pecados».

* Es una raíz semítica que aparece en otros idiomas, como el árabe *ʻās*, el aramaico *āsā* (al menos en algunos dialectos), o el acadio *asum*, del que al parecer derivan.

El mandeísmo es una religión marcadamente dualista, que contrapone la luz a la oscuridad: en el mundo de la luz viven seres luminosos y sin mácula, que

> Visten prendas de luz, viven en comunidad sin ofenderse ni pecar los unos contra los otros; aun encontrándose a miles de millas de distancia, la luz que irradia uno ilumina al otro, la fragancia que despide uno perfuma al otro, los pensamientos de uno están abiertos al otro. La corrupción de la muerte no es para ellos, no los aquejan dolores o enfermedades. Sus vestidos no oscurecen; sus coronas de arrayán no se deshacen ni pierden sus hojas, no se secan jamás.

Estos seres luminosos viven eternamente enfrentados al mundo de la oscuridad, con sus demonios y seres malvados, que —huelga decirlo— no llevan corona de arrayán.

Myrtus communis, para el mandeísmo, es el perfume de la vida y de la luz. A su sombra fragante celebremos haber alcanzado el cénit de nuestro viaje.

15

Un brindis a las alturas: *Juniperus communis*

> Concédeme, padre mío, las montañas. Ártemis raramente descenderá a las ciudades.
> Habitaré en los montes, y solo me acercaré a las ciudades cuando las mujeres, presa de dolores de parto, apelarán a mí para que las ayude.
>
> Del *Himno a Ártemis* de Calímaco (s. IV-III a. e. c.)

Durante mucho tiempo los montes han sido territorio salvaje, de cumbres inhóspitas, pasos estrechos y peligros ocultos. Ahora que la luz empezará a menguar y las sombras a alargarse, encomendémonos a los protectores de los caminos para atravesar las montañas y encontrar el sendero bueno que nos llevará de regreso al hogar.

En estas cimas altas, debajo del reino de las nieves perpetuas y de los matorrales de montaña, los protagonistas no son árboles de hoja frondosa y caduca, sino seres más viejos, duros y resistentes a los extremos —de temperatura, luz, viento, humedad...— que se acentúan en los montes. Son los dominios de los pinos en los acantilados, de los abetos en las laderas; es el reino austero de las gimnospermas*, y serán los enebros quienes nos guiarán por sus cerros y desfiladeros de vuelta a los bosques.

Enebros son, *grosso modo*, los habitantes del género *Juniperus*, que viven en el hemisferio boreal, así como en Mesoamérica y en África. Hay entre 60 y 70 especies reconocidas, y de todas ellas la más común, cuyos dominios se extienden por toda Eurasia y Norteamérica, es la que bautizamos (muy atinadamente) como *Juniperus communis*.

El enebro común es árbol de crecimiento lento y pausado, de hojas finas y afiladas como pequeñas agujas rayadas de blanco, entre las que despuntan las *nebrinas* azuladas, que frutos parecen, pero no son. En botánica estas estructuras se conocen como *gálbulos*, y al no provenir de flores (ausentes entre las gimnospermas), no pueden considerarse frutos en sentido estricto.

Las nebrinas de *J. communis* son comestibles, muy aromáticas, y las principales responsables de que el enebro aún figure —si bien oculto a miradas ignorantes— en el arsenal botánico de licores y cócteles como el *gin-tonic*. Pues sin ginebra no hay *gin-tonic*, y sin enebro no hay ginebra (que le debe incluso el nombre a *Juniperus*).

La maceración de nebrinas en agua o en vino es remedio antiguo, que evolucionará a lo largo del medioevo y desembocará en la aparición de destilados alcohólicos como, en 1500, el «agua de bayas de enebro» (*water of genyper berries*) o las bebidas conocidas como *genever* en los Países Bajos. Estas se elaboraban a partir de gálbulos de enebro, especias varias y una base alcohólica derivada de cereal (cuando anteriormente se habían privilegiado los productos derivados de las uvas).

Como muchas otras sustancias —entre las que destacan el café o el té—, las bebidas alcohólicas destiladas no empezaron su carrera en la barra de un bar, sino como propuestas con valor medicinal que se tomaban para mejorar la salud. Y, si bien cócteles como el Bloody Mary o el Cosmopolitan nacieron en el s. XX para satisfacer el paladar (entre otras cosas), la invención del *gin and tonic* fue medicina pura... o casi.

* De ellas tratamos al hablar de los cipreses (cap. 4). No es un grupo que se limite a las montañas ni mucho menos, pues cubren el mundo entero, desde los trópicos hasta la tundra, pero muchas de ellas son especialmente resistentes a las condiciones alpinas.

Sucede a principios del s. XIX por culpa de la quinina (*Cinchona officinalis*) del agua tónica que bebían las tropas británicas como remedio contra las fiebres palúdicas, consecuencia de haber contraído la malaria. El problema es que la quinina amarga horrores, y a los ingleses apostados en la India durante el s. XIX no se les ocurrió otra cosa que «mejorarla» mezclándola con otra medicina: la ginebra, cuyo principal ingrediente aromático posee propiedades beneficiosas varias (entre ellas, la digestiva).

Las nebrinas tienen un sabor curioso, resinoso, que a mí personalmente me gusta; cuentan que los antiguos romanos empleaban estos gálbulos para adulterar la pimienta (pese a que su sabor no es ni remotamente similar; me atrevería a decir que cualquiera que hubiese probado las drupas de *Piper nigrum* podría cazar el engaño a la legua).

Pero no son solo las nebrinas las que huelen y saben hermoso: los enebros son árboles que, además de crecer lentos y pausados, echan madera compacta, dura y perfumada con resina. Por eso no es raro tropezártelos en el mundo de los inciensos y los sahumerios, porque no son pocas las especies de *Juniperus* que hemos quemado en algún lugar del mundo para inundar el aire con su aroma.

En la *Odisea*, Homero menciona la fragancia que perfuma la isla de Calipso, una ninfa que prácticamente ha raptado a Ulises y se lo ha quedado durante siete años en su casa; y, en un alarde de buen gusto, la mujer quema enebro para aromatizar el ambiente.

En México se emplea *Juniperus deppeana* (conocido como *cedro de incienso*) como fuente de resina que luego se quema como incienso, y algo parecido se da con muchos otros *Juniperus* alrededor del mundo. En Norteamérica nos consta el empleo de sahumerios de enebro entre varios pueblos nativos; los cheyenes y los ramah navajos quemaban *J. communis* en algunas de sus ceremonias (p. ej., «para alejar el temor a los truenos» o como «humo de la buena suerte» para los cazadores), pero no es la única especie ni mucho menos. Por ejemplo, los brotes de *J. virginiana* (*eastern red cedar*) figuran como uno de los vegetales empleados como incienso en las ceremonias del peyote entre los kiowa, o durante los funerales entre los lakotas.

Y si tienes una madera dura[*], que resiste fenomenalmente bien los ataques de insectos, y que huele de maravilla (ambas cosas bastante relacionadas...), no sorprende que los enebros hayan sido objeto de creencias y supersticiones varias a lo largo y ancho del mundo, y que quemarlo fuese algo que no se hacía únicamente para que la casa oliese mejor, sino para curar y ahuyentar enfermedades, aojamientos o malos espíritus. Así se hacía en Francia, y así se hizo en la Segovia del s. XVII para «combatir la corrupción del aire» que se consideraba causante de la gran peste que asoló la ciudad.

No es casualidad que la «peste» sea una enfermedad y un olor desagradable: durante muchos siglos, todos los males, físicos y espirituales, van en un mismo saco, porque materia y espíritu no se conciben como entidades separadas, sino íntimamente unidas y capaces de influenciarse entre sí.

A pesar de que reconocer a un *Juniperus* no entraña grandes complicaciones (los gálbulos, por ejemplo, son muy característicos de este género) los nombres que les hemos puesto a lo largo de la historia han dado —y siguen dando— pie a grandes confusiones.

Uno de los más frecuentes y liosos es «cedro»: *J. deppeana* es «cedro de incienso», *J. virginiana* es *red cedar* (cedro rojo)... Y tú podrás decirme, ¿pero ese no es el nombre de otro género botánico, *Cedrus*, donde están el cedro del Líbano y compañía?

A lo que me tocará responder que, sintiéndolo mucho, eso tendrías que discutírselo a los antiguos griegos, que nos legaron la palabra *kedros* (κέδρος) para hablar de un montón de coníferas distintas, cuya principal característica común era ser de madera resinosa. A menudo se interpreta el *kedros* griego como un hermano del enebro común, el *enebro de la miera* o *cade*: *Juniperus oxycedrus*. Sus nebrinas aparecen listadas en recetas egipcias antiguas para elaborar perfumes, e incluso como árbol ornamental «exótico» plantado en los vergeles de monarcas asirios[†], en una especie de botín de guerra vegetal (por no hablar de sus múltiples

* Tanto es así que en algunos idiomas, para referirse a alguien muy testarudo, se dice que tiene «cabeza de enebro».

† Como Ashurnasirpal II (s. IX a. e. c.) o Sennacherib (x. VII a. e. c.)

propiedades medicinales, sobre todo atribuidas a la miera o aceite de cade que se obtiene de su leño).

Por suerte o por desgracia, el caos lingüístico y nominal no termina con los «cedros», pues dentro del género *Juniperus* tenemos plantas que se conocen como *sabinas* o *sabinos*, y algunas veces también *cipreses* (y eso sin contar los nombres derivados del náhuatl y otras lenguas amerindias, como *tláxcal*, *tlascal*, *táscate*, etc.).

En la clasificación botánica del género *Juniperus* diferenciamos entre *sabinas* y *enebros* según el aspecto que tengan las hojas adultas de la planta en cuestión: si son aciculares (en forma de aguja) los consideramos enebros; y si son escuamiformes (si crecen como escamas por encima de las ramas) las conocemos como sabinas. Aun así, hay especies del «Club Sabina» que han sido llamadas *enebros* en algunas regiones, así que tampoco hay que tomarlo muy, muy al pie de la letra (es el caso de especies como el español *Juniperus thurifera,* que en muchos lugares se llama *enebro* o *enebra*, pese a que, según el criterio recién descrito, entraría en el saco de las sabinas).

Lo que *sí* hay que tomarse en serio es la bioquímica juniperusiana. Aunque es frecuente dar usos parecidos a especies distintas dentro mismo género, hasta el punto de considerarlas casi intercambiables (como sucede, por ejemplo, con las **rudas**), *Juniperus* no admite ni cambios ni sustituciones a la ligera. Existen especies con nebrinas perfectamente comestibles y medicinales, como el enebro común y, sin embargo, una hermana suya como *J. phoenicea*, una sabina costera, saca gálbulos muy tóxicos que no conviene ingerir bajo ningún concepto: sus poderes abortivos son tan violentos que su empleo puede acabar en desastre con extrema facilidad.

Dado que a la ciencia aún le quedan muchas especies de *Juniperus* pendientes de analizar en detalle para esclarecer su composición exacta, es mejor no arriesgarse, a no ser que sepas de muy buena tinta que su empleo interno es seguro.

> La antigua ciudad de Orcómeno se erigía en la cima de un monte (...). Cerca de la ciudad hay una estatua de madera de Ártemis en un gran *kedros*, y en referencia al árbol llaman a la diosa *Kedreatis*.
>
> Pausanias, 8.13 (s. II e. c.)

Los templos de la diosa cazadora —señora de las bestias y de los montes, protectora de los tránsitos— solían emplazarse en lugares elevados, y cerca de caminos o espacios liminares, fronteras inciertas. Ártemis, hermana de Apolo, alberga paradojas en su seno: es divinidad siempre virgen, pero vela sobre los partos y las transiciones en la vida femenina. Resulta sugerente verla proclamada *Kedreatis*, asociada a los enebros, sabiendo que las nebrinas de algunas especies tienen propiedades abortivas, pues todo abortivo suele ser, en función de la dosis, también emenagogo y capaz de estimular el parto.

En ocasiones, cuando varias divinidades presiden esferas de actividad parecidas, pueden terminar asimilándose entre sí; en el caso de Ártemis, su figura se liga muy pronto a la de otra diosa: Hécate, diosa antigua y poderosa asociada a la noche, a la luna, a los cruces de caminos, a la magia. Concebida a menudo como «el lado oscuro de Ártemis», Hécate aparece en muchos mitos y relatos griegos sobre brujas; por ello no sorprende encontrarla como instructora de Medea, mujer-bruja por excelencia en el mito griego, «una niña [...] a quien la diosa Hécate enseñó a emplear las drogas que crecen en tierra firme y en el agua corriente», filtros vegetales con los que doblegar el curso de las estrellas y la luna a sus deseos.

La inquietante hechicera es conocida por enamorarse perdidamente de un aventurero, un tal Jasón, que llega a Colchis*, reino del padre de Medea, exigiendo que le entreguen un cierto vellocino de oro... y solo gracias a los conocimientos mágicos de ella —y la inestimable ayuda de una ramita de enebro— logrará hacerse con la dichosa piel:

> La gran serpiente se preparaba para la batalla cuando ella se puso a cantar, invocando al Sueño, conquistador de los dioses, para que encantara al monstruo, y llamando a Hécate, la reina que yerra en la oscuridad, para que la ayudara en su cometido. Y la gigantesca serpiente fue relajándose a los pies de la mujer.Entonces Medea bañó un brote de enebro en su pócima, mientras entonaba un conjuro, y salpicó los ojos del monstruo con su brebaje más potente. Y, a medida que el perfume mágico se adueñaba de los sentidos de la gran serpiente, el sueño le cerró los ojos.
>
> Adaptación de las *Argonauticas* de Apolonio de Rodas (s. III a. e. c.)

* No es casual que el quitameriendas, potente veneno y potente remedio, lleve el nombre genérico de *Colchicum*.

Resulta curioso encontrar referencias al enebro como capaz de «ahuyentar alimañas» (entre ellas las serpientes) quemado en sahumerio; así lo recogen varios textos antiguos, como el *De Materia Medica* de nuestro conocido Dioscórides, o la *Theriaka* de Nicando de Colofón, obra sobre venenos compuesta en el s. II a. e. c.

Si lo empleaba Medea, bueno tenía que ser...

Con el paso del tiempo, y si nos desplazamos hacia Italia y Europa central, el enebro pasa de ser instrumento de brujas a instrumento para espantar brujas, o casi para distraerlas: se contaba que, al ver una rama de enebro común colgado en una casa, cualquier bruja que pasase por allá sentiría la irresistible necesidad de... ponerse a contar las hojas. Como es una tarea de chinos y es fácil descontarse, este mecanismo se creía las haría escapar (por temor a ser reconocida como bruja contando hojas como una tonta) y lograría proteger la casa de cualquier embrujo que hubiesen tenido en mente.

Otra justificación complementaria de este poder protector enebrístico es la leyenda cristiana que cuenta cómo, cuando María escapaba con el niño Jesús a Egipto perseguida por los soldados del rey Herodes, buscó refugio entre la vegetación junto al camino. Tras encuentros con plantas «poco solidarias» como los garbanzos, la Virgen y el niño hallaron refugio en un enebro que los ocultó de sus perseguidores.

Desde los senderos oscuros bajo la protección de Ártemis-Hécate, los enebros, que en manos de Medea adormilan serpientes, se convierten en planta cuyos principales significados simbólicos son *Asilo* o *Protección*.

No podíamos habernos encomendado a un guía mejor para emprender nuestro descenso de las montañas.

VI
Abrazos silvanos

Tras tocar el mundo duro y luminoso de las cumbres (y haber cortado una ramita de enebro para adormecer monstruos, si nos sale alguno por el camino), nuestros pasos nos llevan de regreso a la espesura, a la sombra de los bosques que tapizan el valle.

Los rayos de la tarde bruñen y se enredan entre las hojas acorazonadas de la primera planta que nos recibirá en la floresta, un árbol de justa y correosa fama cuyo perfume enamora a seres humanos y a abejas (casi) por igual.

Y de fragancia en fragancia nos adentraremos en el sotobosque, agachándonos al pie de algún roble junto al camino para escuchar a la flor más humilde susurrarnos sus historias en guirnalda.

Se escucha el murmullo cantarín del agua entre las hojas, el sonido rítmico de un hacha cortando madera. Las señales de la mano humana resultan evidentes para quien sabe mirar. Observa los jarales por doquier, recordándonos que los árboles tienen muchas más vidas que los gatos, y que talar un tronco a menudo no destruye, sino que multiplica, despertando a los brotes dormidos en la base del tocón. Quizás la mítica Hidra de Lerna aprendió un truco o dos de los vegetales.

De igual modo, hay ramas que no olvidan cómo ser también raíz, y si les das la oportunidad se agarran con sorprendente facilidad al suelo húmedo y fresco. Será una de estas ramas que se volvieron árbol la que nos guiará hacia el arroyo, hablándonos de mitos, música y magia...

❧

16

Trenzando fibras de amor y justicia: *Tilia* sp.

En la tarde dorada el aire huele a miel, a verde joven y dulce.

Siguiendo el rastro cual sabueso llegamos a un claro, en cuya orilla se yergue un grupo de árboles de embriagador perfume y majestuosa sombra. Llevan el corazón en sus hojas de risa ligera, que se echan a bailar cuando sopla la brisa.

Estos árboles, que llegan a dominar las espesuras en tierras más septentrionales, son los integrantes del género *Tilia*: los tilos —aunque mal les pega el género masculino, pues han estado íntimamente ligados a la esfera femenina y familiar en la mayoría de pueblos que los han conocido y amado*.

* Un fenómeno parecido se da entre los abedules, como te contaba en el capítulo II.

Existen más de 30 especies de *Tilia* en el hemisferio norte, a ambos lados del Atlántico. La mayor cantidad de tilos crece en el lejano Oriente, mientras que en Europa los más frecuentes son el tilo de hoja pequeña, *T. cordata*, y el de hoja grande, *T. platyphyllos** (además de muchos híbridos naturales y hortícolas, pues las *Tilia* son promiscuas a la hora de tener descendencia).

En cambio, en México tenemos un tilo endémico, que solo se encuentra allí y que, al parecer, está en peligro de extinción (y que, por tanto, conviene cuidar): el sirimo o jonote, *Tilia mexicana*. El peligro que corre esta especie está relacionado —al menos en parte— con una de las principales características de las *Tilia*: las propiedades medicinales de sus flores perfumadas.

Estas flores pálidas —blancas, amarillentas o verdosas, prendidas de un rabito o cabillo largo— se conocen como *tejas* o *tilas*, y, como bien sabrás, su infusión es sedante, calmante (aquello de «anda y que te den tila» tiene una sólida base medicinal).

Si recolectas unas cuantas flores para secar y emplear cuando te dé algún ataque de nervios, todo bien; el problema viene cuando recolectamos (casi) todas las flores de la pobre planta. A instancias prácticas, estamos actuando como un anticonceptivo, o incluso como un abortivo para el árbol, impidiendo que sus flores lleguen a frutos y, por tanto, impidiendo que pueda reproducirse con más o menos éxito.

Y, en general, si las dejas en paz, las tilas se lo tienen bien montado para asegurarse la fecundación *in* abeja: si has visto alguna *Tilia* en flor, habrás notado que son las maestras de la atracción abejil. Los insectos caen rendidos a los encantos de estas flores, que les regalan néctar con el que elaboran mieles que, según cuentan, son muy apreciadas. De hecho, se plantan tilos cerca de colmenas desde tiempos medievales, y la palabra griega para hablar de estos árboles, *phylira*, quizás tenga alguna relación etimológica con el mundo de las abejas... lo que pasa es que esta amistad Tilio-abejil no termina de ser trigo limpio —o tila limpia, en este caso—.

Si eres abeja y rondas un tilo, pueden pasar cosas enigmáticas... y es que, si las abejas escribiesen novelas de misterio a lo Agatha Christie, proba-

* Una característica útil para distinguir a las dos especies principales: observa sus flores o sus frutos. Los de *T. cordata* se yerguen con prestancia, mientras que los de *T. platyphyllos* se descuelgan lánguidamente hacia el suelo.

blemente habría algún título del estilo *Muerte bajo las tilas*, y un abejorro Poirot que se pondría a investigar las causas de los decesos.

Los Poirots humanos también están en ello y, aunque les faltan datos, lo que sabemos es que (excluyendo casos de muertes puntuales por insecticidas con los que se había rociado el árbol a tutiplén) hay algunas especies de *Tilia* que se relacionan con muertes masivas de abejas en Europa central, del norte, y en América, sobre todo abejorros del género *Bombus*; y que, cuando observas los cuerpos de los pobres infelices, ves que *se han muerto de hambre*.

Y, si analizas las cantidades de néctar floral, se observa que estas disminuyen a medida que avanza la estación de floración, aunque las flores sigan oliendo a paraíso.

Teóricamente, si tú eres abeja tiliófila, pero descubres que las flores te están engañando con su perfume, ¿qué haces? Lo suyo sería largarse a otras flores que sí sean honestas en su marketing. Si ya no hay más flores, de acuerdo, puedes tener un problema y morirte de hambre. Pero lo misterioso de la cuestión es que haya abejas muertas de hambre bajo los tilos cuando hay montones de flores listas para ser polinizadas a su alrededor.

Pregunta para Poirot (o para *Abejorrot*): ¿por qué no se van a las otras flores?

De momento no tenemos respuestas definitivas, pero una teoría propone que quizás las abejas estén drogadas: que las tilas, como despachadoras de droga, ofrecen chupitos de néctar con un cóctel de sustancias que enamoran a los abejorros de forma obsesiva: *o tu néctar o el de ninguna más*. Y aun cuando las tilas disminuyen la cantidad de néctar-recompensa, las pobres abejas insisten como si tuviesen síndrome de abstinencia, sin ver nada más que a sus adoradas tilas... hasta que se mueren de hambre.

Aún no hay suficientes datos que demuestren esta teoría, porque no tenemos análisis pormenorizados de los compuestos químicos del néctar y el perfume de las tilas, pero sí hay indicios sugerentes al respecto.

La especie que más se ha estudiado en relación con este fenómeno es el tilo plateado (*T. tomentosa*), una especie oriunda del este de Europa —los Balcanes y alrededores— que se ha convertido en un árbol popular por su rápido crecimiento. Suele plantarse en parques, jardines, paseos, etc., y se la reconoce por la densa vellosidad (o *tomento*) que las hojas presentan en el envés, dándole un aspecto plateado, de ahí su nombre común.

En cambio, es muy raro hallar referencias a muertes masivas de abejas bajo los tilos más comunes en Europa occidental, *Tilia cordata* y *T. platyphyllos* (así que, si te gusta la apicultura y quieres probar la miel de tila, yo me abstendría de tilos plateados y optaría por alternativas menos arriesgadas).

Pero la relación de las *Tilia* con las abejas no termina aquí: pues hemos usado la corteza de estos árboles ¡para hacer colmenas! Para ello no se emplea la parte más exterior de la corteza, sino la interior, más fina y flexible, que llamamos *líber*. Esta capa es fibrosa, hasta el punto de que en distintos idiomas puedes hablar de una carne correosa como «tilosa» (como el italiano *tiglioso*), por la cantidad de fibras que contiene.

Esta característica da nombre a los tilos en muchas (¿todas?) lenguas germánicas y eslavas, donde lo conocerás como *linden*, *lind*, *lipa* y similares. Las lenguas romances, en cambio, parecen estar un poco confundidas en su vocabulario para nombrar a los tilos: la *tilia* latina está emparentada con la palabra griega *ptelea*, que se refiere a los **olmos**.

Las fibras del líber de *Tilia* pueden extraerse, purificarse y emplearse para confeccionar cestas, cuerdas, esteras, sandalias o incluso tejidos, y así se ha hecho desde Europa hasta China (donde las especies escogidas serán distintas, como *T. mandschurica* o *T. miqueliana*). Quizás no obtengas camisas finas y suaves como la seda con hilo de tilo, pero la fibra de tilo fue un material ampliamente usado, sobre todo en Europa central y del norte. De hecho, la conocida momia europea Ötzi llevaba una capa hecha a base de hierbas como trama, y fibras de tilo como urdimbre.

A ello hay que añadir que los tilos son árboles vigorosos que responden bien al desmochado e incluso al corte a ras de suelo, rebrotando con fuerza a la mínima oportunidad, conque podías usar de forma sostenible un mismo árbol para obtener fibras de corteza para cuerdas o esteras (y así parece que se hizo hasta el s. XIX en algunas zonas).

En comparación con las regiones septentrionales del continente, en el sur de Europa las fibras de árbol se emplearon mucho menos, pues teníamos otras plantas de fibra como el lino (*Linum usitatissimum*) o el cáñamo, pero hay una interesante mención a la corteza de los tilos en la antigua Roma, no relacionada con los textiles, sino con la escritura.

En el mundo mediterráneo antiguo, el soporte material para escribir que ostenta el protagonismo es el papiro; sin embargo, las láminas de *Cyperus papyrus* se producían casi exclusivamente en Egipto, y la gente podía querer escribir o garabatear aun viviendo en otra parte. Así, tenemos a un anticuario romano del s. I a. e. c. contando cómo, en tiempos en que el uso del papiro no se había extendido, se empleaban hojas de palma o —en un segundo momento— la fina capa de la corteza interior de algunos árboles.

Y unos siglos más tarde, el historiador romano Herodiano relata cómo el emperador Cómodo* dispuso que se escribiese la lista de aquellos que condenaba a muerte (que no eran abejas, seguro) sobre corteza de tilo. Precisamente, esta corteza fibrosa e interior que ya los romanos llamaron *liber*, término éste que da lugar a una de mis palabras preferidas: *libro.*

> Bajo el tilo, en el campo, allí donde estuvo nuestro lecho, podréis encontrar con gracia rotas las flores y la hierba. En un valle junto al bosque cantaba, bello, el ruiseñor. Fui andando a la pradera y ya estaba allí mi amor. Él había hecho allí un lecho de flores… Cuál fue su comportamiento conmigo nadie lo sabe, sino él y yo y un pajarillo, que fielmente nos guardará el secreto…

Está en un libro, o mejor dicho, en una colección de textos en pergamino escritos en Alsacia hacia 1270-80, en alemán medieval. Es una canción titulada justamente *Under der Linden*, escrita por Walther von der Vogelweide, uno de los *minnesangër* (algo así como «trovadores en versión germana») más apreciados por los alemanes.

El verso que encienta el poema empieza, precisamente, «*Bajo el tilo*» —y, a diferencia de las típicas poesías de amor cortés entre un trovador y una dama (generalmente de más alcurnia y que suele tratarlo a patadas), esta no. Aquí tenemos a una campesina y a su enamorado que se citan bajo un tilo, hacen sus cosas, se lo pasan en grande y punto; podríamos decir que tiene un final feliz (lo cual es toda una innovación,

* Personaje catapultado a la fama moderna como villano de la película *Gladiator*, encarnado por Joaquin Phoenix.

teniendo en cuenta los dramones líricos que se estilaban). Y, presidiéndolo todo, una *Tilia*, cuya simbología, mires donde mires, la relaciona precisamente con el amor, la feminidad y la fertilidad.

En las celebraciones medievales del Mayo, primer día del mes y festividad de raíces paganas especialmente ligada a la primavera, era costumbre vestirse de verde y, sobre todo entre los muchachos, «plantar el mayo»: colocar una rama vegetal delante del hogar de la joven en edad casadera a la que se deseaba cortejar. Si la rama era de *Tilia*, se interpretaba como una declaración de amor en toda regla, pues los tilos son árboles del amor: lo proclaman su belleza, su perfume, su musicalidad y la forma acorazonada de sus hojas.

El aprecio a las *Tilia* es especialmente fuerte en regiones con influencias eslavas, algo que se manifiesta en distintos ámbitos culturales; en la mayoría de sus calendarios, por ejemplo, figura un «mes de las tilas» (que oscila entre junio y julio en función del idioma que tomemos en consideración). Hasta hace relativamente poco, se cuenta que en algunos lugares las mujeres aún dejaban ofrendas bajo los tilos, esperando que se les concediesen muchos hijos. Como era de esperar, con la cristianización de estas zonas, los tilos pasan a tener una relación muy estrecha con la Virgen María.

En cambio, en las regiones del Sacro Imperio Romano Germánico nos encontramos con otra figura interesante: los tilos judiciales, *Gerichtslinden*, bajo los cuales se celebraban juicios y, si crecían en el centro del núcleo habitado, se convertían también en el corazón de las fiestas y los bailes del pueblo. De ahí que en lugares de raigambre germana abunden las asociaciones entre los tilos y la justicia, la verdad, la protección y la danza.

La importancia de los tilos queda también reflejada en la toponimia, nombres de lugares como el de uno de los bulevares más famosos de Berlín (previsiblemente llamado «Unter der Linden»), o el de la ciudad de Leipzig.

Con todo, quizás el nombre tiliáceo más famoso de la historia no se refiera a un lugar, sino a una persona: alguien que, curiosamente, tuvo un papel muy destacado en cuestiones nominales científicas, pues se trata del naturalista sueco que fundó las bases de la nomenclatura taxonómica moderna: Carl Linnæus.

Durante muchos siglos, los apellidos de la mayoría de habitantes de Suecia tenían un rasgo en común: terminaban en -son o -dotter («hijo de», «hija de»). Pero a principios del s. XVII, las costumbres empezaron a cambiar, y muchos decidieron crear nuevos apellidos basándose en árboles, a menudo ejemplares concretos con los que la familia tenía alguna relación. Entre aquellos que adoptaron un linaje arbóreo estuvo Nils Ingemarsson, quien cambió su apellido a «Linnæus» en referencia al tilo de hoja pequeña (*T. cordata*) que crecía cerca de su casa, en la provincia de Småland.

El tilo de enorme tronco tripartito no inspiró únicamente a Nils (que más adelante se convertiría en padre de Carl): hubo dos parientes suyos cuyo apellido, Tiliander, hacía referencia al mismo árbol. Y en otra rama familiar volvieron a colarse los tilos, pues escogieron el apellido «Lindelius» (probablemente en referencia a su casa, en la granja de Linnegård).

Esta historia de amor nomenclatural entre los tilos y los suecos aún se observa al echar un vistazo a los apellidos suecos actuales. Un estudio llevado a cabo a principios del s. XXI halló que, si bien la categoría más abundante atañe a nombres acabados en -son, la medalla de plata se la llevan aquellos que hacen referencia a los tilos: aproximadamente uno de cada dos apellidos que empiezan con palabra de árbol, lo hacen con «Lind-» (441 de 1.000).

Cuenta el *Cantar de los Nibelungos* que la perdición del héroe fue una hoja de tilo.

El cantar de gesta no especifica la especie, pero probablemente fuese *T. cordata*, un corazón pequeño y liviano que cayó sobre la espalda de Sigfrido sin que él se diese cuenta mientras se bañaba en la sangre del dragón que había derrotado. La sangre tornó invulnerable cada centímetro de la piel del héroe, a excepción del pedacito que *Tilia* puso a salvo con una de sus hojas, preservando así su humanidad.

Delatado sin querer por su esposa, Sigfrido morirá traicionado por quien antaño fuera su amigo*.

* Técnicamente, el ejecutor material del homicidio es un caballero al servicio del rey y ex-amigo de Sigfrido.

Quizás no fuese casualidad que el punto débil del héroe fuese un corazón de tilo.

17

La guirnalda perfumada: *Viola odorata*

Arrebujadas bajo la leve hojarasca del calvero, entre las sombras manchadas de luz nos aguardan las humildes perfumistas del bosque.

Pregúntales si están tristes y cabizbajas por haberse convertido en flor del pasado, que no despierta más que deseos y apetitos de otra época, cubiertos de polvo y melancolía. Pregúntales si querrían verse de nuevo en los escaparates de nuestras floristerías modernas, hechas guirnalda y corona que ciñe frentes y ciudades en su abrazo.

Las contemplo meciéndose al son de la brisa como un asceta, e imagino la respuesta que te darían, si pudiesen, las hermanas *Viola*.

Escucha nuestras historias, que son tuyas también. La popularidad es una ilusión; sin que tú lo sepas, tu presente está lleno de violetas.

Violetas son las plantas al amparo taxonómico del género *Viola*, que hoy cobija a más de 600 especies repartidas por todo el mundo: desde Australia hasta Groenlandia, las violetas tienen delegaciones en todos los continentes, así que, vivas donde vivas, lo más probable es que puedas tropezarte con alguna en tus paseos boscosos.

La mayoría de *Viola* son hierbas menudas que, a inicios de primavera (o incluso un poco antes), echan flores de cinco pétalos desiguales: son *zigomorfas*, es decir, que tienen un único eje de simetría. Y, aunque han dado nombre a un único color, en realidad las violetas conocen las recetas para vestirse en distintas tonalidades de blanco, amarillo, azul o púrpura (ya sea en monocromo o en un combinado de colores). Algunas, además, saben perfumarse, y la violeta perfumada por excelencia lleva el aroma en su nombre: *Viola odorata*.

En los últimos tiempos hemos asistido a un proceso cultural curioso —acentuado por la proliferación de pantallas en nuestras vidas— que ha otorgado una importancia cada vez mayor al sentido de la vista como medio privilegiado para relacionarnos con la realidad; y la supremacía que otorgamos al estímulo visual en detrimento de otros sentidos, contribuye al efecto «qué soso es este tomate», o a su análogo de floristería, «esta rosa no huele a nada». En un mundo cuyos estándares de belleza floral admiran la forma por encima de todas las cosas, a veces se nos hace difícil comprender que, hasta hace relativamente poco, el aroma era un componente *muy* importante a la hora de juzgar si una flor era más o menos bella. No era todo cuestión de tener un físico despampanante, sino un espíritu aromático atractivo.

En el caso de las violetas de olor, el aroma claramente gana al físico: aunque son monas, no pueden competir con otras flores en vistosidad, y sin embargo han sido tremendamente populares como flor ornamental a lo largo de la historia.

En el mundo antiguo, por ejemplo, las flores eran apreciadas no tanto en ramilletes, sino convertidas en perfumes oleosos, o trenzadas en coronas y guirnaldas; y las violetas eran flor de guirnalda por excelencia, hasta el punto de que la diosa del amor y la belleza, Afrodita*, aparece coronada de violetas ante las divinidades olímpicas en el Himno Homérico a la diosa:

> Voy a cantar a la augusta, a la coronada de oro, a la hermosa Afrodita, bajo cuya tutela se hallan los almenajes de toda Chipre, la marina, a donde el húmedo ímpetu del soplador Céfiro la llevó, a través del oleaje de la mar muy resonante, entre blanda espuma. [...]

* Pero la planta más íntimamente relacionada con la diosa era el arrayán (cap. 14).

> Ellos la acogieron cariñosamente al verla, y le tendían sus diestras. Cada uno deseaba que fuera su esposa legítima y llevársela a casa, admirados como estaban por la belleza de Citerea [Afrodita], coronada de violetas.

Pero también hay otra diosa que aparece engalanada con *Viola*: Perséfone, la muchacha que fue raptada por el dios del inframundo, Hades, para convertirla en su reina... secuestrada, según dicen algunas versiones del mito, mientras recogía narcisos (*Narcissus* sp.) y violetas.

Casualmente (o no), las violetas tenían connotaciones fúnebres en la antigua Roma: junto a las rosas, eran las flores más íntimamente relacionadas con el culto a los difuntos. Los romanos no visitaban los cementerios en noviembre, sino a finales de invierno y en primavera, en tres celebraciones principales, dos de las cuales tenían nombre de flor: *dies rosæ* y *dies violæ*. Como puedes imaginar, las flores que se esparcían sobre las tumbas en los *dies violæ*, en marzo, eran precisamente violetas.

Esta conexión aparece en obras como los *Fastos* de Ovidio (8 e. c.), al hablar de los manes (divinidades relacionadas con los espíritus de los difuntos) en el libro II:

> También se honran las tumbas, aplacando a los espíritus paternos y llevando pequeños dones a las piras encendidas para ellos. Los Manes se conforman con poco: es la devoción lo que les da satisfacción, no los regalos costosos; la profunda Estigia no tiene dioses avaros. Basta con una baldosa cubierta de guirnaldas, un poco de trigo y unos pocos granos de sal, una hogaza de pan ablandada con vino, y un puñado de violetas. [...]
>
> No es que prohíba ofrendas más suntuosas; pero basta con estas para aplacar a un espíritu.

¿Casualidad, que el color del luto —p. ej., en la liturgia religiosa cristiana— sea, justamente, el violeta?

El luto es también uno de los significados simbólicos que la violeta de olor lleva a cuestas en la cultura persa (donde se conoce como *banafša*); sin embargo, no es el único ni mucho menos. En la poesía persa aparece no solo como imagen del amante abandonado, sumido en el desconsuelo, sino también de ascetas sufíes vestidos de oscuro que rezan sobre un manto de hierba. Y hubo quien dijo que la bóveda de los Cielos tenía el color de las violetas.

Se asocia también —por su baja estatura, porte modesto y delicioso aroma— a la humildad y a la modestia. Idénticos significados le atribuimos en Occidente; no te sorprenda verla en prados y jardines de flor pintada o en borduras de libros de horas, rodeando a la Virgen o a los santos como una colección de virtudes perfumadas hechas planta.

❧

Pero no conviene caer en la tentación de pensar que valorábamos únicamente su belleza (y la constelación de significados metafóricos a su alrededor): pues las violetas son belleza útil, sana y sabrosa.

En primer lugar, son flores comestibles, que pueden añadirse a ensaladas, limonadas y dulces varios, o pueden escarcharse con azúcar, o prepararse en forma de sirope... Además, también las hojas pueden comerse y, como son ricas en mucílagos, dicen que también proporcionan textura a los guisos.

Las violetas, asimismo, tienen propiedades medicinales, y son especialmente conocidas como remedio contra la tos. El sirope de violetas, por ejemplo, sirve para mejorar problemas del sistema respiratorio, así como sus infusiones —solas, o acompañadas de otras plantas que tienen propiedades parecidas, como las malvas (*Malva sylvestris*) o las amapolas (*Papaver rhoeas*)—.

Las bondades curativas de estas plantas no se concentran únicamente en la violeta de olor, *V. odorata*; existen referencias a distintas especies americanas de *Viola* empleadas por varias tribus nativas, sobre todo algunas que parecen especialmente aficionadas a usar estas flores contra la tos y los resfriados, como los cheroqui (*V. bicolor*, *V. cucullata*, *V. pubescens*, *V. rotundifolia*, *V. sororia*). La violeta de Canadá (*V. canadensis*), en cambio, era empleada por los ojibwa como analgésico.

Pueblos como los navajos aprovechaban otra característica de las violetas, sobre todo de sus rizomas subterráneos, pues los empleaban como eméticos ceremoniales... y es que, si te pasas con la dosis, te entran ganas de vomitar.

Es curioso que el aroma mismo de *Viola* también ha tenido «aplicaciones medicinales» (pues la aromaterapia no es un descubrimiento reciente): los antiguos ya recomendaban ceñirse una corona de violetas para despejar el dolor de cabeza, y aparecen recetas parecidas en otras épocas y partes del mundo, como en el medioevo persa o las tradiciones folklóricas inglesas.

No obstante, tal vez lo que más fascinante me parece de las violetas es su relación con el color.

§

Hace tiempo que defiendo la idea de que las plantas no son únicamente recursos materiales, sino también metafóricos, imaginarios: son recursos para pensar. Y quizás uno de los ejemplos más típicos nos lo brinda el vocabulario derivado de vegetales varios para hablar del color.

Seguro que se te ocurre más de uno: rosa, naranja, fucsia, malva, índigo. Y, evidentemente, *violeta*.

Esto no sucede únicamente en las lenguas latinas o en las germánicas; también en persa se emplea la palabra *banafša* para describir el color de objetos que no son vegetales, como los cabellos de las mujeres bellas (y el término se infiltró en varios dialectos árabes, que hoy también emplean la palabra *banafsaǧi* como nombre de color).

Y aprovecharemos la ocasión para adentrarnos, de la mano de las violetas —y del empleo homérico de las palabras griegas para definirlas—, en un debate fascinante que nos ayuda a comprender un poco mejor la relación entre los idiomas que hablamos y nuestra percepción de la realidad a nuestro alrededor.

En el s. XIX hubo una serie de eruditos que, leyendo y releyendo las obras de Homero (la *Ilíada* y la *Odisea*), se dieron cuenta de una cosa curiosa: los colores homéricos estaban mal puestos. Homero hacía combinaciones que sonaban muy raras, refiriéndose a la miel como algo de color verde, o al mar como «semejante al vino»... o de color violeta (*ion*, *ἴον*); esta tonalidad violetosa también se la aplica a los cabellos de Ulises y a la lana de unas ovejas. Y, extrañamente, no había ni rastro de palabras que pudiésemos traducir como «azul».

Había que buscarle una explicación a esta confusión cromática, y las primeras teorías propusieron lo siguiente: si los antiguos empleaban los términos para hablar de los colores de forma extraña era porque no veían los colores como nosotros, sino también «de forma extraña», como si civilizaciones enteras hubiesen sufrido de daltonismo a gran escala. Homero, pobre, no es que fuese ciego, sino que —como todos los antiguos— veía el mundo de forma distorsionada, con un filtro mal calibrado. Las ovejas, todo el mundo lo sabe, no son violetas, pero eso solo podíamos apreciarlo nosotros, porque nuestros ojos habían evolucionado durante los últimos dos mil años y se nos había aclarado la percepción.

(Hay que tener en cuenta que en aquellos tiempos no teníamos mucha idea de cómo funcionaba ni la vista, ni la evolución; hacía muy poco que Darwin había publicado *El origen de las especies*, así que no era tan, tan, *tan* descabellado como suena...)

A esto se sumaron otros estudios que descubrieron una cosa curiosa: y es que no todos los idiomas tienen la misma cantidad de vocabulario para hablar de los colores; algunos, de hecho, tienen poquísimos términos. Pero, lo que resultaba más curioso todavía era que estos vocablos aparecían siempre siguiendo la misma secuencia: los idiomas que tenían solo dos palabras cromáticas eran para «oscuro» y «claro» (y el azul del mar, las hojas de un árbol y una violeta serían «oscuras», mientras que las nubes, un girasol o la arena serían «claras»). El primer color en ser nombrado es el rojo, seguido por el amarillo, el verde y, por último, siempre último, el azul.

Y cuando necesitas inventar una palabra para hablar de un color, ¿de dónde la sacas?

Pues, a menudo, de alguna entidad material que tenga ese color. La sangre es una inspiración clásica para el rojo, pero ¿por qué no la cúrcuma para el amarillo (hay lenguas que así lo han derivado), o las rosas para el rosa, o... las violetas para el violeta*?

Hoy sabemos que no les pasaba nada en la vista a los antiguos griegos, sino que las lenguas dividen el espectro cromático de forma distinta (aunque parezca mentira, se puede vivir tranquilamente sin tener palabras específicas para hablar de azules, verdes o amarillos). Los nombres de los colores son una construcción cultural que en varias (o muchas) ocasiones nos han inspirado las plantas.

Porque las habitantes del reino vegetal nos han regalado —¿quizás en todas las lenguas del planeta?— un sinfín de palabras para hablar del arcoíris... entre ellas, cómo no, las violetas.

* No siempre es así, por supuesto. En japonés, por ejemplo, el nombre del color violeta (*murasaki*) se deriva del de otras plantas, las *Lithospermum* spp. (de cuyas raíces se extrae un tinte violeta muy apreciado desde tiempos antiguos).

§

En 1811, un químico francés descubrió por accidente, y gracias a las algas con las que estaba trabajando, un elemento nuevo. Al írsele la mano con el ácido sulfúrico con el que estaba regando los restos sobrantes de un experimento, se levantó una nubecilla de color violeta que le hizo sospechar. Al cabo de unos años, uno de sus colegas (cuyo nombre quizás te suene si has estudiado química: Joseph Louis Gay-Lussac) propuso llamar al nuevo elemento *iode*, por el griego ἰοειδής (*ioeidēs*): «con apariencia de violeta».

Este elemento es el yodo, cuyo símbolo químico es una I gracias a las violetas griegas, *ion*.

Eran los tiempos en que Napoleón estaba dando guerra en el continente, conquistando todo lo conquistable, tiempos en que las violetas estaban muy de moda. Cuando el corso fue exiliado a la isla de Elba, en 1814, se dice anunció a sus partidarios que «regresaría cuando llegase la estación de las violetas».

Efectivamente, logró cumplir su promesa; tras escapar y presentarse en París un año más tarde, en marzo de 1815, fue recibido con un ramo de violetas y conocido durante la restauración como le *Père la Violette*, y esta flor se convirtió en el emblema de los bonapartistas.

Sin embargo, la violeta sobrevivió a la caída de Napoleón sin perder ni un ápice de encanto.

§

> *Le bouquet de violette, on le sait, la plus populaire des fleurs, fait essentiellement partie de la vie parisienne.*

Así la definía un periódico francés del 1873: la más popular de las flores. Parte esencial de la vida parisina.

Los ramitos de violetas tuvieron un momento de esplendor, y fue *muy* esplendoroso. Los números de ventas que citaba aquel periódico, si los aceptamos como ciertos, son asombrosos: nada más y nada menos que ¡18.000 ramos diarios! Estos adornaban escotes femeninos —y así puede observarse en multitud de pinturas y retratos, como la *Muchacha con Violetas* de Maria Oakey Dewing (1877), o *Mrs. Joseph Clark Grew (Alice Perry Grew)*, de Lilla Cabot Perry (aprox. 1903-1904)—, pero también inspiraban poesías y partituras musicales. Además de valses, polkas y otras obras que han caído en el olvido, tenemos compositores de sobra conocidos que también dedicaron canciones a las violetas, como Schubert en *Nachtviolen* (1822), o Mozart en *Das Veilche* (compuesta en 1785 sobre un poema de Goethe), que empieza así:

> Una violeta en la pradera se hallaba,
> inclinada sobre sí misma e ignorada;
> era una alegre violeta.
> En esto llegó una joven pastorcilla
> con paso ligero y espíritu alegre,
> por aquí, por allá,
> por el prado mientras cantaba.

(La poesía quizás no tenga un final violetosamente feliz, pero subraya las mismas connotaciones simbólicas que hemos visto antes: humildad, amor rechazado, desconsuelo...)

Las violetas que se vendían en la ciudad provenían de plantaciones, muchas de ellas a orillas del Mediterráneo francés, que aprovecharon la llegada del servicio ferroviario para mandar flores frescas exprés a la capital en los *rapides*, o trenes florales. Comprar violetas en París era llevarse a casa un ramo de flores que «quieren dar la ilusión del sol a los países que no lo tienen, aportar un poco de alegría, de vida, de placer a los enfermos, embellecer los hogares» y florecer en los *coursages et les boutonnières* de las mujeres, tanto ricas como pobres.

Al fin y al cabo, si le sirvieron a la diosa del amor y la seducción para ceñirse la frente recién salida de las aguas... por algo sería, ¿no?

Dicen en alemán, de las cosas que ya no están de moda, que son *Olde Violen*, «viejas violetas»; en los tiempos que corren, incluso las violetas frescas tienen un cierto aire viejuno y anticuado, como si su popularidad pretérita fuese un obstáculo para reimaginarlas como flor moderna, un lastre cultural que nos cuesta soltar.

Cierto es: las probabilidades de que vuelvan a pasear violeteras por las calles de la ciudad o de que nos coloquemos coronas de violetas para ir de fiesta son prácticamente nulas. Sin embargo, hay heroínas de series televisivas que llevan su nombre, colores e incluso elementos químicos bautizados en su honor.

Desde su tapiz de hierba y hojarasca, *Viola* espera a que nueſtra mirada diſtraída vuelva a posarse en ella y caiga rendida a sus encantos.

18

El árbol que sacaba ramas sin corazón: *Sambucus nigra*

En las orlas boscosas, donde alcanzan las caricias del sol y los suelos son frescos y profundos; o quizás junto a un riachuelo, si el cielo sobre sus hojas no es generoso con las lluvias; allí suele crecer silvestre el saúco, planta fascinante cuyas historias, a medio camino entre lo humilde y lo fantástico, no siempre son claras: la envuelve un halo de ambivalencia y misterio que cambia de forma según a quién le preguntemos.

Incluso nuestro lenguaje trastabilla al intentar describirlo: puede convertirse en árbol, pero, con sus ansias arbustivas y modesta estatura, no responde al modelo ideal de «árbol» que nos formamos en la infancia. Lo he descrito en otras ocasiones como «árbol con corazón de arbusto», porque tiende a invertir energías en sacar multitud de ramas, más que un único tronco. Habrá quien juzgue el resultado como demasiado desgarbado en su exuberancia para considerarse elegante, pero ese desorden lleno de vigor, personalmente, me parece encantador (¿quizás porque yo también tiendo a desparramarme?).

El folklore opina que las criaturas mágicas también lo encuentran encantador: en algunos libros se afirma que «el saúco tiene sin duda la población élfica más elevada», y sin embargo no es árbol-arbusto (¿arbolusto?) de alta mitología. Lejos de prodigarse en relatos épicos sobre nobles, reyes y magos, el saúco permanece siempre agazapado en los setos, los jardines, los arroyos y los bosques más cotidianos. Su magia ambigua se fragua en la intimidad de lo familiar, y es a la vez pequeña y poderosa.

Se dice que el saúco trae bendiciones* a quien lo respeta. Tenlo presente al recorrer sus senderos.

Cuando hablamos del saúco en castellano peninsular, la palabra se refiere a la especie *Sambucus nigra*, pero hay otras dos decenas de *Sambucus* repartidos por todo el mundo, desde las Américas hasta Australia.

Los habitantes del género *Sambucus* suelen ser pequeños arbolillos o arbustos con hojas compuestas que a menudo desprenden un olor más bien poco agradable; esta es una de las señas de identidad, por ejemplo, de *S. ebulus*, el hermano pequeño del saúco común, conocido como yezgo. Sus flores se reúnen en inflorescencias de aspecto delicado, como si fuesen manojos de encaje blanco cremoso y perfumado, y se convierten en frutos carnosos que pueden adoptar coloraciones negras (como en el caso de *S. nigra*, cuyo nombre ya te lo indica) o rojizas (como sucede en el saúco rojo europeo, *S. racemosa*).

Si al llegar el otoño ves un saúco fructificado, observarás un detalle curioso: tienen los frutos medio caídos (como si les hubiese dado un ataque de flojera y no fuesen capaces de mantenerse erguidos como cuando eran flores; serán cosas de la edad...). Este puede ser un carácter interesante para diferenciar a *Sambucus nigra* de su hermano pequeño el yezgo, cuyos frutos nunca se ven alicaídos, y que no conviene confundir con los del saúco común: pese a que ambos *Sambucus* tienen un cierto grado de toxicidad asociada, la del yezgo es mayor. Y allá donde los frutos bien maduros del saúco pueden servirte para preparar siropes, mermeladas, arropes, etc., es mejor dejar a un lado los frutos del yezgo, que no son comestibles.

* Algunos de sus nombres en catalán o en gallego hacen referencia a esta benevolencia o utilidad, como *bonarbre* o *benteiro* (de *bento*, «bendito»).

No obstante, puede que no sean los frutos, sino las flores —o *sayuguinas*— la parte más apreciada de *Sambucus nigra*: con ellas se preparan infusiones y bebidas, se destilan o se maceran en alcohol (me han llegado recetas y noticias de cómo preparar ¡champán de sayuguina!), además de hornearse o freírse para preparar deliciosas tartas o buñuelos.

En recetarios europeos de la época moderna, las flores de saúco podían aparecer como saborizantes en ensaladas, salsas, vinagres (¡sí, vinagres florales!), e incluso como perfume para conservar y dar un mayor aroma a frutas como las manzanas: en una receta inglesa de 1677* aconsejan recoger y secar sayuguinas en cantidad, y al llegar el momento de la cosecha de las manzanas, guardarlas cubiertas con flores de saúco. Así se conservaban —asegura el recetario— durante tres meses, ¡con la ventaja del perfume añadido!

Tanto las flores como los frutos poseen propiedades medicinales perfectas para los tiempos fríos y húmedos de otoño e invierno: al igual que las **violetas**, se han empleado contra catarros, gripes, tos y demás problemas del sistema respiratorio. Y quizás te sorprenda descubrir que los poderes anticatarrales de *Sambucus* se reconocieron mucho antes en las tradiciones populares que en las corrientes médicas más prestigiosas. Si consultas el herbario más antiguo y famoso que tenemos en Occidente, un texto escrito en el s. I de la era común por un médico griego conocido como Dioscórides, el saúco y el yezgo aparecen —bajo los términos *akté* y *chamaiakté*—, pero no se les reconoce ningún efecto concreto sobre el sistema respiratorio. En los herbarios de siglos sucesivos, que beben de este filón erudito, el saúco «haze [sic] salir fuera las superfluidades aguadas del cuerpo», ablanda la matriz, incluso ennegrece los cabellos..., pero de la tos, ni pío.

En cambio, si acudes a regiones donde existe una larga tradición de empleo de saúco y echas un vistazo a sus principales usos medicinales populares, el más frecuente y conocido es como remedio para combatir catarros, tos y otros problemas respiratorios. En el Pirineo, en Ucrania, en Polonia —incluso si nos vamos a la otra punta del mundo, a visitar a los mapuches de la Patagonia argentina noroeste, entre las plantas introducidas más

* De finales del siglo XVII, cuando ya se había restaurado la monarquía tras un período complicado: guerra civil, la Commonwealth, Oliver Cromwell...

archiconocidas y empleadas de su botiquín natural está *Sambucus nigra*, empleado contra la tos.

(O quizás *Sambucus peruviana*; o ambos. El estatus taxonómico de *Sambucus* en Sudamérica es algo enrevesado: en casi toda la franja occidental del continente crece silvestre un saúco, *S. peruviana*, que durante un tiempo se ha clasificado como una subespecie de *S. nigra*; algo parecido ha sucedido con otra especie americana, *Sambucus canadensis*)

El saúco austral, *Sambucus australis*, que enraíza en Argentina, Brasil, Paraguay, Uruguay y Bolivia, también se emplea contra la tos; si nos vamos a México vemos que la especie *S. mexicana* se usa para hacer gárgaras y controlar la tos, preparando las flores en infusión.

A pesar de que haya personas (como yo) a quienes agrada mucho el perfume que despiden las sayuguinas, hay quien no termina de apreciarlo, y en algunos textos franceses se explica que antaño se creía que «las emanaciones» del saúco en flor adormecían a quien se echaba un rato a descansar bajo su sombra. El griego Teofrasto, considerado padre de la botánica occidental, en su *Historia de las plantas* (s. III-IV a. e. c.) escribe al respecto que:

> La flor es blanca, compuesta por un cierto número de florecillas unidas en el punto donde el tallo se divide; su forma parece la de una colmena, su perfume intenso como el de las azucenas.

Y añade una frase enigmática, un destello cuyo significado aún no hemos logrado desentrañar:

> El fruto [...] ennegrece cuando madura, [...] su jugo tiene el aspecto del vino, y en él los hombres bañan manos y cabeza cuando se inician en los misterios.

A qué misterios se refiere, por qué razones se escogieron los frutos del saúco para un ritual iniciático, o qué poderes se les atribuían antaño... son preguntas para las que no tenemos respuesta.

La mañana del día de San Juan, antes de que se levante el sol y el rocío se haya convertido en vapor y neblina, sal de casa y dirige tus pasos hacia el verde. Recogerás las hierbas henchidas de milagro, con propiedades más potentes y extraordinarias que en cualquier otro momento del año —recogerás **artemisa** y hierba de San Juan, verbena y llantén y saúco...

Los solsticios son momentos especiales en el calendario de las regiones templadas; si el solsticio de invierno a menudo aglomera festividades protagonizadas por la luz, en el hemisferio boreal el solsticio de verano agrupa celebraciones como la noche (y el día) de San Juan, y existe una larga tradición de recolección herborística coincidiendo con esa fecha.

Aunque la identidad de las hierbas sanjuaneras tradicionales es variada, el saúco forma parte de este club en distintas partes del mundo —con el añadido de que su floración a menudo coincide con este periodo del año. Las connotaciones mágicas que adquiere *S. nigra* pueden ser en parte debidas al ritual de su recolección, pero también a su naturaleza, que a veces se percibe como intrínsecamente sobrenatural.

El principal poder que se le atribuye es la protección de casas, personas, animales y cosechas, tarea que puede desempeñar una rama de saúco en flor colgada del dintel de puertas o ventanas (y que a veces requiere pasar por la iglesia para bendecirla antes, y otras no). Pero proteger, ¿de qué?

Pues de aojamientos, brujas y, por supuesto, enfermedades; tenemos constancia, por ejemplo, del empleo de ramas de saúco para hacer cruces sobre zonas afectadas por una infección, o para desembrujar a un animal doméstico, en algunas zonas de la península ibérica o de Francia.

Y una antigua creencia siciliana relaciona al saúco con el reptil que más temor y desconfianza nos inspira desde el principio de los tiempos —reales, pero también míticos, si recordamos aquel desafortunado episodio en el jardín del Edén—: al parecer, a las varas verdes de saúco se les suponía la capacidad de hacer morir a las serpientes venenosas. En cambio, a las varas secas, plantadas en las lindes de un terreno, se les atribuía el poder de «sacralizar» la propiedad delimitada con ellas.

Quizás hayas reparado en que la mayoría de estos rituales se realizan con ramas, o con varas de saúco; y las varitas en general —y de saúco en particular— no solo son una vieja obsesión mía, sino también del villano de la literatura juvenil más famoso de todos los tiempos: Voldemort.

❧

> Había una vez tres hermanos que creyeron escapar de la Muerte junto a un río. Astuta, la Muerte les ofreció a cada uno de ellos un premio, y el hermano mayor le pidió la varita más poderosa jamás

> existida, una varita invencible, digna de alguien que había vencido a la Muerte. Y así fue como la Muerte se acercó a un viejo saúco en la orilla del río, tomó una rama y, dándole forma de varita, se la entregó al hermano mayor...
>
> — J. K. Rowling, *Harry Potter y las Reliquias de la Muerte*

Recuerdo perfectamente la primera vez que me hice con una varita de saúco: fue en Navarra, pocos días antes de realizar un taller sobre plantas y cuentos de hadas que titulé *La Historia Planterminable*.

Hasta aquel momento no había visto nunca un saúco silvestre (pues no abundan donde yo crecí), y la primera cosa que recuerdo haber pensado fue que aquello parecía una varita muy poco imponente. Desde luego, nada que ver —pero ni remotamente— con la varita que empuña Dumbledore en las películas de Harry Potter.

Las ramas de saúco tienen una peculiaridad poco común: cuando la cortas, observarás que —además de ser muy fáciles de romper— en el centro hay una médula blanquecina y esponjosa que ocupa buena parte de la sección de la ramilla (y que antaño se empleaba como goma de borrar). Esta médula puede quitarse con relativa facilidad, quedando un tubo hueco que antiguamente convertíamos en cerbatana para lanzar proyectiles, o en un soplador para avivar el fuego, o en un tubo (algo endeble) para fumar en pipa, o en un silbato, o una flauta. De hecho, muchos de los nombres que lleva el saúco en Europa hacen referencia a su condición de vara hueca, de interior vacío; el término *sambucus*, en cambio, probablemente está emparentado con una palabra, *sambuca*, para nombrar a un instrumento exótico que llegó a tierras mediterráneas desde Oriente. Hay pocos datos sobre estas *sambuca*, y dos teorías principales: una sostiene que eran instrumentos de cuerda parecidos a un arpa, y otra que los ve más parecidos a las flautas, y hay quien sugiere que el material empleado para estas flautas fuesen precisamente varas de saúco. Si piensas en las historias donde aparecen flautistas de instrumentos con poderes (como *El flautista de Hamelin* o la ópera de W. A. Mozart *La Flauta Mágica*), aunque no tenga pruebas que lo demuestren, me gusta imaginar esas flautas embrujadas como instrumentos hechos de saúco...

Además de servir para elaborar flautas y cerbatanas, las varas de *Sambucus* son también excelentes para hacer setos y vallas vivas, porque el saúco prende muy bien de estaca (y tengo dos pequeños ejemplares que dan fe de ello). Sin embargo, la madera de saúco tiene muy mala fama, y en el habla popular de lugares como Francia hay muchas expresiones que nos lo recuerdan: «tener el corazón de saúco» (*co d'échéou* en lengua bearnesa*) o la «cabeza de saúco» (*penn scaw* en bretón) es ser cobarde, despistado, olvidadizo, chiflado... Y cuidado con los que prometen mucho, pero luego se revelan sauces y saúcos: dan madera frágil, madera de la que no puedes fiarte, madera débil.

¿Te cuadra con el material de la varita más poderosa de todos los tiempos, la varita de saúco? Porque a mí, no del todo. Cierto es que, cuando la rama crece y se convierte en tronco, la médula va desapareciendo, y el resultado es duro y compacto, pero aun así...

Ante mí se abren dos posibilidades: que J. K. Rowling fuese consciente de todo esto, o que no lo fuese (y sus escritos varitológicos no aclaran la duda).

Si no lo sabía, entonces esta combinación no es más que una gran paradoja fruto de la casualidad.

Pero si en cambio era consciente de ello, las lecturas que se me ocurren me parecen interesantes. Que el poder sea, en realidad, un instrumento de corazón hueco, que puede crecer con gran rapidez y ser, a la vez, tremendamente frágil. O que, al más puro estilo tolkieniano («los insignificantes hobbits son los únicos capaces de salvar el mundo»), el verdadero poder a veces se encuentra en el más insospechado y humilde de los lugares... como en una frágil vara de saúco.

❧

Varitas literarias aparte, la mayor parte del folklore sauquístico nos viene del norte: de las regiones germánicas, eslavas, de Escandinavia, de Dinamarca. En aquellas tierras los saúcos no solo tienen propiedades más o menos mágicas, sino a menudo también albergan habitantes sobrenaturales de distinta índole.

En algunas regiones los espíritus son bastante majos, como en Dinamarca, donde la leyenda cuenta que el saúco es el hogar de la Madre Saúco o Hyldemoer, y según una costumbre recogida a principios del s. XVIII,

* Bearne es una región francesa histórica situada a los pies de los Pirineos, colindante con Aragón, Navarra y el País Vasco.

antes de podar o cortar un saúco tocaba pedir permiso y disculpas a este espíritu, o podrían darse consecuencias desagradables para el transgresor. Advertencias parecidas se recomendaban en Sajonia, en Suecia o en Inglaterra, y hay quien ha relacionado este espíritu femenino del saúco con una figura de la mitología centro y noreuropea, de connotaciones ambivalentes: Frau Holle, Holda o Hildi, que podría reunir los aspectos duales de fertilidad y muerte. Con todo, las conexiones entre Frau Holle y Madre Saúco, aunque interesantes, no están demostradas fuera de toda duda razonable.

De lo que no cabe duda es de que Hans Christian Andersen escribió un cuento titulado *Hyldemoer* («Madre Saúco»), en el que un niño tiene que guardar cama por haberse resfriado, su madre le trae una tetera llena de infusión de flor de saúco... y es allí donde nace la magia:

> El niño se giró hacia la tetera, y vio cómo la tapa, ella solita, lentamente se levantaba, y de la tetera asomaron racimos blancos de flores de saúco frescas, y largas ramas surgieron en todas direcciones, haciéndose más y más grandes y extendiéndose hasta formar un gran arbusto, no, un verdadero árbol. Las ramas del saúco tocaban su cama, llegando a apartar las cortinas, y —ah, la fragancia de sus flores...
>
> Y justo en medio del árbol nacido de una tetera, había sentada una mujer...

Esta mujer es Madre Saúco, guardiana de las historias y de la Memoria (de ahí que en Japón haya varios asilos de ancianos llamados precisamente *Hyldemoer*).

Magias tan pequeñas que caben en una tetera; tan poderosas, que desdibujan las fronteras entre lo real y lo imaginario, transforman la fragilidad en música y el vacío en fuerza.

VII
Atardece sobre el río

La luz que se filtra a través de las copas de los árboles pronto empezará a menguar, y aún nos queda un buen trecho; el suelo húmedo amortigua nuestros pasos y oculta a la mirada el tapiz subterráneo de raíces y micelio entretejidos por el que fluyen agua, nutrientes e información. Tantos mitos y leyendas que imaginaban el suelo tachonado de portales —a menudo custodiados por serpientes— que te permitían viajar a otros mundos... Si pudiésemos encoger hasta tamaños liliputienses y emplear esa red subterránea de senderos de savia, podríamos salvar distancias impensables y terminar en lugares sorprendentes en un abrir y cerrar de ojos.

Así nos encontramos, en un momento, frente a nuestra siguiente guía clorofílica, maestra de las superficies, cuyos secretos venenosos se revelan solo cuando el aire se colma de agua.

Más benévolos e indulgentes se mostrarán los siguientes árboles que nos mostrarán el camino, arrojando sombra amable y amenazada sobre nuestras cabezas, regalando fibra y alimento a la humanidad y a sus rebaños. Por desgracia no son ajenos al fin del mundo: como tantos otros seres vivos, hace tiempo que viven su propia pandemia apocalíptica, y las cicatrices esgrafiadas bajo sus troncos caídos cuentan su historia con elocuencia.

No desandamos el camino andado, así que no te preocupes si no reconoces el arroyo a tus pies, si temes que nos hayamos perdido. No son enramadas de aliso las que nos reciben al atravesar el puente de piedra, sino las ramas de otro amante de las aguas, de febril y femenina fama, que trenza historias de flexibilidad y supervivencia.

19

El árbol de los venenos imperecederos: *Toxicodendron verniciﬂuum*

Lleva el agua escrita en el nombre que le dieron en Oriente.
漆.

El ideograma para designar a esta planta, que encapsula su esencia, tanto en chino como en japonés, está compuesto por dos raíces principales: la que corresponde a árbol (木), y justo debajo, la que significa agua (水).

Y no porque tenga apetencias anfibias, como el **aliso** o los **sauces**, sino porque es el líquido acuoso que mana de sus heridas aquello que le da valor a nuestros ojos —líquido no exento de contraindicaciones y peligros, puesto que no es agua, sino veneno, y el nombre científico de la planta ya te pone sobre aviso: *Toxicodendron verniciﬂuum*. Lo de *verniciﬂuum* te indica su estatus como fuente de barniz, que está bien, pero es su género lo que suena preocupante, porque la palabra *Toxicodendron* significa, literalmente, «árbol venenoso», tóxico.

Antiguamente los *Toxicodendron* se clasificaban junto a los zumaques, del género *Rhus*, y por eso cabe la posibilidad de que te tropieces con nuestro árbol descrito como *Rhus verniciflua* (o incluso *vernicifera*); sin embargo, a día de hoy hemos confirmado que son un grupo taxonómicamente distinto de los *Rhus*, así que se quedan con el nombre venenoso.

No es una etiqueta casual: estos árboles conocen recetas bioquímicas muy particulares, a base de compuestos fenólicos*, que pueden causar alergias tremendas en humanos. En el caso que nos ocupa, *Toxicodendron vernicifluum* produce resinas cargaditas de un conjunto de compuestos conocidos como *urushiol* (que en media suponen un 60-65% del exudado; el otro componente principal es agua, en proporciones que oscilan entre un 25 y un 30%). Y estas moléculas no se llevan bien con la piel humana, hasta el punto de provocar dermatitis tan severas, que tienen nombre propio dentro del mundo médico (dermatitis de contacto por urushiol). Puedes deducir la desesperación de los afectados echando un vistazo a la lista de remedios populares que se probaron por vía tópica durante los siglos XIX y XX: morfina, queroseno, pólvora, leche, malvavisco (*Althaea officinalis*), estricnina... Sobra añadir que no debe de ser nada agradable.

Entonces, ¿por qué debería interesarnos este árbol desabrido de resina venenosa?

Sencillamente, porque esta resina, tratada de forma adecuada, lleva milenios proporcionando una de las sustancias más duraderas, resistentes y bellas que hemos descubierto para proteger y decorar nuestra cultura material: la laca.

La conocemos como laca, pero este término, demasiado genérico, no captura la increíble complejidad química y cultural de esta sustancia, además de poder resultar equívoco, dado que se aplica a sustancias muy distintas.

La palabra *laca* proviene de un término sánscrito (*laksha*) que no tiene nada que ver con *Toxicodendron vernicifluum*, ni siquiera con un producto vegetal, sino que describe una sustancia ¡derivada de insectos tintóreos! Estos, del género *Kerria* (sobre todo *K. lacca*), están emparentados con las

* Si has estudiado alguna vez bioquímica, recordarás que estamos hablando de moléculas que tienen anillos de benceno en su estructura.

cochinillas del carmín, dentro de la superfamilia Coccoidea, y se «cultivan» por la laca (*shellac*, en inglés) que segregan sus colonias encima de las plantas donde viven.

Por ello, y dado que esta laca «original» no tiene nada que ver con *Toxicodendron* o con los métodos de obtención y preparación de sus exudados venenosos, yo prefiero emplear el término japonés *urushi*, que puede emplearse tanto para referirnos a la planta como a la sustancia que de ella se obtiene.

El *urushi* se recoge como un líquido que mana del árbol tras haberle practicado una serie de incisiones en el tronco; la recolección se realiza en varias etapas, desde finales de primavera hasta principios de otoño, en árboles que ya tienen alrededor de una década. Aun así, no producen cantidades industriales precisamente: se recogen entre 120 y 150 g de *urushi* por árbol, y la calidad variará según el momento de la recolecta, el lugar, las condiciones atmosféricas...

¿Y una vez que tienes tu líquido venenoso, ya puedes usarlo?

Pues no, no conviene. Antes hay que filtrarlo (imagina que se haya caído alguna ramita o algún bicho muerto dentro...), y generalmente se deja reposar, bien tapadito, durante unos 12 meses. El líquido resultante es lo que se conoce como *ki-urushi* (生漆), *urushi* crudo*, que ya puede emplearse para laquear las superficies que se te pongan a tiro. No obstante, se han desarrollado procesos para refinar aún más este *ki-urushi* (aunque nos ahorraremos la terminología, de una complejidad laberíntica —sobre todo en Japón, donde más parece haberse estudiado el arte del laqueado—).

Sin embargo, todo esto no es más que un largo preludio, una preparación de escena para el proceso que le ha dado su fama al *urushi*: la transformación de un liquidillo tóxico salido de un árbol, en una superficie prácticamente indestructible.

El primer requisito para que esto suceda es un entorno más o menos cálido, pero sobre todo húmedo: a diferencia de casi cualquier otra sustancia empleada como barniz, si lo aplicas en un ambiente seco —y aunque

* El ideograma empleado junto al del *urushi* corresponde al campo semántico de lo vivo.

parezca ilógico—, el *urushi* líquido no seca. En talleres de laqueado suele trabajarse a humedades relativas del 90%.

¿Por qué? Porque es un proceso químico que depende de una serie de proteínas catalíticas, unas enzimas llamadas *lacasas*, que el mismo árbol sintetiza y vierte en su *urushi*. En presencia de oxígeno y en una atmósfera húmeda, estas enzimas son capaces de coser el montón de moléculas sueltas que componen el urushiol líquido, enganchándolas unas a otras en un proceso que en biología nos encanta, y que se llama polimerización. Cuando las lacasas han terminado su trabajo, en lugar de una capa líquida de compuestos sueltos, dejan a su paso una malla tupida cuyos componentes forman una muralla casi impenetrable e inerte a lo que le eches. Una superficie recién laqueada aguanta temperaturas de hasta 300ºC sin degradarse, además del contacto más o menos prolongado no solo con agua, sino con sustancias tanto alcalinas como ácidas (incluso disoluciones de ácido sulfúrico o nítrico).

Ahora bien: no basta con tomar un pincelito, bañarlo en *urushi* (crudo o procesado), aplicar una capa, esperar a que se seque y punto. En primer lugar, la experiencia milenaria nos dice que un buen laqueado necesita la aplicación repetida de muchas capas, muy, muy finas; unas diez capas equivaldrían al grosor de un cabello humano, y más bien de los finitos... Con esos tamaños, no es raro encontrar piezas a las que se les calculan 200 estratos de *urushi*. Y hay que esperar a que cada capa se seque antes de aplicar la siguiente, conque una pieza puede tardar muchos meses en estar lista: ¡no es ocupación apta para impacientes!

Pero aun así, no nos hemos conformado con el procedimiento básico; a los humanos nos encanta complicarnos la vida, así que hemos desarrollado toda una serie de técnicas que, en mi opinión, elevan el laqueado a la categoría de las bellas artes.

Primero está la cuestión del color: no nos basta el rango de tonalidades parduscas del *urushi* tal cual, y por eso aprendimos a seleccionar y mezclar pigmentos para colorearla de rojo, de negro, de amarillo. La gran mayoría de estos son inorgánicos, como la hematita o el cinabrio (un mineral rojo compuesto de sulfuro de mercurio, HgS —y, siendo el mercurio un elemento muy tóxico, el cinabrio no está exento de contraindicaciones. Eso sí: le proporciona a la laca un rojo espectacular).

Lo que pronto descubrimos es que el *urushi* no se llevaba bien con todos los pigmentos: no puedes echarle cualquier cosa al líquido y confiar en que las lacasas, esas enzimas tan hacendosas, lo incorporen a la malla polimérica sin rechistar. Si intentas añadir sustancias como albayalde (cerusa o blanco de plomo), malaquita o azurita, estos se descomponen y terminan interrumpiendo la actividad de las lacasas, que no logran completar el proceso de polimerización.

Lo que sí puedes añadir al *urushi* son partículas de metales preciosos, como oro o plata —ya sea en polvo o en escamas—, materiales que aparecen en una de las técnicas más conocidas del laqueado japonés, la llamada *maki-e*, que prevé el rociado de polvo de oro o plata sobre laca fresca (y los ideogramas para escribirlo, 蒔絵, significan "sembrar, esparcir" —*maku*—, y "dibujo, pintura" —*e*—). Metales preciosos también aparecen en un proceso del que seguramente hayas oído hablar, porque se ha convertido en algo ampliamente compartido en redes sociales: el *kintsugi*, o la reparación de piezas de cerámica agrietadas rellenando las fracturas de laca mezclada con oro o plata.

Como puedes imaginar, aquí estamos hablando del resultado, altamente refinado, de milenios de relación artesanal con este material vegetal. Si nos remontamos siete mil años atrás no encontraremos piezas con incrustaciones de madreperla y oro; de hecho, es probable que el primer empleo que diésemos al *urushi* fuese como una especie de pegamento.

No sabemos cuándo empezó nuestra relación con los árboles de *urushi*, pero quizás una de las cosas más curiosas es que tampoco tenemos del todo claro dónde empezó exactamente.

Por una parte y según las fuentes, *Toxicodendron vernicifluum* se considera una especie originaria de la franja de tierra que se extiende entre el Himalaya, China y Corea.

Sin embargo, algunos de los objetos laqueados de mayor antigüedad, con edades que oscilan entre 9.000 y 7.000 años*, se han recuperado en Japón —en el sur de la isla más septentrional, Hokkaidō—, y se atribuyen a la cultura Jōmon: los primeros habitantes del archipiélago nipón,

* Las dataciones a veces son controvertidas, pero esta es la horquilla temporal aproximada que se maneja.

que, aun viviendo esencialmente de la caza y la recolección, mantenían y cuidaban adrede árboles de *urushi*.

Teniendo en cuenta que no estamos hablando de un puñado de semillas de cereal o de hortaliza (que son relativamente fáciles de transportar, de sembrar y de cosechar), sino de árboles con exudados tóxicos que solo pueden empezarse a recoger unos diez años después de la siembra, y que —admitámoslo— proporcionan un material práctico, pero no imprescindible... uno se pregunta, si es cierto que estos árboles salieron de China o Corea... ¿cómo rayos pasó?

No lo sabemos.

Mientras tanto, en China, el primer objeto laqueado que se ha descubierto es un arco (hecho de madera de moral, *Morus* sp.), datado hacia el 6.000 a. e. c., en la provincia costera de Zhèjiāng. Tiene varias capas de laca oscura, que es el color natural de este material cuando se seca en condiciones de alta humedad relativa; de ahí que en el mundo simbólico chino el negro estuviese asociado a la laca, igual que el rojo lo estaba al cinabrio.

Estos dos colores, rojo y negro, son los primeros que aparecen en contextos funerarios chinos, y se les atribuye una gran importancia cosmológica, mística y mágica (¡se los ha relacionado incluso con el concepto del *yin-yang*!). Ya he mencionado que la relación entre los colores y las plantas me resulta fascinante, y que no son pocas las plantas que han inspirado los nombres de muchos colores, como las violetas o las naranjas. No obstante, en este caso del rojo y el negro en China, la cosa es un poco distinta: la misma potencia simbólica de estos colores es debida en gran parte no al color en sí, sino precisamente a las sustancias de las que provenían —laca y cinabrio—, ambas tóxicas y ambas grandes conservantes.

También eran, además, bienes preciosos y escasos, asociados con una cultura del lujo, como puede deducirse del siguiente fragmento de un texto escrito durante el periodo de los Reinos Combatientes (~475 a. e. c. -221 a. e. c.), donde el autor identifica el empleo de vajilla laqueada como una muestra de opulencia excesiva por parte de los soberanos (legendarios, todo sea dicho de paso):

> El legendario rey Shun creó su vajilla de madera venida de las colinas. Tras haber limado las marcas dejadas por las herramientas, se pintaron con laca negra y se llevaron al palacio… esta acción era tan extravagante, que trece estados se negaron a prestarle obediencia. El rey Shun cedió su imperio al rey Yu, quien decoró su vajilla ceremonial con laca negra por fuera, y pintura roja en el interior… tras volverse cada vez más extravagante, treinta y tres estados se negaron a servirle.

Observa cómo el esquema de colores de la vajilla mítica corresponde, efectivamente, a esa díada cromática negro/rojo.

No todo el mundo puede permitirse tener piezas laqueadas en su casa, y menos aún a medida que las técnicas se complican y aparecen especialidades como el trabajo en laca seca, en laca con incrustaciones de madreperla y metales preciosos, o en laca labrada, técnica que convierte la superficie en profundidad. Durante la dinastía Yuan (1279-1368), la paciencia de los maestros artesanos logró apilar una cantidad tal de capas, que el grosor resultante se convirtió en un material que podía trabajarse, esculpirse o labrarse en sí mismo, dando lugar a piezas de exquisita delicadeza (y permitiendo efectos de colores superpuestos, que solo asoman en aquellos puntos donde se han retirado las capas superiores).

No obstante, tal vez el postrer lujo, el sueño que han perseguido las personas con medios (o con una convicción tremenda), sea la inmortalidad; y antes de que llegase la criogenia & cía., estaba la laca.

Empecemos con un *spoiler*: la laca no proporciona la inmortalidad (me sabe mal si alguien se había hecho ilusiones, pero no).

Sin embargo, su toxicidad y su enorme poder conservante le dieron puntos a ojos de civilizaciones como la china, que tenía una cierta fijación con sustancias venenosas varias, entre las que destaca, por ejemplo, el cinabrio. Increíble pero cierto, no solo no lo consideraban tóxico (que lo es, y mucho), sino que en los textos chinos tempranos se llega a afirmar sin ambages que si bebes líquido aderezado con cinabrio nunca morirás.

Otro *spoiler*: sí, morirás, y probablemente tu final no sea bonito, porque las intoxicaciones por mercurio no suelen serlo. Ahora bien: una vez muerta y enterrada, nadie te tocará ni con un palo. De hecho, se atribuye el excelente estado de conservación de algunos cuerpos recuperados en excavaciones arqueológicas al cinabrio.

El *urushi* también es tóxico, pero no he encontrado ninguna mención, presente o pasada, que aconsejase beber chupitos de laca para lograr la inmortalidad. Lo que más se le acerca es una práctica muy curiosa conocida como *sokushinbutsu*, que se desarrolla sobre todo en Japón y que aspira a la auto-momificación.

El motivo no es convertirse en momia porque sí, sino obtener la Iluminación en vida, siguiendo un régimen ascético tan brutal que culmina sí o sí en muerte, pero un régimen pensado para optimizar las probabilidades de que tu cuerpo quede momificado, algo que se toma como señal de que el asceta logró su propósito. Un cuerpo que no se corrompe tras la muerte es señal de «santidad», conque luego no vas a tirarlo: te lo quedas y lo vistes, y lo metes en un templo para poder venerarlo adecuadamente.

Esta práctica está —o estuvo, hasta que se ilegalizó a finales del s. XIX— ligada al shugendō, una vía espiritual que combina elementos budistas, sintoístas, taoístas y más, centrada en las montañas. Quedó más o menos vinculada a una secta budista conocida como *shingon*, y es precisamente en templos budistas shingon donde hoy puedes ver las que quizás sean las momias más curiosas de todo el mundo.

¿Y qué tiene que ver el *urushi* en todo esto?

Pues se dice que algunos de los monjes incluyeron *urushi* en su dieta momificante. Tóxico y conservante, como el cinabrio: ¿qué más se puede pedir?

Pues, puestos a pedir, a mí me gustaría ver análisis científicos que realmente lo demuestren, pero no he encontrado ninguno. Lo que sí descubrí fue el empleo de laca no tanto para auto-momificarse en vida, sino para momificar los cuerpos de monjes budistas una vez muertos.

Esta práctica (que también calificaré como, ehm, curiosa) se daba en China, y la mayoría de casos que he encontrado se refieren a una rama budista que no solemos asociar con la veneración de momias precisamente: el budismo chan, que quizás te suene más si lo traduzco al japonés: zen.

Si tu maestro chan había muerto y querías laquearlo para tenerlo a tu lado por los siglos de los siglos, el procedimiento a seguir al parecer era bastante estándar: lo cubrías con paños de cáñamo o ramie (*Boehmeria* sp.) empapados en *urushi* hasta conseguir un cierto grosor, y seguías añadiendo capas hasta enterrar al difunto en laca y —tras aplicarle pan de oro, o pintarlo, o labrar la superficie para darle forma o decorarla— convertirlo en lo que, a instancias prácticas, es un híbrido muy extraño entre una momia y una escultura.

De hecho, existe una técnica para realizar esculturas en laca sobre un soporte que actúa como núcleo y después se elimina, y que algunos sugieren evolucionó a partir de estas ansias de preservar cadáveres enlacados.

Lo que me parece fascinante, y casi irónico del caso, es que estas momias-estatua comparten una característica con los muertos vivientes más famosos de todos los tiempos: los vampiros (y no, no es porque se alimenten de la sangre de nadie).

Pues el talón de Aquiles del *urushi* es que se degrada lenta pero inexorablemente con los rayos ultravioletas... y, por ello, cualquier objeto —o ser— laqueado solo puede alcanzar la eternidad si evita la luz del sol.

Las otras lacas

Bajo el término «laca» se agrupan muchos materiales distintos, algunos de origen animal y otros, vegetal, que hemos empleado para cubrir, proteger o embellecer superficies. En la mayoría de casos, el proceso de aplicación y formación de la capa protectora está sujeto a procesos físico-químicos inorgánicos (secado, por ejemplo); solo en unos pocos intervienen enzimas de origen biológico, como en el caso del *urushi*. Sin embargo, la resina de *Toxicodendron vernicifluum* no es única en esta categoría: existen otros árboles que producen exudados parecidos al *urushi*, y que forman películas protectoras mediante un mecanismo clavadito al de *T. vernicifluum*, o casi. Son Las Otras Lacas, y entre ellas destacan dos especies: una es hermana del *urushi* y se llama *Toxicodendron succedaneum*, y la otra se conoce como *Gluta usitata*.

Estos parecidos no son fruto de la casualidad, pues todas pertenecen a la misma familia: las anacardiáceas, que alberga a plantas tan conocidas como los lentiscos, los pistachos, los mangos o (como su nombre ya indicaba) los anacardos. De ahí que tengan una química familiar parecida. De hecho, ese es el motivo por el que, a diferencia de lo que sucede con otros frutos secos como las nueces o las pecanas, jamás verás anacardos sin pelar a la venta: la cáscara contiene un pariente cercano del urushiol que complica enormemente su procesado (y puede conllevar graves problemas de salud para las trabajadoras del sector que no operan en entornos éticos que garanticen su seguridad). Y las personas especialmente sensibles a los compuestos anacardiáceos pueden desarrollar problemas de dermatitis ¡incluso después de haberse comido un mango!

Pero volvamos a Las Otras Lacas.

Gluta usitata se conoce como (árbol de la) «laca birmana», y es una especie que crece en la península indochina, desde la región de Assam en India hasta Tailandia. En cambio, *Toxicodendron succedaneum* (el hermano de nuestro protagonista principal) también alcanza China y Japón.

Si sangras a estos árboles lo que obtendrás no será exactamente *urushi*, porque el aceite que contienen estos exudados no es, técnicamente, urushiol. El sangrado del árbol de la laca birmana se conoce como *thitsi* (y la fracción oleosa como *thitsiol*); si compras una pieza laqueada local en Tailandia o Myanmar, lo más probable es que —si no te han timado— esa laca sea *thitsi*, de secado más lento que el *urushi*. En cambio, el sangrado de *T. succedaneum* es rico en una mezcla aceitosa que se conoce como *laccol**.

Estos cambios de nombre se deben a que los compuestos que integran cada uno de estos aceites varían un poco, y las diferencias son lo suficientemente significativas como para otorgarles propiedades

* En inglés, al menos. No he localizado publicaciones en castellano que hablen de la sustancia.

distintas entre sí (puede influir, por ejemplo, en la severidad de la reacción alérgica que producen en personas sensibles).

T. succedaneum está asociado, sobre todo, a objetos laqueados en Vietnam y en Taiwan, pero hace poco se ha descubierto que también la laca china destinada a ser exportada (o al menos parte de ella) fue preparada a base de laccol. En la primera mitad del s. XX, semillas de estos árboles viajaron a Brasil en los bolsillos de un migrante japonés; el servicio forestal nacional financió plantaciones de *T. succedaneum* para obtener laca, que en portugués se conoce como *charão*. De ahí llega al castellano la palabra *charol*, que solía emplearse en siglos pasados para hablar no de zapatos, sino de muebles laqueados. En cambio, el término *maque* (y su verbo asociado, *maquear*) proviene del japonés *maki-e*, pese a que los trabajos de maqueado novohispanos no estén hechos con laca vegetal*.

En Japón, sin embargo, *Toxicodendron succedaneum* —*hazenoki*— no suele considerarse como fuente de laca, sino que se cultiva desde el s. XVI para obtener cera a partir del mesocarpo de sus frutos. Con este material se elaboran velas conocidas como *warosoku*, cuyo núcleo central es una mecha —hecha de papel japonés (*washi*) y materia orgánica— que va recubriéndose, capa a capa, con cera derretida de frutos de *hazenoki*. Al parecer, también los luchadores de sumo emplean esta sustancia para abrillantarse el pelo, recogido en su característico moño.

Otros hermanos del *urushi*, en cambio, son menos útiles y más fastidiosos. Probablemente los más famosos sean los zumaques venenosos americanos, que se conocen en inglés como «hiedra venenosa» o «roble venenoso» (*poison ivy, poison oak*).

T. radicans es la hiedra venenosa que tanto abunda en la costa este de Estados Unidos, y llega hasta las montañas de México; toda la planta

* La influencia está presente, pero en Mesoamérica ya existía una tradición prehispánica de barnices decorativos elaborados a base de una sustancia cerosa de origen animal (del axin, *Llaveia axin*) mezclado con aceites vegetales (de chía, *Salvia hispanica*, o de chicalote, *Argemone mexicana*).

está cubierta por un aceite análogo al urushiol, y las dermatitis por culpa de este compuesto son relativamente frecuentes. Algo parecido sucede en la costa oeste, donde el *Toxicodendron* que da más problemas es *T. diversilobum*, o *poison oak*. Y no son pocos los afectados; las cifras hablan de entre 10 y 50 millones de personas afectadas por esta dermatitis en América cada año. Y no solo por haber tocado sin querer alguna de estas plantas (ya sea directa o indirectamente; acariciar a tu perro puede conllevar sorpresas desagradables si este había estado paseando entre *Toxicodendron*): si un campo lleno de estas plantas se incendia, las resinas tóxicas no desaparecen, sino que pueden recubrir las partículas de ceniza —y causarte problemas respiratorios más o menos serios si inhalas el humo resultante—.

En comparación, diríase que los *Toxicodendron* orientales parecen algo menos agresivos, aun sin ser inocuos; de hecho, algunas especies empleadas como ornamentales por su hermoso follaje otoñal (como *T. succedaneum* en Australia o Nueva Zelanda) pueden ocasionar problemas de dermatitis a las personas sensibles; y se cuenta una anécdota protagonizada por soldados americanos estacionados en Japón tras el fin de la Segunda Guerra Mundial, que acudían a «un bar con muebles y asientos de aseo recién laqueados. Algunos se sorprendieron cuando un sarpullido, parecido a los provocados por hiedra venenosa, brotó en varias partes de su anatomía».

Puedo imaginar las sonrisas divertidas de los propietarios del bar al ver a sus clientes extranjeros convertidos en culos de mal asiento, y adivinar el motivo...

20

Gloria y declive de los árboles de leche y sombra: *Ulmus* sp.

Érase una vez un grupo de árboles que amaban el agua y el viento, que refrescaban plazas con su sombra y saciaban el hambre del ganado.

Érase una vez un pionero prehistórico tras la última glaciación, un árbol de proporciones míticas (e impresionantes alturas reales), un árbol que proporciona madera sumergible y fibras para hilar, tejer o trenzar canastos o chaquetas bordadas con sueños en tierras lejanas.

Érase una vez un gigante con pies de barro, un árbol tan imponente como vulnerable ante sus enemigos, que han decimado sus poblaciones y amenazan con borrarlo de nuestros paisajes y nuestra imaginación.

Érase una vez... los olmos.

Pero ¿quiénes son los olmos?

Aunque este nombre a veces baile un poco entre árboles distintos, aquí nos ceñiremos a las aproximadamente cuatro decenas de especies dentro del género *Ulmus*, que viven en todo el hemisferio norte.

La región con mayor riqueza de olmos, con diferencia, es el lejano Oriente: en China crecen nada más y nada menos que 25 de los 40 *Ulmus* que existen. Algunos son extremadamente raros y amenazados, como *Ulmus gaussenii*, el olmo de Anhui, que vive silvestre únicamente en una montaña de la región de Anhui (en China oriental). En 2006, existían únicamente 26 ejemplares maduros en una superficie de 10 hectáreas.

En cambio, en la otra punta del planeta crece la que probablemente sea la especie más alta del género *Ulmus*: *U. mexicana* (o tirrá, como lo llaman en Costa Rica), habitante endémico de los bosques de niebla en América central, que ocasionalmente alcanza e incluso supera los 80 m de altura; es, de hecho, uno de los árboles más altos de México.

En Europa destacan tres olmos autóctonos: el de hoja pequeña o negrillo, *Ulmus minor*; el olmo montano o llamera, *U. glabra*, y el olmo blanco o temblón, *U. laevis*. En ocasiones quizás los veas también llamados «álamos» —término confuso, pues lo comparte con habitantes de distinto género y familia: los chopos, (*Populus* spp.), con similares querencias al escoger casa junto a corrientes de agua. De hecho, y aun sin ser tan acuáticos como los **sauces** o los **alisos**, a menudo encontrarás a estos árboles junto a fuentes, arroyos y ríos formando bosques de ribera. Sin embargo, tanto los apreciamos (sobre todo en determinados lugares y épocas históricas) que nos los trajimos también a los bosques urbanos que hemos creado, sembrándolos por su fresca sombra y porte elegante en plazas, calles y avenidas.

Como buenos hermanos que son, todos los *Ulmus* comparten parecidos, más o menos fáciles de reconocer. Sus hojas, por ejemplo, se disponen de forma alterna a lo largo de las ramas, con el margen formando finos dientes de sierra (simples, o incluso dobles) y la base de la hoja asimétrica.

Los olmos tienen follaje caedizo y se desprenden de él cuando llega el frío; pero en primavera lo primero que asoma por las ramas son flores de aspecto más bien escuchimizado, que suelen pasar bastante desapercibidas. Lo que sí es fácil de ver y de admirar es lo que viene después de la flor...

Al igual que los **fresnos**, *Ulmus* saca frutos secos alados que conocemos como sámaras, pero el aspecto que tienen es bien distinto: mientras que la sámara de fresno es asimétrica, con la semilla en un extremo y un ala alargada, la semilla del olmo está aposentada en el centro del fruto, y el ala suele rodearla entera, como si de un halo se tratara. Son sámaras muy ligeras, que nacen verdes y cubren las ramas del árbol antes incluso de que asomen las hojas nuevas, y una vez maduros y secos se desprenden de la rama y se encaraman a las corrientes de aire que pasan, en busca de nuevas tierras donde poder germinar.

Lejos de ser nimiedades irrelevantes, estos detalles ulmáceos tienen importancia a la hora de entender algunos trozos de su historia —ya que los olmos, al igual que todos los árboles (y seres, animados e inanimados), que existen, tienen una historia, una cuarta dimensión que va desplegándose a lo largo del tiempo y del espacio.

Y quienes nos dedicamos a contar historias sabemos la importancia que tiene elegir dónde colocas el «Érase una vez» que inaugura el relato...

Hoy empezaremos hace más o menos 11.000 años, al inicio de la época geológica que conocemos como Holoceno.

Tras un par de millones de años de glaciaciones intermitentes, los hielos se baten en retirada definitiva, dejando a su paso tierras casi vírgenes, desnudas... tierras que las plantas, por supuesto, van a apropiarse de inmediato. En aquellos lugares donde las condiciones lo permitan, las praderas y estepas evolucionarán y se convertirán en bosques, sí, pero la identidad de los habitantes de estos bosques irá cambiando con el paso del tiempo. Hay árboles que llegan raudos como centellas, y otros que se toman su tiempo para emprender el viaje al norte.

Los olmos, con sus espléndidas sámaras voladoras, viajan ligeros de equipaje y forman parte de la oleada de pioneros rapidísimos: en mil años nada más, *Ulmus* alcanza y cubre la península escandinava y las islas británicas, y alcanza su máximo esplendor hace unos 6.000-7.000 años, época dorada en que abundan los bosques mixtos de olmos y **tilos**.

¿Cómo podemos saberlo? Pues a partir del polen que queda atrapado en los sedimentos geológicos, que nos permiten deducir (con mayor o menor acierto) qué plantas estaban presentes en un lugar y época determinados; y, según las cantidades de polen que aparezcan, la abundancia de la planta en cuestión. Así el polen puede contarte una parte de la historia, pero no siempre, pues hay especies (sobre todo polinizadas por animales) que apenas dejan huella en el registro polínico; y, sobre todo, no te la cuenta toda.

Lo que estos registros sí nos dicen alto y claro es que, hace unos 5.000 años aproximadamente, la historia cambia: vemos un declive muy fuerte en la cantidad de polen de *Ulmus* en los sedimentos de varias regiones europeas, sobre todo en el norte (Escandinavia, islas británicas, Países Bajos, Alemania, países bálticos...).

Ahora bien, no tenemos del todo claro el motivo de por qué paso esto: ¿cambio climático? ¿Impacto humano? ¿Enfermedades? ¿Cambios en los suelos?

No estamos seguros al 100% de a quién hay que echar la culpa, y llevamos dándole vueltas al asunto desde hace ochenta años, mientras en el aire flota un interrogante más o menos explícito: ¿se está repitiendo la historia otra vez?

Pues si por algo son tristemente famosos los olmos en los últimos tiempos es por su susceptibilidad a una enfermedad muy agresiva que durante el s. XX ha devastado sus poblaciones en buena parte de Europa y América.

La principal causa de esta hecatombe es un equipo letal formado por un hongo y un escarabajo. El hongo que provocó estragos durante las primeras décadas del siglo se conoce como *Ophiostoma ulmi*, y su hermano virulentísimo, *O. novo-ulmi*, atacó en la segunda mitad de siglo y aún sigue azotando a *Ulmus*. En ambas ocasiones contó con la colaboración de escarabajos del género *Scolytus*, que ponen sus huevos debajo de la corteza de los olmos e inoculan a la vez el hongo infeccioso. Las bellas galerías que excavan las larvas en la madera de *Ulmus* le han merecido el nombre de *grafiosis* a la pandemia ulmística, que resulta en troncos muertos convertidos en obras de arte fúnebre firmadas por un escarabajo.

Pese a que parar este declive es una batalla difícil de ganar, al menos sabemos por qué está pasando. Pero... ¿hace 5.000 años?

La cosa está complicada, aunque la hipótesis de que los causantes también fueron patógenos está ganando adeptos.

Con todo, hay que tener en cuenta que los humanos ya estábamos en el escenario cuando sucedió todo aquello, y hay quien piensa que pudimos tener algo que ver en aquel primer declive prehistórico de los *Ulmus* europeos, que coincide más o menos con la transición hacia modos de producción y supervivencia más agrícolas y ganaderos que de caza-recolección... y los humanos agropastorales no debimos de tardar mucho en descubrir lo útiles que podían sernos los olmos.

§

Más o menos al mismo tiempo que *Ulmus* conquistaba terreno tras el fin de la última glaciación, un grupo de humanos que vivían en Oriente Próximo y Medio entablaron una relación interesante con un animal que la ciencia conoce como *Bos taurus*; la relación fue estrechándose con el paso del tiempo, y el resultado final fue la domesticación de la vaca*.

Poco se imaginarían aquellas vacas primigenias que sus descendientes terminarían trotando por todo el viejo mundo, o que los pueblos norteuropeos las adoptarían como pilar de riqueza y estatus. Así, en las culturas escandinavas antiguas, la palabra para el ganado bovino es idéntica al término para hablar de riqueza (*fé*), y una de las actividades productivas más importantes en las sociedades vikingas se centraba en el ganado, y en acumular los recursos necesarios para alimentarlo.

Y las vacas no solo se alimentan de hierbecilla y pasto abierto (al menos, no en lugares donde los inviernos se vacían totalmente de verde y se visten de hielo y nieve). En los meses de frío, tus reses deberán comer otra cosa y —aunque la paja es un alimento frecuente y socorrido— pronto descubrimos que las hojas de algunos árboles son excelente pasto para vacas, entre ellas, las hojas de fresno, y, sobre todo, las de los olmos, que se han empleado como ramón para el ganado desde tiempos inmemoriales.

De hecho, hay quien sugiere que la creación humana en la mitología escandinava tiene que ver indirectamente con las vacas. En la Edda poética la humanidad desciende de una pareja primigenia hecha de madera, Askr —el hombre— y Embla —la mujer—, que pueden interpretarse como

* En realidad, parece haber al menos dos eventos de domesticación a partir de las vacas primigenias: uno en Oriente Medio (que originaría las vacas sin joroba), y otro en el sur de Asia (que dio lugar a los cebús, o vacas jorobadas).

«fresno» y «olmo»: justamente los dos árboles más importantes para el sustento de las reses (más el olmo que el fresno). Y no solo en Fenoscadia se reconoce la estrecha relación entre olmos y vacas; si nos vamos a Irlanda, el árbol se menciona en textos medievales como «sustento del ganado» o «amigo del ganado».

También en el Mediterráneo la asociación entre los olmos y los sistemas agropastorales es muy estrecha, aunque se declina de forma distinta: aquí *Ulmus* no es la pareja femenina del fresno, sino el esposo de la vid (*Vitis vinifera*), pues la agricultura romana emplea a los olmos como tutores a los que encaramar las vides, haciendo de soporte vivo para formar emparrados.

Allá donde agricultura y olmos han convivido, no es raro que los gestionásemos desmochándolos (al igual que hemos hecho con otros muchos árboles, como sauces o tilos) y no solo por sus hojas: pues hay otras partes de *Ulmus* que también hemos apreciado, como por ejemplo su madera.

Además de ser dura y densa, esta madera tiene una característica curiosa: es muy resistente cuando la sumerges, al igual que le sucede al leño de aliso. Por eso se empleaba para canales, conducciones de agua, norias y otros instrumentos que pasaban parte de su vida en contacto con agua, así como para la construcción de barcos.

En el caso de las llameras (*Ulmus glabra*) despunta otra característica particularmente apreciada de sus varas: son flexibles a la vez que resistentes, convirtiéndolas en un buen material, por ejemplo, para arcos. Allá donde los arqueros ingleses hacían sus *longbows* sobre todo con madera de tejo, en Gales la madera preferida era la de llamera, *wych elm* (y en Japón existen menciones a una pariente estrecha de los olmos, *Zelkova serrata*, para el mismo propósito).

Era árbol útil, y considerado de bella estampa; así, cuando el rey Luis XIV de Francia dicta una ordenanza para regular los bosques y aguas de la nación (sobre todo para garantizar que la marina francesa no tuviese problemas de aprovisionamiento de madera en un futuro), los olmos aparecen mencionados varias veces, por ejemplo, en esta sección dedicada a los caminos:

> Todos los propietarios de propiedades adyacentes a los grandes caminos y ramificaciones destos mismos, estarán obligados a plantarlos

> con olmos, hayas, castaños, frutales, u otros árboles acordes con la naturaleza del terreno, a distancia de treinta pies los unos de los otros [...] y si algunos de los susodichos árboles perecieran, deberán replantarlos antes de que pase un año.

Políticas arbóreas públicas iguales a las que vemos hoy en día, ¿verdad?

Pero antes de llegar a la madera, los olmos (algunas especies, al menos) nos han proporcionado otro material muy interesante, en el que hoy raramente pensamos: la corteza. Porque, al igual que pasa con los tilos, hay integrantes del género *Ulmus* cuya corteza es fibrosa, y este descubrimiento abrió un mundo de posibilidades ante aquellos que sabían cómo aprovecharlas.

Entre los pueblos indígenas americanos, por ejemplo, si das un repaso a sus olmos nativos, como *Ulmus americana* o *U. rubra*, salta a la vista el empleo de su corteza para cordelería y cestería, entre otros usos.

En el caso de *Ulmus rubra*, su nombre común en inglés —*slippery elm*, «olmo resbaladizo»— apunta a una característica de su corteza interna: una textura algo babosa, debido al mucílago que contiene. Ello la convierte en un remedio medicinal para la tos y las irritaciones de garganta (p. ej., entre los ojibwa o los iroqueses o haudenosaunee).

No es el único: *Ulmus parvifolia* y *U. davidiana*, oriundos del lejano Oriente, también desarrollan una corteza interna mucilaginosa, que ha sido empleada en China, Corea y Japón como medicinal, comestible..., y como sustancia facilitadora durante el proceso de elaboración de ¡papel! Al añadirse a la pulpa de papel acuosa, aumenta su viscosidad y permite que la distribución de las fibras sea más homogénea. En Japón *U. parvifolia* se conoce como «el olmo otoñal» (*akinire*, 秋楡), pues no florece en primavera, sino en septiembre, y su belleza lo convierte en una especie ornamental popular, a menudo convertida en bonsai.

Sin embargo, existe otro *Ulmus* oriental de corteza fibrosa y maravillosa, cuyos secretos conoce un pueblo al borde de la desaparición...

Si miras un mapa de las costas orientales del viejo mundo, verás que están salpicadas por un collar de islas e islotes, más o menos grandes, que orlan el continente y crean una hilera de mares interiores, como el de Japón o, más al norte, el de Ojotsk.

Hasta hace unos pocos siglos, prácticamente los únicos moradores de aquellas islas —las Kuriles y Sajalín, hoy rusas, Hokkaidō, hoy japonesa— eran un pueblo de cazadores-recolectores conocidos como los ainu (y también considerados los pobladores originarios de Japón*).

Se trata de un pueblo que ha sufrido duros reveses en los últimos tiempos, y que lucha por mantener viva su cultura y sus tradiciones, entre las que se cuentan saberes textiles protagonizados por un olmo: *Ulmus laciniata* u olmo de Manchuria (*ohyō* en japonés). La corteza de *U. laciniata* es fibrosa, y los ainu sabían (y algunos de los que quedan aún saben) extraer y preparar las fibras para hilarlas y tejerlas.

> Mi abuela era muy trabajadora, y pasaba todos los días trabajando; para fabricar morrales iba a la montaña, y corteza de olmo también recogía; Al anochecer hilaba con entusiasmo, junto al fuego se lamía los dedos, e hilaba. Cuando me dormía, siempre me cantaba canciones de los dioses. Su voz, muy hermosa, aún no la he olvidado.

Este fragmento (adaptado) proviene de las memorias de una ainu, protagonizadas por su abuela —pues, como en la enorme mayoría de culturas a lo largo de la historia, entre los ainu las actividades textiles pertenecían a la esfera femenina—.

Y quizás el uso más importante de esa tela de olmo era la confección de trajes ceremoniales conocidos como *attush* o *attus*, que las mujeres teñían y bordaban; un proceso que en la cultura ainu es tan material como espiritual, pues no solo se bordan fibras, sino también oraciones e intenciones: los sentimientos de la artesana terminan cosidos, entretejidos en la prenda de olmo, y protegen a quien la llevará.

Hermosa forma de pensar en algo aparentemente tan sencillo como la confección de una pieza de ropa.

Allá donde hay árboles cuya reputación se ha nublado con el paso de los siglos (como les sucedió a los **cipreses**), en Occidente las asociaciones de los olmos se han aclarado con el tiempo: tienen raíces oscuras en la antigüedad, pero ya en el medioevo se les adivina un lado benévolo y luminoso.

* Hay quien los ve como descendientes directos de los Jōmon a los que hacía referencia en el capítulo anterior.

En la *Ilíada* homérica, los *Ulmus* (en griego *ptelea,* πτελέας) tienen asociaciones fúnebres, como subraya el lamento de Andrómaca a su marido, el héroe troyano Héctor, al suplicarle que no salga a luchar con Aquiles:

> —¡Desgraciado! Te habrá de perder tu valor. No te apiadas de tu hijo tan tierno y tampoco de mí, ¡oh desdichada!, viuda pronto porque los aqueos te habrán de dar muerte, porque todos caerán sobre ti y preferible sería para mí descender a la tierra, pues si te murieras no tendría consuelo jamás [...]. Que ya Aquiles divino ha quitado la vida a mi padre [...] le alzó un túmulo en torno del cual las ninfas de las montañas, hijas de Zeus que lleva la égida, bellos olmos plantaron.

Esta simbología me resulta curiosa, porque el crecimiento de los olmos suele ser algo más desgarbado e informal que el de los cipreses o los chopos lombardos (cuya verticalidad se ha interpretado como un punto fuerte en cuestión de interpretaciones trascendentes).

Como comentaba en el *Libro de las plantas olvidadas*, «en Occidente, los olmos han despuntado como árboles ligados a los sueños y a la muerte», siendo mi preferido un olmo sombrío que aparece en el libro sexto de la Eneida de Virgilio: a orillas del Averno enraíza un *ulmus opaca* en cuyas ramas anidan los sueños vanos, *somnia vana.*

No está claro por qué Virgilio escogió un olmo, y no cualquier otro árbol, como hogar de los sueños en ultratumba; sin embargo, parece que los romanos consideraban a *Ulmus* —así como a los sauces y a los chopos negros— como estéril, y que ello lo consagraba a las divinidades ctónicas (es decir, subterrenas).

Pensándolo bien, puedo imaginarme al olmo de Virgilio, cubierto de sueños vanos como frágiles sámaras dispuestas a emprender el vuelo.

Y, como sucede con los sueños, solo algunos conseguirán germinar.

21

Los árboles de agua y luna: *Salix* sp.

> A la derecha, luna
> A la izquierda, agua—
> Sauce vespertino.
>
> — Kobayashi Issa, s. XVII-XVIII

Cuando el cielo apaga las luces, los sonidos a nuestro alrededor parecen volverse más nítidos.

La música del río es una pequeña sinfonía hecha de turbulencias imprevistas, de guijarros húmedos, de chapoteos alados o anfibios. Pero cuando se levanta la brisa se les une otro instrumento, capaz de dar forma y tejer la voz del viento para invitarla a participar en la melodía que beben sus raíces: son los sauces, que tiemblan y surmuran vibrando como las cuerdas de una cítara.

Son amigos de las abejas, que liban el néctar de sus flores en primavera, y amigos de la humanidad, que lleva milenios apreciando su versatilidad: han sido material para cestos y esteras, pero también material para nuestra imaginación, que los ha visto como metáforas poéticas para hablar de la mujer deseada, como varitas de magia extraña, como árbol blanco que crece en el Hades, bordando orillas que las almas cruzan una sola vez.

Hijos de las aguas que corren por sus ramas flexibles, son los sauces el canto del río.

❧

Los sauces dan conciertos desde las orillas fluviales de prácticamente todo el mundo, pues las plantas de este género botánico crecen en todas partes, o casi (su aterrizaje en Oceanía es relativamente reciente, pues los sembramos los humanos en Australia y Nueva Zelanda, y desde entonces hacen de las suyas por allá).

Se trata de los *Salix*: sauces, sargas, mimbreras y similares.

Resulta difícil decir algo que les calce bien a todos, porque son más de 300 hermanos dentro de este género, y mientras algunos alcanzan los 25 m, otros no levantan más de unos pocos centímetros del suelo. A ello hay que añadir que su taxonomía e identificación es complicada, pues hibridan entre sí con extremada facilidad, y los caracteres para distinguirlos no siempre son sencillos de ver.

En general, si eres sauce, eres un amante de la luz y del agua, que adopta una estrategia de pionero vegetal: apenas se abre un espacio disponible (p. ej., por una riada), los sauces se las apañan para llegar antes que nadie y ocuparlo a toda velocidad (siempre teniendo en cuenta que es un árbol, no un guepardo). Pero como contrapartida, como (casi) todas las cosas hechas deprisa y corriendo, la madera de sauce es ligera y de «baja» calidad si lo que buscas es algo denso y duro, como la madera de **enebro** o **fresno**.

Pero ¿quién quiere ser fresno rígido, cuando puede ser mimbre flexible?

Lo que conocemos como *mimbre* no se corresponde con una, sino con un gran número de especies de *Salix*. No todas sirven igual de bien, pues las hay más quebradizas, pero en líneas generales, si es *Salix*, las probabilidades de que sus tallos jóvenes sean flexibles son elevadas.

Quizás ahora parezca algo anecdótico, pero puede que la cestería fuese una de las primeras actividades de artesanía vegetófila en que nos embarcamos los seres humanos, y uno de los materiales que mejor se prestan a tal actividad es el mimbre, ya sea por sí solo o en combinación con otros elementos vegetales. Plegando las varas de *Salix* a nuestros deseos, logramos confeccionar recipientes, enseres de pescar, redes y otros muchos objetos de uso más o menos cotidiano.

Tenemos constancia del aprecio por estas ramas flexibles desde tiempos remotos; los romanos decían que «son las ramas aquello que hace al sauce fructífero» (*«viminibus salices fecundae»*, dice Virgilio en sus *Geórgicas*), y el cultivo de sauzales (*salictum*) para vender el mimbre obtenido debía de ser conveniente económicamente, pues al parecer solo las viñas y los huertos irrigados los superaban en rentabilidad*.

Las principales fuentes botánicas de varas de mimbre han sido, sobre todo, sauces de porte arbustivo (como *Salix fragilis* o *S. purpurea*), pero también especies que, dejadas a su aire, tienden a subir y convertirse en árboles (como el sauce blanco, *S. alba,* en Europa, o *S. humboldtiana* en América). Para ello, sin embargo, deben gestionarse de un modo particular, a través de una técnica conocida como *desmochado.* El resultado son árboles de aspecto parecido al Sauce Boxeador que crece en la escuela de magia y hechicería más famosa de la literatura, Hogwarts. Este es un sauce trasmocho o cabezudo, caracterizado por un tronco ancho que termina en una sección engrosada a partir de la cual surgen una infinidad de ramillas jóvenes y delgadas. Esa forma se ha obtenido a lo largo de años de podar el sauce siempre a la misma altura, estimulando el crecimiento de las yemas jóvenes en la base del corte, con lo que se obtienen renuevos flexibles de forma regular e indefinida, si cuidas bien a tu sauce. ¡Y eso que suelen ser árboles de vida corta!

(La abuela sauce de Pocahontas era solo abuela, porque es raro que haya bisabuelas o tatarabuelas entre los *Salix*; son los inconvenientes de ser pioneros veloces, como le sucede también a los abedules: vivirán a ritmo rápido e intenso, pero por poco tiempo, si los comparamos con un **enebro** o un **ciprés**.)

Sospecho que J. K. Rowling colocó a un sauce en Hogwarts —y no un chopo o un roble— no tanto por su significado, sino más por cuestiones sonoras (el inglés *Whomping Willow* es deliciosamente aliterativo). Con todo, hay que admitir que fue una elección feliz, porque en Occidente los sauces se asocian a la luna, a la muerte y a la magia desde hace muchos siglos.

* Catón, en su *De Re Rustica* (aprox. 160 a. e. c.), establece esta jerarquía al hablar de las partes más importantes de una granja: *vinea est prima . . . secundo loco hortus inriguus, tertio salictum.*

❧

Hace años que me veo aquejada de una extraña obsesión con la varitología comparada y todo lo que tenga que ver con la antropología y etnobotánica de los palitos y varitas que hemos considerado mágicos a lo largo de la historia.

En los orígenes míticos de la varita en Occidente hallamos a la maga Circe, personaje inquietante de la *Odisea* homérica que transforma a los compañeros de Ulises en cerdos. Circe está dotada de una varita, o *rhabdos*, palabra griega que no se refiere a un palito cualquiera: en su significado está implícita la flexibilidad de la vara. Y, aunque Homero no lo dice explícitamente, el palito flexible por antonomasia es el de sauce.

Quizás sea únicamente una casualidad, pero el mimbre aparece mencionado en un conjuro amoroso empleado por una hechicera castellana, juzgada por el Santo Oficio en la segunda mitad del s. XVI, que dice así:

> Por el río Jordán pasaréis / Por el monte Oliveti entraréis / El cuchillo de las cachas negras me buscaréis / Por las muelas de Barrabás y Satanás lo amolaréis / Tres varicas de mimbre negro me cortaréis / Tres clavos, sean los en el corazón de Fulana / Y el otro en la cabeza / Para que siempre se acuerde de mí.

Observa la mención a varas de mimbre, mimbre negro (que podría ser una figura literaria, o varas de una mimbrera concreta que saque ramas jóvenes muy oscuras, como *Salix triandra*; curiosamente, en la antigüedad aparecen referencias a varas con supuestos poderes, de color negro). Sea o no una coincidencia, no deja de resultar intrigante la presencia de esta «*rhabdos*» negra para conjurar amores entre las descendientes de Circe.

Circe es hechicera asociada al mundo de la magia —lunar y oscuro, manchado de tierra y savia—; de ahí que sea la persona perfecta para dar directrices a Ulises sobre cómo llegar al reino de Perséfone y Hades, soberanos del inframundo:

> Y cuando hayas atravesado el Océano y llegues adonde hay una playa estrecha y bosques consagrados a Perséfone y elevados álamos y estériles sauces, detén la nave en el Océano de profundos remolinos, y encamínate a la tenebrosa morada de Hades.

Tristes sauces de funestas melodías y amantes desdichados, en Occidente no son árboles felices precisamente, y la literatura insiste en vincularlos a la tragedia: en la obra de William Shakespeare *Hamlet*, el personaje enloquecido de Ofelia se ahoga tras encaramarse a una rama de sauce que se rompe bajo su peso:

> Hay un sauce de ramas inclinadas sobre el arroyo
> que en el cristal del agua deja ver sus hojas cenicientas.
> Con ellas hizo allí guirnaldas caprichosas [...]
> Cuando estaba trepando para colgar su corona de hojas
> en las ramas sesgadas, una, envidiosa, se quebró,
> cayendo ella y su floral trofeo
> al llanto de las aguas.

Las orillas donde enraízan muchos sauces imaginarios a menudo son más bien melancólicas, oscuras —incluso malévolas, como las del Viejo Hombre Sauce de J. R. R. Tolkien—, iluminadas por una luna tenue, sobrenatural... connotaciones que suelen asociarse también a la esfera femenina.

> Infinitas son las hojas que la primavera despierta, innumerables las ramas que tiemblan al alba; puedan o no amar los sauces, no hay momento en que no dancen.

Estos versos chinos del s. IX, que podrías pensar ingenuamente son una oda a la belleza de estos árboles, no están protagonizados por *Salix* —al menos, no del todo. Detrás de la imagen del sauce se esconde otra cosa, que no es otra que La Mujer Bella.

Cuna de la biodiversidad *Salix*-iana, China alberga 275 especies de *Salix* —casi 190 endémicas, es decir, que únicamente se encuentran allí—; por ello no es raro que se haya desarrollado un riquísimo corpus poético y literario alrededor de sus sauces (como el sauce llorón, *Salix babylonica**, o *S. matsudana*).

Desde tiempos remotos su belleza fue admirada y cultivada en los jardines de oficiales y emperadores, que podían retirarse a disfrutar de la vida bajo las ramas de estos árboles, símbolo de la primavera (asociaciones que

* Especie que nada tiene que ver con Babilonia; uno de los *hibakujumoku*, árboles que sufrieron el ataque atómico en Hiroshima (y rebrotaron para contarlo), es un sauce llorón.

llegarán a Japón, donde las yemas verdes de los sauces, *aoyagi*, simbolizan la vida nueva, renacida).

Sin embargo, *Salix* pronto se convirtió también en el emblema de la mujer bella, y aparece asociado o identificado con lo femenino en un sinfín de obras artísticas y literarias: abundan menciones a cinturas de sauce, cejas arqueadas como hojas de sauce... En tiempos de la dinastía T'ang (618-907), estos árboles se convierten prácticamente en el símbolo que identificaba a las cortesanas más hermosas de las capitales del momento, y en metáfora de la prostitución al hablar de hombres que frecuentaban las «calles de los sauces». Sus connotaciones románticas y eróticas aún perduran en expresiones como *mien-hua wo-liu* (literalmente, «dormir en las flores, acostarse entre sauces») que se traduce como «pasar la noche en un burdel».

Es curioso que la metáfora que equipara la cintura femenina a una vara de mimbre no se dé solo en China, sino también, por ejemplo, en las canciones populares de varios pueblos de la península ibérica, como este fragmento burgalés:

> Al pasar el río, madre,
> me agarré de una mimbrera,
> mejor me hubiera agarrado
> de una mocita soltera.

Parece que la vara flexible que se trenza, se curva y abraza, es emblema de lo femenino tanto en Oriente como en Occidente. Y cabe suponer que tal vez la especial relación que guardan los sauces con las aguas también ha podido contribuir con su granito de arena...

Las aguas, elemento tradicionalmente ligado a la esfera femenina, participan del mismo carácter dual y ambivalente que podemos atribuir a «La Naturaleza».

Por un lado, las necesitamos desesperadamente para vivir, y no ha habido civilización que no haya buscado ríos a cuya orilla establecerse. Por otro lado, las aguas no son siempre mansas, o cómodas, aun sin considerar el riesgo de inundaciones o riadas: pantanos, humedales y charcas no solo son un hervidero de biodiversidad, sino también de potenciales enfermedades cuya importancia histórica conviene no subestimar. La malaria no es una broma, y hasta hace muy poco causaba estragos en el Mediterráneo y más allá.

Si nos ponemos en la piel de un campesino del siglo pasado, que asociaba la presencia de aguas estancadas a la aparición de fiebres, resulta comprensible que sus ojos se fijasen en plantas como los sauces (que no solo viven, sino que prosperan de maravilla en este tipo de ambiente «malsano» y febril), y pensase que aquellos árboles y arbustos debían de conocer algún secreto para apañárselas tan bien.

Aunque si pasamos este razonamiento por el cedazo de la lógica científica vemos que contiene más piedra que harina, lo cierto es que sí acertó en sus conclusiones. Los sauces sintetizan, efectivamente, compuestos como la *salicina*, cuyo derivado más famoso es el ácido acetilsalicílico de nuestras aspirinas (que toman nombre de otra planta distinta de los sauces que también sintetiza salicina, la *Spiraea*), y estas moléculas tienen efecto antiinflamatorio y antipirético* en humanos.

Este descubrimiento no es algo exclusivamente occidental ni mucho menos: en China también se empleaban los sauces contra las fiebres, igual que las hojas de *Salix humboldtiana* en Hispanoamérica (uso que consta, por ejemplo, entre los guaraníes del Chaco boliviano).

Pero ¿de qué le sirve a la planta?

Porque de algo le tiene que servir, y más aún teniendo en cuenta que estas moléculas son prácticamente omnipresentes en las habitantes del reino vegetal (si bien no a los niveles de los sauces), a pesar de que las plantas no tienen fiebre ni tampoco padecen de reúma. Así pues, ¿de qué le sirve una aspirina a un sauce?

Curiosamente, por lo visto también ayuda a la planta a protegerse y vivir mejor: el ácido salicílico —y derivados— actúa como una señal que moviliza y regula las respuestas de defensa vegetal cuando la pobre tiene que enfrentarse a patógenos, y se considera una pieza clave para que la planta desarrolle una mayor resistencia ante futuros ataques (lo que se conoce como «Resistencia sistémica adquirida»). No obstante, el ácido salicílico también puede ayudar a afrontar otras situaciones de estrés vegetal,

* Que bajan la fiebre.

como pueda ser una sequía o un suelo cargado de metales pesados que no le terminen de sentar bien al sauce en cuestión; de hecho, la habilidad de *Salix* para funcionar como pequeñas aspiradoras de metales, que acumulan en sus tejidos, es un superpoder que estamos aprovechando precisamente como instrumento de biorremediación para sanear terrenos contaminados.

> Hay sauces en esta tierra de dos maneras, los unos hay que son más bastos, llámanlos *uexotl* o *auexotl* o *miccaauexotl*.
>
> Hay también otros sauces, que son más preciados que los ya dichos, y llámanse [...] *quetzaluexotl*: tienen la hoja menuda, y muy verde, y las ramas derechas, y la madera recia y correosa.
>
> — Fray Bernardino de Sahagún, *Historia general de las cosas de Nueva España* (1569).

Existen sauces de ramas caídas, y sauces cuya silueta se yergue hacia el cielo con prestancia; este es el caso de una de las especies mesoamericanas más paradigmáticas: *Salix bonplandiana*.

Su nombre científico honra al botánico francés Aimé Bonpland, compañero de aventuras de Alexander von Humboldt y persona que describió científicamente esta especie. En México, sin embargo, se conoce con el nombre de ahuejote (que se cree derivado de los términos náhuatl para referirse al agua, *atl*, y a los sauces, *huexotl*).

Este sauce enraíza entre el sur de EE.UU. y Guatemala, y no solo forma parte importante de la botica mexicana tradicional para combatir las fiebres, sino que tiene un modesto papel en festividades como el día de la Santa Cruz, cuando se emplea para confeccionar cruces sagradas en algunos barrios de Ciudad de México, como Xochimilco.

La historia entre *Salix bonplandiana* y Xochimilco tiene raíces profundas, pues es este uno de los pocos lugares donde aún sobreviven vestigios vivos de un sistema agrícola muy particular que se desarrolló en la Mesoamérica precolombina: las chinampas.

Estos «jardines y huertos flotantes de los aztecas» (imagen tan romántica como equívoca, dada su nula flotabilidad) son entornos altamente productivos, parcelas de tierra elevadas que se establecen en terreno pantanoso y se afianzan añadiendo y compactando el sustrato. Los bordes de una chinampa, al estar en contacto constante con el agua de la laguna, son especialmente vulnerables a la erosión; y para lograr estabilizarlos se alistaron a varios árboles, como el aile (un **aliso**, *Alnus firmifolia*) o incluso el tejocote (*Crataegus mexicana*, hermano del **acerolo** europeo). No obstante, el más importante de todos ellos es el ahuejote, que prende con pasmosa facilidad al plantar una vara en el suelo, y con sus raíces de sauce ancla la chinampa y actúa de malla de contención de tierra, impidiendo que se la lleve el agua.

Sin embargo, no es esta la única función que cumplen en los ecosistemas chinamperos, pues también proporciona combustible, así como material de construcción e incluso varas «mimbreras», para hacer utensilios como cestos y canastos.

No sorprende que en Xochimilco se diga que por él «suben y bajan los espíritus».

Si bien los ahuejotes han sido una parte crucial de este sistema durante los últimos siglos, cabe la posibilidad de que sean una incorporación relativamente reciente, cuando el nivel del agua descendió y aumentó el riesgo de desintegración de los bordes chinamperos. El sistema radicular de los ahuejotes es excelente para retención de suelo, siendo capaces de mantener la integridad de estas orillas allá donde otros árboles no lo logran. De hecho, se ha producido una severa degradación en áreas donde se plantaron **eucaliptos** o casuarinas (*Casuarina equisetifolia*) en lugar de ahuejotes, y de ahí que existan iniciativas para promover la plantación de este *Salix*, rescatando y mejorando los sistemas para reproducirlos.

En Ciudad de México hay unas 21.000 chinampas; de todas ellas, solo unas 2.000 están activas.

Más allá de la idea romántica del jardín flotante, el paisaje chinampero es un sistema de producción tremendamente ingenioso, que forma parte del Patrimonio Agrícola Mundial, y que sigue resistiendo, si bien a duras penas, las andanadas de los males modernos más clásicos: desarrollo urbano o una calidad de aguas bastante mala. Y ahí están los ahuejotes, resistiendo en primera línea y defendiendo sus huertos agarrados al terreno. Generosos como pocos, tanto de raíz como de rama.

Desde aquí les deseo larga vida a los ahuejotes, y larga vida a las chinampas y las personas que cuidan de ellas.

Hace unos cuantos otoños, paseando por las callejuelas empedradas de un pueblecito en las montañas nos tropezamos con un artesano que tenía expuestos un montón de objetos de **espadaña** y de mimbre. Lámparas, cestos, marcos de espejo... al final nos llevamos una pequeña cornucopia de mimbre, que hoy está colgada en la pared y llena de ramas secas. Al cabo de unos meses, se le sumó una preciosa cesta de mimbre y tiras de caña.

Ahora nunca voy a recoger naranjas en bolsa: es infinitamente más satisfactorio ir llenando la cesta, y escuchar los pequeños suspiros y murmullos del mimbre haciéndote compañía a medida que vas cargándola. Pienso que si no sostenemos y abrazamos los saberes artesanos como los sauces convertidos en cestos abrazan la fruta madura... nos quedaremos sin ellos.

Y sería una verdadera pena.

VIII
Campiñas crepusculares

Como un faro celeste inmóvil, la luz de la estrella vespertina —que no es estrella, sino planeta— acompaña nuestros pasos a cielo abierto, de nuevo entre los campos de cereal. Con una mezcla de alegría y nostalgia, a nuestras espaldas quedan los mundos de aventura y misterio, y nos adentramos, poco a poco, en lo familiar.

Un crepúsculo claro de arrebol y malva ilumina los bordes del camino, donde la flora arvense local acoge a refugiadas *huyendo* de campos «limpios», o a viajeras de otros lugares, cuyas semillas han llegado montadas en el estómago, el pelaje o los pantalones de algún animal de paso.

El zumbido de los insectos nocturnos se despierta como una marea lenta e imparable. Las sombras se alargan; los sonidos se multiplican.

El sendero que tan bien creíamos conocer a la luz del sol aparece distinto, extraño.

Y para recorrer sus recovecos crepusculares, tres plantas conocidas, familiares, pero que a la luz tenue de la luna revelan secretos inesperados:

La planta de la gracia y el miedo, de la magia y el arrepentimiento;

La planta de la amargura y el arte, de las fiebres y las madres;

La planta de las heridas y la sangre, de los sueños y los oráculos.

De flor en flor y de rama en rama, veamos a dónde nos lleva el hilo verde de sus historias...

22

Cómo espantar brujas y serpientes rudamente: *Ruta* sp.

Si te la presento guardando las distancias de seguridad, quizás te olvides de su aspecto discreto; pero si te invito a que la acaricies y te lleves los dedos a la nariz… la memoria se aferrará al recuerdo de esta inconfundible habitante de campos y jardines.

Defensora, protectora, ahuyentadora de males; hierba de brujas, secreto de mujeres, remedio a medio camino entre la magia y la medicina, pocas plantas tan humildes gozan de tanto renombre. Pues la ruda «es yerua conocida», como la describe Sebastián de Covarrubias en su *Tesoro de la lengua castellana* (1611), y ya entonces por «ser a todos tan común decimos de alguna persona ser más conocida que la ruda».

Pese a que hablamos de ella en singular, en realidad deberíamos referirnos a «las rudas», pues hay varias especies a tener en cuenta, todas del género *Ruta*. Todas de un color verdiazul, todas con flores amarillas, generalmente de cuatro pétalos en cruz.

La firma de identidad de una ruda es su peculiar olor: dicho finamente, las rudas huelen fuerte, y huelen más bien mal; de hecho, la especie más cultivada en Europa, *Ruta graveolens,* lleva en su nombre una referencia (*grave olens*) a su aroma.

Esta característica quizás nos parezca hoy una minucia sin importancia, pero en realidad se trata de un rasgo culturalmente muy importante a lo largo de la historia, y no solo cuando los olores tienen connotaciones positivas (como en el caso de las **violetas**), sino también ambivalentes o negativas. Sirva como ejemplo el caso de las mujeres de Lemnos, isla que se cruza en la ruta de los Argonautas en busca del vellocino de oro, cuya población femenina se ve aquejada por una maldición: desprenden un olor tan terrible que no hay hombre que quiera tocarlas. Y una versión del mito atribuye esta maldición a Medea —personaje que ya ha aparecido antes, blandiendo una ramita de **enebro**—. Llevada por los celos (y para asegurarse de que su pareja no tuviese tentaciones al ver a según qué bellezones por allá, supongo), habría lanzado a las mujeres de Lemnos un filtro: una ramita de ruda, que las habría transformado en apestadas.

Pero los olores fuertes y con carácter, como los de *Ruta*, también pueden ser una bendición: además de salvarte de conversaciones de compromiso más o menos aburridas, podían espantar males naturales (¿según qué maridos, quizás?), e incluso sobrenaturales, como brujas, vampiros & cía.

En el caso de la ruda, su olor —y, asociado a éste, su sabor también— se consideraba un estupendo espantador del mal natural más temido en la antigüedad: las serpientes —y, por extensión, un remedio antiveneno a prueba de bombas. De hecho, una de las cosas que mejor recuerdo de mi primer libro, *La invención del reino vegetal*, es la receta de Plinio el Viejo, romano enciclopédico donde los haya, para salvar el pellejo de cualquier intento de envenenamiento (HN 23.77):

> Tras la derrota de aquel gran monarca, Mitrídates, Cneius Pompeius halló [...] una receta para un antídoto escrita de su puño y letra; y decía así: — Toma dos nueces secas, dos higos, y veinte hojas de ruda; machácalas con un pellizco de sal. La persona que tome esta mezcla en ayunas, será inmune a cualquier veneno durante aquel día.

Y resulta cuando menos curioso que en la antigüedad romana, una sociedad donde precisamente existía una cierta paranoia —más o menos justificada— con los envenenamientos, se pusiese de moda emplear ruda como condimento en las comidas... Cierto: tiene también propiedades digestivas, pero no me sorprendería que su fama alexitérica (es decir, capaz de contrarrestar envenenamientos) también fuese un incentivo interesante para su consumo. Ahora bien: incluso entonces todos aconsejaban vivamente no exagerar en las cantidades, por razones que, como veremos más adelante, responden a motivos tanto gastronómicos —pues la ruda sabe amarga— como medicinales.

Al menos desde tiempos de Plinio el Viejo, en Occidente la creencia en la enemistad entre rudas y serpientes se embelleció añadiendo a un tercer participante: las comadrejas. Así lo explica, por ejemplo, el texto de 1613 escrito por Francisco Vélez de Arciniega, *Historia de los animales mas recebidos en el uso de medicina* [...]:

> La comadreja es una bestia muy dañosa, y también es dañosa la serpiente, mas cuando la comadreja ha de pelear con ella, cierto es que come primero ruda, y luego con grande confianza va a la batalla, como si fuera cubierta con armas. Y es la razón el olor de la ruda, que es pernicioso para las serpientes. Isidoro dice, que mata también los basiliscos, y que huyen en viéndola.

A día de hoy, no constan estudios que pongan a prueba el supuesto poder alexitérico de la ruda, o que hayan investigado de modo sistemático la antipatía de las serpientes hacia esta planta. Huelga decir que a las comadrejas nadie les ha pedido opinión, y a los basiliscos, menos.

Si uno lo piensa, es una lástima que nadie se lo contase a J. K. Rowling; hubiese estado genial darle un brote de ruda a Harry en la Cámara de los Secretos, en lugar de tanto fénix y tanta mandrágora*... Quien sí lo recoge al pie de la letra es el naturalista y escritor Gerald Durrell en su novela juvenil *El paquete parlante*, ¡y con comadrejas y todo!

La ruda ha demostrado mayor eficacia para tratar con animales que quizás sean menos imponentes que sierpes o basiliscos, pero también mucho más engorrosos y comunes: es el caso de numerosos insectos, como los

* ... cuyas propiedades reales no tienen nada que ver con romper parálisis inducidas por basiliscos. Al contrario, provocan efectos opuestos, siendo parientes de las *Brugmansia* de las que hablábamos en el capítulo 2.

temidos piojos, pulgas, mosquitos, los ácaros de la sarna, etc. Ello ha quedado reflejado en varios de sus nombres comunes, como *hierba piojera*. Una infusión de ruda podía emplearse para desparasitar un establo o para lavar heridas —tanto de seres humanos como animales— para evitar su infección.

Sin embargo, la fama medicinal de la ruda ha estado, sobre todo, ligada a sus efectos sobre el aparato reproductor femenino: es hierba de mujeres, que pertenece al mundo de los ciclos lunares y la sangre menstrual. Pues las rudas de poderes emenagogos tienen la habilidad de *hacer fluir*, *activar*, *remover* y *expulsar*: provocan la menstruación, desatan el parto, expulsan la placenta... Si la empleas durante un embarazo, lo que fluirá será el feto —y, si no vas con cuidado, también la vida de la madre se escurrirá con él. De hecho, aunque estas plantas no estaban presentes en América antes de la llegada de los colonos europeos, la ruda (sobre todo *R. chalepensis*, de pétalos cuyos bordes se deshilachan en finas lacinias) es hoy común en muchos huertos y boticas hispanoamericanas, y es la más empleada para provocar abortos caseros, con consecuencias a menudo poco placenteras.

Porque la ruda no solo aleja los venenos: puede ser, ella misma, un veneno, y por ello está desaconsejado su empleo interno como planta medicinal, en plan «vamos a prepararnos una infusión a las bravas y a ver qué pasa...».

Su empleo como amuleto protector externo, en cambio, está exento de contraindicaciones médicas, y tiene una larga tradición en buena parte del ámbito mediterráneo. Recordemos que la ruda no espanta únicamente males naturales, sino también sobrenaturales, y aunque no sea frecuente tropezarse con basiliscos al ir a hacer la compra, las miradas envidiosas de las vecinas tampoco son del todo inocuas; eso dicen, al menos, quienes creen en el mal de ojo. Antiguamente (y no tan antiguamente), en muchos lugares los aojamientos, los embrujos y los espíritus malos que se te colaban en casa para arruinarte la vida o la salud se consideraban peligros tan reales como los rayos o las serpientes; y, si a las comadrejas les servía la ruda como armadura... ¿por qué no a los humanos? De ahí que podamos encontrar ramitas o cruces de ruda colgadas en puertas de casas y establos para ahuyentar enfermedades y rayos en los Pirineos; o que en algunas regiones de Italia se considerase (y se considere aún hoy) una defensa efectiva contra el mal de ojo.

Pese a que la ruda no es ni de lejos la única planta que aparece en rituales y objetos apotropaicos (pensados para proteger al portador de males «sobrenaturales»), sí es una de las más frecuentes en tierras ibéricas. Desde allí, plantas y creencias viajaron a las Américas, donde el uso de la ruda para tratar problemas de índole sobrenatural sigue plenamente vigente. La mata de ruda se cultiva en casas y negocios para atraer la buena suerte y ahuyentar malas energías o aojamientos («mal de ojo») —p. ej., en Colombia, en Ecuador, Brasil o entre los aymara chilenos, por dar unos cuantos ejemplos—, pero además se venden en mercados no solo por sus empleos medicinales (digestivos, emenagogos, etc.), sino para tratar afecciones como el susto o espanto, el mal aire, etc.

¿Enfermar de miedo?
El susto como dolencia
en las concepciones médicas tradicionales

Sustos y espantos son, en Europa, estados de ánimo pasajeros que, si bien en ocasiones pueden dejar huellas profundas, no se creen capaces de afectar a nuestra salud.

En Hispanoamérica, en cambio, un susto se ha concebido tradicionalmente como una afección más o menos grave, y que requiere la intervención pronta de especialistas en medicina (tradicional) pues, en el peor de los casos, podría conllevar la muerte.

¿Cómo se explica la raíz de esta dolencia?

Su nombre ya indica que se achaca a una «fuerte y repentina impresión, un episodio traumático que amenaza la integridad física y emocional del individuo» que provoca la «pérdida del alma». El trauma puede ser provocado por caídas, accidentes, desastres naturales o situaciones violentas, pero también por encuentros con animales peligrosos, entidades sobrenaturales, ¡o incluso por pesadillas!

¿Y si tu alma te abandona, muerta de miedo, qué le sucede a tu cuerpo?

Los síntomas atribuidos al susto son muchos y variados, pero es frecuente que entre ellos se mencione la apatía, debilidad general y pérdida del apetito, depresión, pesadillas, etc. No todas las personas se consideran igualmente sensibles a padecer susto (habrá almas más valientes que otras...); entre los colectivos más vulnerables se encuentran, por ejemplo, los niños y adolescentes, así como enfermos y convalecientes.

Vistas desde una perspectiva internacional, solemos llamar a estas afecciones «culturales» o «socioculturales», porque están definidas y diagnosticadas según parámetros que no son universales: están circunscritas únicamente a la cultura donde el sistema de creencias sobre la salud/enfermedad sostiene y justifica estas interpretaciones.

Las hay que están menos extendidas (el susto o espanto es típicamente americana), pero otras aparecen en un número mayor de culturas, como el mal de ojo. En este caso, los recién nacidos suelen considerarse especialmente vulnerables, y de ahí que aparezcan plantas consideradas protectoras en ritos alrededor del cuidado de los neonatos, como, por ejemplo, los baños con ruda. En algunas regiones de Guatemala, un niño que hubiese caído víctima del mal de ojo podía ser rescatado mediante friegas con un paño empapado en ruda. La ruda, según la concepción humoral vigente en muchos sistemas médicos tradicionales en Hispanoamérica, es hierba caliente, perfecta para combatir dolencias «frías» como el mal de ojo.

Otro aspecto lunar interesante de las rudas es que la tradición ibérica recomienda recogerla de noche. ¿Simple superstición sin fundamento?

En este caso, quizás no del todo. Las rudas sintetizan unos compuestos llamados *furanocumarinas*, que pueden provocar fotosensibilidad: en contacto con la piel, y posteriormente expuestos a la luz solar, pueden causar reacciones alérgicas, dermatitis, irritaciones, etc. Esta característica la comparte con otros miembros de su misma familia botánica (las rutáceas), como nuestros queridos y apreciados cítricos: la piel (lo que conocemos como *flavedo*) de muchos de ellos contienen aceites esenciales que también provocan reacciones de fotosensibilidad*; de ahí que embadurnarse con una crema que tenga aceite esencial de limón en cantidad, o frotarse ruda en la piel para ahuyentar mosquitos, y luego ponerse al sol... es una mala idea.

Existen entre 9 y 11 especies dentro del género *Ruta*; los dominios de algunas son pequeñitos (como la ruda corsa, *Ruta corsica*, que vive silvestre casi solo en Córcega), mientras que otras abarcan porciones de territorio más amplias.

En tierras ibéricas enraízan la ruda de huerto, *R. graveolens*; la ruda que mejor conozco yo, la *R. chalepensis*; y por fin tenemos a las dos rudas de hojas estrechas y aspecto más deshilachado, *R. angustifolia* y *R. montana*. De todas ellas, la que menos se emplea es *R. montana*, y —mira tú por dónde— es también la que parece tener mayor cantidad de furanocumarinas.

Aunque hemos tenido tendencia a emplear las distintas especies de forma intercambiable según se nos pusiesen a tiro, llamándolas a todas *ruda*, sus libros de recetas bioquímicas son ligeramente distintos entre ellos, así que sus propiedades no son idénticas.

Podrás también tropezarte con menciones a la *ruda siria* o alharma, pero ojo: se trata de una planta distinta, que pertenece a otra familia y tiene otras propiedades (aunque, curiosamente, en su nombre científico —*Peganum harmala*— figure la palabra con que los griegos designaban a las *Ruta*: *peganon*, una referencia a sus habilidades para estimular los flujos...). La alharma tiene una relación especial no solo con Siria, sino con toda el área cultural que va desde Irán hasta el Magreb, donde reviste una notable importancia medicinal y ritual; no obstante, no conviene confundirla ni juntarla con las rudas, por mucho que su nombre común la acerque a las hermanas *Ruta*.

* Estos problemas no se presentan con la ingesta, sino con la aplicación sobre la piel de estos compuestos.

Las rudas han viajado mucho, y se han llevado a cuestas numerosos usos, tradiciones y supersticiones consigo; sin embargo, también han protagonizado invenciones originales en algunos de los lugares donde aterrizaron, como es el caso de los países anglosajones. En aquellas tierras, el nombre de la ruda se transformó en *rue*, palabra que es también un verbo, *to rue*, que significa «sentir tristeza [por algo]», «arrepentirse»... pero arrepentirse *amargamente*[*].

Podríamos pensar que la planta amarga se convirtió en verbo amargado; sin embargo, parece que se trata de una feliz —o más bien amarga— coincidencia: a partir de dos raíces lingüísticas distintas se produjo una convergencia sensacional entre ambas palabras, en la que la planta y el tono emocional del verbo coinciden a la perfección, y se estableció un vínculo simbólico por resonancia lingüística. De ahí que, cuando aparecen los diccionarios de floriografía en el s. XIX, que pretenden codificar «los significados» de las flores, el significado simbólico que se le atribuyó a la ruda fuese, precisamente, «Arrepentimiento».

Y si el arrepentimiento es requisito necesario para el perdón, y el perdón ayuda a vivir en un estado de gracia, no sorprende que la Inglaterra isabelina de William Shakespeare conociese a la ruda como la «hierba de la gracia» (*herb of grace, herbe Grace*).

Hierba amarga de la gracia y del arrepentimiento; hierba mágica de mujeres, veneno ella misma y protección contra venenos. ¿Cuántos significados tiene la ruda del ramillete que sostiene Ofelia?

> *Here's rue for you; and here's some for me:*
> *we may call it herb-grace o' Sundays:*
> *O, you must wear your rue with a difference*[†].

—*Hamlet*, Acto IV, escena 5

* Dudo que sea una coincidencia que uno de los personajes de destino trágico en la popular trilogía de *Los Juegos del Hambre* se llame, precisamente, Rue...

† «He aquí ruda para ti, y un poco para mí: podemos llamarla hierba de la gracia de los domingos. Oh, debes llevar tu ruda con distinción.»

23

De diosas y hadas que cazan en verde: *Artemisia* sp.

El reino vegetal es una gran sinfonía de verdes, matices clorofílicos que se declinan de mil modos distintos. Hay plantas de verdes intensos, profundos, que resplandecen a la luz del día.

Otras, en cambio, parecen sorber rayos de luna y colorear sus hojas con una pátina de cenizas y plata que el ocaso resalta. Sus tonalidades despuntan al borde del camino que siguen nuestros pasos, y entre ellas se encuentran algunas de nuestras pálidas guías vespertinas: nos llevarán por senderos ambiguos, que discurren por el filo que separa la luz de la oscuridad.

La amargura, el dolor, la locura.

La amiga de las madres, la exterminadora de lombrices, la protectora contra las fiebres.

Al igual que la luna tiene dos caras, estas plantas tienen su aspecto luminoso y su lado oscuro. Hierbas medicinales a menudo no exentas de contraindicaciones, su amargor es sinsabor metafórico, pero también aliado de quien sabe emplearlas con cuidado.

Su nombre científico las asocia a una diosa de la que ya hemos hablado, una diosa poderosa y contradictoria, siendo a la vez virgen y patrona de los partos: se trata de Ártemis la cazadora, y sus plantas son las *Artemisia*, un grupo de más de 300 hermanas que viven esparcidas en todos los continentes, salvo en Oceanía.

De todas ellas, lugar de honor merece una de las *Artemisia* más famosas en Occidente: *A. absinthium*, la desprovista de dulzura, la amargura hecha planta... también conocida como ajenjo.

El ajenjo es una planta herbácea de hojas divididas en segmentos estrechos, cenicientas, pues tanto sus tallos como sus hojas están cubiertas de vellosidad blanquecina. En verano me encanta verla sacar sus pequeñas flores amarillas, agrupadas en botoncillos que se disponen en los extremos superiores de los tallos.

Se trata, también, de la planta que produce una de las sustancias más amargas conocidas en el reino vegetal, la absintina, cuyo amargor ha trascendido la esfera del sabor y se ha colado en nuestra imaginación metafórica colectiva. Al igual que otras plantas del Club Amarguísimas, como la adelfa (*Nerium oleander*) o la tuera (*Citrullus colocynthis*), el ajenjo aparece en prosa y en verso como el súmmum de la tristeza o el sufrimiento:

> Detente un rato, ¡oh copa de dolores!,
> Que tu ajenjo ha llenado ya mis venas...

La amargura es una característica recurrente en el reino vegetal, y a veces podemos encontrar a plantas amargas distintas usadas de forma parecida; un ejemplo de este fenómeno se da en el caso de las artemisas y las **rudas** que protagonizaron el anterior capítulo.

Para empezar, ambos géneros botánicos tienen usos insecticidas: varias *Artemisia* —p. ej., el ajenjo, pero también otras hermanas suyas como la artemisa vulgar, *A. vulgaris*, o el abrótano macho, *A. abrotanum*— han sido nuestros aliados contra bichos varios, como pulgas o piojos.

Otro empleo compartido, típico de muchas plantas con principios amargos, las ve como hierbas aperitivas y digestivas; sin embargo, quizás el uso medicinal más importante nos lo revela el mismo nombre de las *Artemisia*, siendo Ártemis la diosa de los partos: las hermanas del género *Artemisia* han sido conocidas como hierbas de mujeres, indispensables aliadas en la regulación de los ciclos femeninos. Al igual que las rudas o algunos *Juniperus*, son estas plantas potentes, emenagogas y, por tanto, también abortivas según la dosis y el momento en que se emplee.

Su sabor amargo, además, se empleaba para destetar a los bebés; para ello, la madre se untaba el pezón con algún ungüento amargado con *Artemisia* (según parece, el sabor basta para convencer a cualquiera de que es mejor probar métodos alternativos para comer).

Curiosamente, existe al menos una especie, de escaso o nulo amargor, que se emplea como condimento: se trata de *Artemisia dracunculus*, cuyo dracónico nombre científico esconde al estragón, sabor típico de tradiciones gastronómicas como la francesa (pero que también interviene en las cocinas de pueblos indígenas americanos como los hopi o los gosiute, dado que *A. dracunculus* vive a ambos lados del Atlántico).

También *A. vulgaris* se emplea en cocina por su aroma, pero ella no renuncia por completo a la amargura propia de su género, que permanece en el paladar como un eco...

Varias hermanas del género *Artemisia* tienen otros usos medicinales muy interesantes, y aún hoy extremadamente relevantes: más allá de su capacidad para ahuyentar mosquitos —que un poco parecen tener—, algunas artemisas han sido empleadas para combatir fiebres maláricas (y no maláricas también). De hecho, una de las principales moléculas actualmente en uso para combatir la malaria, conocida como *artemisina*, se aisló en una artemisa china, *Artemisia annua*. La descubridora de este compuesto fue galardonada con el Nobel de medicina por ello (si bien *A. annua* era, junto con otras *Artemisia*, hierba de uso milenario en medicina tradicional para tratar «fiebres calientes y frías»; hoy se emplean directamente los extractos purificados de artemisina).

La malaria es una enfermedad curiosa y algo complicada, porque no está causada por un virus (conque no puedes desarrollar una vacuna para desarrollar inmunidad), ni tampoco por una bacteria (de ahí que los antibióticos no sirvan absolutamente de nada).

Los responsables de la malaria son un grupo de protozoos del género *Plasmodium*; los dos más relevantes son *P. falciparum*, y *P. vivax*. El primero es más virulento, y el que causa más muertes en todo el mundo; el segundo, en cambio, suele dejar vivir a sus hospedadores durante mucho más tiempo, convirtiéndose en enfermedad crónica. Los dos, eso sí, actúan de forma parecida: se sirven de mosquitos para infectar a sus víctimas y, una vez dentro del torrente sanguíneo, se infiltran dentro de los eritrocitos*, y allí se reproducen a lo grande. Cada tantos días, los eritrocitos infectados —que son una cuna, un hervidero de nuevos *Plasmodium*— explotan para dejar salir al ejército de protozoos recién nacidos, que infectarán a otros glóbulos rojos... y así, suma y sigue.

Como puedes imaginar, eso te deja con una anemia galopante (te están destrozando la sangre, literalmente); y, por si ello no fuese suficiente, te provoca unas fiebres tremendas cada vez que estallan los glóbulos rojos, en sincronización perfecta: cada tres días o cada cuatro, según la especie. Por eso estas dolencias se conocían antiguamente como *fiebres tercianas* o *fiebres cuartanas*. En ocasiones sucede que el plasmodio se enquista en el bazo: los síntomas remiten un poco, pero la enfermedad no desaparece, y el bazo se engrosa como respuesta a la invasión.

Dado que los *Plasmodium* dependen de los mosquitos para instalarse en nuestro riego sanguíneo, allá donde abunden mosquitos, aumenta la probabilidad de que haya malaria... y a los mosquitos les encantan las aguas: de ahí que en muchas zonas de clima cálido y con humedales —naturales o agrícolas, como arrozales— la malaria fuese una enfermedad prácticamente endémica.

(Y de ahí que durante mucho tiempo hayamos luchado por desecar esos «ambientes malsanos» que tanto gustan a los **sauces**, empleando especies como los **eucaliptos** para lograrlo.)

La condición endémica de la malaria en determinadas regiones del mundo tiene numerosas y fascinantes ramificaciones genéticas, pero aquí nos limitaremos a comentar que, aunque no todas las *Artemisia* sintetizan artemisina, lo cierto es que muchas han sido alistadas para tratar condiciones maláricas (incluso cuando la quinina venida de las Américas —que durante mucho tiempo había sido el remedio por excelencia para combatir la malaria— no resultaba eficaz†).

* Los glóbulos rojos de la sangre, que transportan el oxígeno, CO_2, etc.

† Ni siquiera tomada como agua tónica en un gin-tonic con gálbulos de enebro...

Aunque no me consta que la medicina alopática emplee preparados de ajenjo actualmente, estos fueron integrantes esenciales de los botiquines caseros del pasado, y existe una gran tradición de uso en zonas del levante español donde precisamente la malaria se encontraba a sus anchas, como las regiones de cultivo de arroz. Porque serán amargas, pero a veces un trago amargo puede salvarte la vida.

> En el quinto día del quinto mes... se recoge artemisa y se emplea para confeccionar muñecas que se cuelgan en las puertas, para ahuyentar los aires venenosos.

Según el calendario chino, el quinto mes es un periodo aciago, que trae con frecuencia desdichas y calamidades, enfermedades y desastres naturales; por ello, deben redoblarse las protecciones contra la mala suerte, y en primera línea tenemos a plantas aromáticas como *Acorus calamus* o las *Artemisia* (que quizás no ahuyentasen a «aires venenosos», pero probablemente a algún que otro insecto, sí).

El aroma de estas plantas no solo se aprovecha en fresco: tenemos indicios de que estas plantas se usaban como incienso en tiempos antiguos, y la conexión entre la salud, el aroma y las *Artemisia* aparece en una terapia muy particular que se desarrolla en China: la moxibustión.

Esta técnica forma parte de la medicina china tradicional, y prevé la aplicación de calor (directo o indirecto) en determinados puntos del cuerpo para promover la circulación del qi y de la sangre, según la concepción de la salud y la enfermedad en este sistema. Lo curioso es que el calor se aplica quemando bastoncillos o conos de *moxa*, palabra que proviene del japonés *mogusa* (艾) y que corresponde a *Artemisia* (en Japón, sobre todo *A. princeps*; en China aparecen más frecuentemente mencionadas *A. argyi* y *A. vulgaris*). A partir de planta seca y convenientemente preparada, se preparan los susodichos bastones en forma de cigarro o conos, que al arder liberan humo aromático, elemento considerado tradicionalmente como parte de la terapia.

Pero la quema de *Artemisia* no es fenómeno oriental ni mucho menos; al otro lado del Atlántico, son numerosas las especies empleadas en sahumerios. Sirva de ejemplo *A. californica*, que —entre otras muchas cosas—

se usa como incienso ceremonial: entre los luiseños (payomkawichum), esta planta, junto con la salvia blanca (probablemente *Salvia apiana*), se quemaban en una hoguera antes de una cacería. Los cazadores creían que el fuego y el humo los absolverían de cualquier falta que hubiesen cometido en el grupo, y que les hubiese podido traer mala suerte.

Otras *Artemisia* se quemaban para ahuyentar mosquitos, o como desodorante: entre los pies negros americanos (cuyo nombre se dice deriva del color oscuro de sus mocasines), las hojas de *A. ludoviciana* se colocaban en el calzado para combatir el mal olor.

Quizás sea esta última la especie de *Artemisia* del Nuevo Mundo que más interesante me resulta, sobre todo si nos fijamos en una variedad mesoamericana (*A. ludoviciana* subsp. *mexicana*; hasta hace relativamente poco se clasificaba como *A. mexicana*), conocida como *ajenjo del país*, *estafiate* o *iztauhyatl*.

Al igual que las artemisas europeas, esta especie también tiene una conexión con la divinidad, pero allá donde Ártemis nos habla de la esfera femenina, el estafiate es una de las hierbas de Tlaloc y las divinidades del agua del panteón azteca.

Como buena *Artemisia*, el estafiate tiene un sabor extremadamente amargo, y se le reconocía un empleo ritual en varias festividades y sacrificios asociados a las aguas. Por ejemplo, sabemos que se confeccionaban guirnaldas con ella, y que las mujeres que hacían la sal las llevaban en la cabeza durante la fiesta dedicada a Huixtocihuatl (supuesta hermana mayor de los dioses de la lluvia). Sabemos también que seguían empleándose, al menos durante el s. XX, en «ceremonias de limpieza» y sanación por parte de doctoras-curanderas, para tratar dolencias curiosas a ojos de la medicina alopática (como «chupar las enfermedades de niños que padecían dolores de pecho»).

Pero la principal utilidad del estafiate era —y sigue siendo, creo— como vermicida, para eliminar las lombrices intestinales, un empleo que también han tenido los ajenjos eurasiáticos: no es del todo casualidad que el nombre inglés para hablar de *Artemisia absinthium* sea *wormwood*, literalmente «madera de gusano*».

* Sería una etimología falsa, pero que resulta harto elocuente.

Y en parte debemos a esta utilidad del ajenjo como antihelmíntico el ascenso meteórico de una bebida muy peculiar...

❧

En 1888, en el norte de Francia, un joven artista holandés con serios problemas de salud y una larga retahíla de adicciones igualmente serias se cortó una oreja.

Moriría dos años después, antes de haber cumplido los 40 y dejando a su muerte una ingente producción artística de más de 2.000 obras, que han fascinado al mundo del arte desde entonces (o casi). Su figura ejemplifica la idea romántica del artista torturado y medio loco, cuya obra creativa está íntimamente ligada a su vida trágica.

Se trata de Vincent Van Gogh, y quizás hayas oído hablar de uno de sus vicios más famosos: la absenta, un destilado alcohólico de alta graduación al que se le atribuyeron, si no todos, *casi* todos los males de la Francia del *fin de siècle* y principios del s. XX.

Primero conviene aclarar que la adición de ajenjo a bebidas alcohólicas fue (y sigue siendo, hasta cierto punto) una práctica muy extendida en toda Europa; en tiempos pretéritos se empleaba incluso para darle un toque amargo —*muy* amargo— a la cerveza.

En el caso concreto de las bebidas conocidas como *absentas*, existen muchas recetas históricas para prepararlas; pese a que sus ingredientes no eran siempre los mismos, sí tenían algunos puntos en común. Las absentas son bebidas anisadas, y por tanto solían incluir siempre anís (*Pimpinella anisum*), u otras hierbas con compuestos aromáticos similares (como el hinojo, *Foeniculum vulgare*) además de, por supuesto, la estrella del espectáculo: el ajenjo, *Artemisia absinthium*, que le dio nombre al brebaje. Sin embargo, no eran los únicos ingredientes ni mucho menos, y el buqué aromático admitía variaciones según el lugar y la época.

La absenta tiene una historia curiosa. El creador de la absenta «de masas» fue Pierre Ordinaire, un doctor francés afincado en Suiza, y la producción industrial empezó en 1797, poco después de la Revolución Francesa, primero en Suiza y luego en Francia; sin embargo, no alcanzó una popularidad inmediata, sino que fue un proceso que duró varias décadas. Entre los varios factores que influyeron en su creciente consumo figura, por un lado, la llegada de la filoxera, una enfermedad tremendamente virulenta que arrasó la mayor parte de los viñedos europeos y que, por tanto, hizo caer en picado la producción de vino, dejando el camino libre a otras bebidas alternativas. Por otro lado, la guerra que Francia luchó en Argelia a principios del s. XIX también pudo tener algo que ver, pues, como medida sanitaria para las tropas apostadas en África (para evitar, entre otras cosas, problemas de parásitos y lombrices intestinales)... ¡se les suministraron bebidas alcohólicas con ajenjo! Según cuentan, los soldados supervivientes se trajeron de vuelta a Francia la afición a estos preparados, cuya versión más refinada era, precisamente, la absenta.

Y, por una combinación de fama y oportunidad, esta terminó convirtiéndose en la bebida de la *vie bohème* del París más artístico y decadente, cuyo color verde clorofila le valió el apodo de «el hada verde», la *fée verte* (que hace su aparición, por ejemplo, en la película *Moulin Rouge*).

Surgieron toda una serie de rituales alrededor de su consumo, en parte debido a ese cambio de color que se produce al añadir agua a la absenta, un fenómeno que aparece en poemas dedicados a la bebida, como los siguientes versos del poeta victoriano Ernest Dowson:

> El verde se tornó blanco, la esmeralda ópalo; nada cambió.
> Contempló el hilo de agua cayendo suavemente dentro de su copa y, al nublarse el verde, una neblina se desvaneció en su mente.
> Entonces sorbió la bebida opalina.

El efecto «esmeralda convertida en ópalo» es debido a que varios componentes de los aceites esenciales disueltos en el alcohol se vuelven insolubles en agua, nublando la bebida, lo que se conoce en francés como *louchissement.*

Sin embargo, el consumo de absenta no estaba libre de controversias médicas. Por decirlo finamente, la salud —física y mental— de algunos bebedores habituales de absenta no era muy buena, y se llegó a la conclusión de que la culpable era esta bebida, llegando a prohibirse su producción y su venta a principios del s. XX en buena parte de Europa y en Estados Unidos (donde esta prohibición sigue en pie).

Entre los ingredientes de la receta «clásica» de la absenta del doctor Ordinaire se rumorea figuraban —además del ajenjo— anís, hisopo, un hermano cretense del orégano común (*Origanum dictamnus*) o toronjil, además de cantidades variables de coriandro, manzanilla, perejil y espinacas. Tenemos recetas históricas de absenta que detallan el proceso de preparación y destilación de la bebida, que se clasificaba en distintos grados según su calidad. Si excluimos los sucedáneos baratos, en el proceso no había una, sino dos destilaciones, y en ellas participaban dos *Artemisia* distintas: la primera que intervenía era *A. absinthium*, que se dejaba macerar en alcohol para luego destilarse. La segunda solía ser *A. pontica*, que se añadía al producto destilado junto con otras hierbas para proporcionarle su característico color verde clorofila.

Las principales moléculas que *Artemisia* puede conferir (como hada que es) a la absenta son dos: en primer lugar, la ya mencionada absintina, tan tremendamente amarga que somos capaces de detectarla a concentraciones muy bajas (1 gramo diluido ¡en 70 litros de bebida!). La segunda molécula es *l'enfant terrible*, la mala de la película: la tuyona.

A esta molécula característica del ajenjo (o de algunos ajenjos, pues no todos la contienen en igual cantidad) se le dio la culpa de muchos efectos nocivos atribuidos a la absenta en la *belle epoque*, desde crisis epilépticas hasta alucinaciones; no obstante, en los últimos tiempos parece que la cosa no está tan clara...

Eso no significa que esté exenta de peligros: no cabe duda de que beberte un vaso de tuyona te enviará al otro barrio (y lo mismo si se te ocurre tomar un chupito de aceite esencial de ajenjo, idea de bombero retirado donde las haya). Pero los análisis modernos nos llevan a pensar que, si no todas, quizás sí la mayoría de las absentas de la *belle époque* no contenían cantidades suficientes de tuyona como para cargarle el muerto médico a esta molécula. A ello debemos añadir una peculiaridad curiosa de la tuyona, pues es un compuesto que también producen otras plantas, como las tuyas (*Thuja* spp.; algunas se emplean como seto ornamental), o... la salvia común. La *Salvia officinalis* de toda la vida, aromática y comestible, tiene cantidades de tuyona superiores a las que presenta el ajenjo y, sin embargo, su toxicidad es prácticamente nula: «la alfa-tuyona* no parece

* La tuyona se presenta sobre todo bajo dos formas: α-tuyona y β-tuyona; la primera es más tóxica que la segunda.

tener el menor efecto nocivo al consumirse» en un extracto de salvia común, «potencialmente debido a los efectos contrarios de los otros componentes terpénicos» de la mezcla compleja.

Si la esencia (mala) de la *fée verte* es la tuyona, me fascina pensar que esta hada sigue guardando secretos sobre cómo obra su magia y su locura exactamente...

Pero eso no quiere decir que la absenta de la *belle époque* fuese inocua, ojo. Si te hubieses codeado con Picasso, Oscar Wilde o Henri Toulousse-Lautrec durante la hora verde para un vasito (o un vasazo, porque eran grandes) de absenta, yo hubiese preferido no bebérmelo, pero no por la tuyona precisamente: la cantidad de adulteraciones que podía llevar aquel brebaje pone los pelos de punta, desde alcohol de baja calidad y con posibles impurezas, hasta colorantes inorgánicos para lograr ese color verde característico. Pues si el verde original se debía a la clorofila, más adelante nos dimos cuenta de que tiene un inconveniente: se degrada con la luz y el tiempo; sin embargo, otros colorantes como el sulfato de cobre o el acetato de cobre, no. ¡Y qué más da que sean más o menos tóxicos, lo importante es que te quede un verde bonito!

Durante los últimos tiempos, en Europa se ha rehabilitado la fama de la absenta, y ha vuelto a permitirse su producción, pero aplicando estrictos controles para regular los niveles de compuestos como la tuyona —y, por supuesto, el uso de sustancias tóxicas está mucho más vigilado: por suerte la regulación impide (o dificulta mucho) que te cuelen en la copa colorantes venenosos. De ahí que tu vaso de absenta, consumida con moderación, podrá tener un punto de amargor, pero está libre de peligros.

Con todo, yo no le perdería ni un ápice de respeto a *Artemisia absinthium* y a sus brebajes de *fée verte* lunar; pues los espíritus verdes, ya lo decía Bécquer, no son totalmente de fiar...

24

Flor de herida y oráculo: *Achillea millefolium*

Se hace tarde; la oscuridad crece; el sendero continúa.

Cuando parece que el cansancio llena de piedras tus bolsillos, cuando el camino se hace interminable y cada paso te recuerda cada arañazo, ampolla o torcedura que has coleccionado a lo largo del día, ella te sale al encuentro. Una cara amiga, familiar, con sus corimbos blancos de fino encaje ruborizado que se cimbrean con la leve brisa vespertina. *Earr thalmhainn* la llamaban en gaélico: «la que viste la tierra».

Durante el invierno yo las veo cada día a la sombra de un **saúco**, de la que tratan denodadamente de escapar: están todo el día fugándose del parterre donde han querido colocarlas, invadiendo el camino y la tierra dura y pedregosa, como desafiando a los encargados del jardín, gritándoles «Ah, estás muy equivocado: yo no soy esa planta dócil y sumisa que se queda donde la colocan. Los caminos me llaman, y yo respondo a su reclamo. Yo soy de espíritu silvestre. Yo soy... milenrama.

❧

Milenrama es uno de los nombres comunes más conocidos de la hierba que la ciencia llama *Achillea** *millefolium*. Como puedes suponer, su nombre está inspirado en el héroe homérico por excelencia, Aquiles el de los pies ligeros (y que quizás recuerdes llevaba una lanza de **fresno**).

Al menos desde el s. I de nuestra era, entre los griegos se hablaba de una hierba *Akhilleios*, también conocida como *la hierba del soldado*, que «soldaba las heridas sangrientas y la inflamación», entre otras cosas; suponemos que la asociación con Aquiles es justamente debida a que este personaje es, en el imaginario colectivo, El Soldado por excelencia, y la propiedad medicinal que más útil le resulta a un soldado es la *vulneraria*: la capacidad de sanar heridas. Por eso no es casualidad que también se haya conocido a la milenrama como *hierba militar*, *hierba del carpintero*, y similares, ligada a oficios en las que existe un elevado riesgo de sufrir lesiones.

Este es uno de los empleos más extendidos de la milenrama, pero a veces las tradiciones de botica popular pueden resultar un poco confusas, al atribuirle a una misma planta efectos opuestos. En el caso de *Achillea*, siempre me llamaron la atención los rumores que corren sobre su relación con los sangrados nasales (quizás porque de pequeña nunca me sangraba la nariz, y me parecía que las hemorragias nasales debían de ser divertidas; hace tiempo que cambié de opinión). A la milenrama se le achacan poderes sobre estas hemorragias, un dato que no tendría nada raro, de no ser porque, según a quién le preguntes, sus efectos cambian: en algunos lugares es considerada una planta que *corta* las hemorragias nasales, y en otros, planta que las *provoca*.

En la península ibérica, por ejemplo, el uso popular nos la presenta como planta que corta el sangrado nasal, pero en otros países, como Francia o Inglaterra, hay constancia de rimas infantiles dedicadas a la milenrama pidiéndole que «haga fluir la sangre» (*«Petite herbe de la Saint-Jean, Fais-moi couler mon sang»*), o incluso breves fórmulas que parecen encantamientos amorosos (*«Yarroway, yarroway, bear a white blow, If my love loves me, my nose will bleed now»*; los últimos dos versos

* Pronunciado «aquilea», pues en latín, igual que en italiano, CH no se pronuncia a la española, sino como si fuese una K.

se traducen literalmente como «si mi amor me ama, mi nariz sangrará ahora»). Aparecen comentarios hablando de este efecto de la milenrama como una treta infantil para escaquearse de la escuela, un deseo que muchos podemos entender a la perfección. Lo que ya puede costar más es imaginar las hemorragias nasales como una especie de cura medicinal, concepción obsoleta que antaño era relativamente común: se creía que un buen sangrado nasal podía aliviarte en caso de sufrir dolores de cabeza o migraña, «descongestionando» los vasos sanguíneos.

Estas propiedades aparentemente contradictorias de la milenrama (al menos en lo tocante a sus efectos sobre el sistema circulatorio) no han pasado totalmente desapercibidas para la investigación etnobotánica; al parecer, *Achillea* regula las cuestiones sanguíneas a través de distintos mecanismos, y sus efectos pueden ser ambivalentes, cambiando en función de cómo la emplees.

Sea como fuere, machacar unas hojas de milenrama para aplicarlas en emplasto, o preparar una infusión para lavar una herida parece dar buenos resultados, libres de contraindicaciones.

En todo el hemisferio norte existen más de 130 especies dentro del género *Achillea*, primas de las **artemisas**, los **ajenjos** o los **girasoles** en de la familia de las compuestas. Se dice que su apodo de «milenrama» es debido a que reúnen sus flores en corimbos más o menos densos, dando la impresión de que hay mil florecillas de encaje en cada ramita. Hay que fijarse bien para caer en la cuenta de que cada una de esas florecitas es, en realidad, un pompón de flores aún más chiquitas, recogidas en una estructura que en botánica se conoce como *capítulo floral*. A diferencia de los enormes capítulos de los girasoles, la milenrama agrupa y distribuye a sus florecillas en distintas bandejitas, cada una con su pedúnculo que la conecta con el tallo principal. Por eso, en sentido estricto una margarita o una florecilla de milenrama no son una flor, sino un ramillete de flores.

Si bien las tonalidades naturales más frecuentes de estas flores están entre el blanco y el rosado o el amarillo (p. ej., en el agerato, *A. ageratum*), el mundo ornamental nos regala una gama mucho más amplia de colores, desde tonos terracota hasta rosados encendidos.

De todas las especies de *Achillea* que existen, la milenrama clásica es *A. millefolium*, la aquilea de las milhojas, un apodo que ya le daban los griegos (*khilióphylon*) o los romanos. Ello es debido al aspecto de sus hojillas alargadas, con la lámina foliar dividida una, dos e incluso tres veces, algo que le da un aspecto muy delicado, como si su sueño secreto fuese convertirse en plumón. En México uno de sus nombres comunes es, precisamente, *plumajillo*, y en náhuatl aparece como *tlatquequetztal*, «[pluma de] quetzal humilde».

Tanto las hojas como las flores se han empleado no solo para tratar cuestiones relacionadas con los flujos sanguíneos, sino también otras muchas dolencias, llegando a considerarse una especie de pequeña panacea, un curalotodo (o curalo-*casi*-todo), desde mordeduras de serpiente hasta problemas de piel, del sistema respiratorio, o trastornos digestivos.

Sin embargo, no la hemos usado únicamente como planta medicinal, sino también como especia, como saborizante. Si echas un vistazo a la farmacopea rusa (un entretenimiento tan válido y normal como cualquier otro), verás que en ella figura la milenrama: entre sus usos se incluye el empleo de sus hojas para dar un toque de sabor a ensaladas, así como a platos de carne o pescado. Las inflorescencias se añaden a sopas, y las sumidades floridas (la parte aérea de la planta en flor) se emplean como especia gastronómica, para dar sabor a licores, al *kvass*, a quesos, jaleas...

Pero no solo en Rusia están enamorados de la milenrama en la mesa y en el vaso: sabemos que *Achillea* se empleaba en bebidas fermentadas desde tiempos muy antiguos entre los pueblos nórdicos. Estos acostumbraban a preparar bebidas híbridas (*grog*) mezclando varios ingredientes —como miel, jugo de fruta, cereales, savia de **abedul**, o incluso vino importado— y dejándolos fermentar juntos; a este brebaje se le añadiría un buqué botánico para dar sabor y aroma, como, p. ej., gálbulos de **enebro**, mirto de turbera (*Myrica gale*) o milenrama. De hecho, estas dos últimas plantas formaban parte de las especies botánicas que en Europa componían lo que se conocía como *gruit*, o *grut*: una mezcla vegetal de plantas aromáticas y conservantes que se añadían a la cerveza, antes de que esta se convirtiese en «lupuleza» (es decir, antes de que el lúpulo —*Humulus lupulus*— se convirtiese en el principal o incluso *único* ingrediente botánico extra permitido en la mezcla). Estas prácticas perduraron en lugares como Islandia o Suecia hasta el s. XVIII, y las recetas de estos *gruit* no solo podían variar de localidad a localidad, sino que a menudo se consideraban más o menos secretas.

También pueden comerse las flores de milenrama fritas, como si fuesen buñuelos, y regadas con zumo de naranja y azúcar, una descripción apetitosa que intentaré probar cuando tenga mis propias milenramas, creciendo en algún jardín de prestado, o quizás la próxima vez que me las tropiece en el campo, sacando flor alrededor de una fecha un poco especial que ya ha salido a colación: la víspera de San Juan.

Al igual que otras plantas, como el saúco o la **artemisa**, la milenrama se ha considerado hierba sanjuanera, con fama de mágica en algunas regiones.

En Bulgaria, por ejemplo, se recolecta junto con otras plantas —como el cuajaleche (*Galium verum*) o el orégano (*Origanum vulgare*)— y se elaboran los *enyova kitka*: ramilletes que se ponen a secar y se guardan durante todo el año para curar enfermedades «serias y poco claras». En Polonia, en cambio, la milenrama suele aparecer en los ramos floridos que se bendicen durante la festividad de la Asunción de María el 15 de agosto (festividad que se conoce como *Matkę Boską Zielną*, o «María de las hierbas»). Estos ramos se emplean luego para sanar personas o al ganado, y suelen quemarse en forma de sahumerio para alejar enfermedades, ahuyentar las tormentas, etc.

Resulta curioso comprobar que si cruzamos el Atlántico y echamos un vistazo a cómo las tribus indígenas norteamericanas empleaban la milenrama, observamos que los potawatomi quemaban inflorescencias de *Achillea* en rituales de protección para personas en un estado comatoso, para mantener alejados a brujas y espíritus con malas intenciones, e incluso revivir a estos pacientes en coma. Los ojibwa también quemaban *Achillea*, colocando las flores encima de carbones encendidos, para propósitos rituales y medicinales.

En otras partes del mundo, en cambio, no hacía falta quemarla para que la milenrama te regalase algún tipo de efecto sobrenatural; si viajamos a la Inglaterra del s. XIX y nos atenemos a lo que dejaron por escrito algunos textos de la época, llama la atención el protagonismo que tiene

Achillea en determinadas formas de adivinación amorosas, como muestra el siguiente fragmento:

> La milenrama debe recogerse exactamente a primera hora de la mañana: coloca tres brotes en tu zapato o en tu guante, mientras recitas — Buenos días, buenos días, buena milenrama, y por tres veces buenos días te deseo; revélame, mañana antes de esta misma hora, quién será mi verdadero amor.
>
> Regresa a casa sin decir una palabra más, o romperá el encantamiento; coloca la milenrama bajo tu almohada, y te regalará una visión en sueños de la que podrás fiarte.

Algunos de estos «encantamientos» ingleses a menudo dicen explícitamente que la milenrama empleada para el conjuro debe crecer en un cementerio, en la tumba de alguien (a veces alguien del sexo opuesto al de la persona que quiere tener el sueño oracular).

Sin embargo, no han sido las islas británicas el lugar donde la milenrama ha tenido mayor relevancia como instrumento para leer el destino de la humanidad, sino una tierra mucho más al este, donde la adivinación se convirtió, desde muy, muy antiguo, en una disciplina muy compleja y de gran importancia en la vida de las personas: China.

La culpa de que yo me enterase del curioso papel de la milenrama en ciertas técnicas mánticas* chinas la tiene la varitología comparada (a saber: mi fascinación con los palos y palitos que han sido considerados mágicos o ritualmente importantes alrededor del mundo).

Al indagar sobre varitas en contextos rituales, inevitablemente salió la adivinación, pues lograr adivinar el porvenir es, al parecer, una preocupación muy común en muchas culturas humanas.

Nos fastidia muchísimo la incertidumbre, y nos inventaremos formas para intentar derrotarla a decenas, incluso a cientos, según la civilización que contemples; y justamente una de las culturas que más esfuerzo invierte en desarrollar técnicas para disipar las nieblas del futuro es la china. Tanto es así, que los primeros materiales escritos (confirmados) en China no son documentos contables o administrativos, sino de tipo oracular: son inscripciones, preguntas grabadas sobre huesos o caparazones de tortuga a

* Adivinatorias.

los que luego se aplicaba calor para agrietarlos, y la respuesta se leía según la forma y dirección de estas grietas... ¡y estamos hablando de hace más de 3.000 años!

Esta se considera la técnica de adivinación más antigua, pero la siguiente escoge como protagonista a nuestra planta estrella: la milenrama (*shi*).

En algún momento, alguien decidió cortar y preparar cinco decenas de tallos de milenrama para emplearlos como instrumento oracular. Y desde muy temprano se juntan con el texto de adivinación más famoso e importante de todos los tiempos en China: el *Yi Ching*, conocido como *Libro de las mutaciones* o del cambio.

> Los santos sabios de tiempos antiguos hicieron el Libro de las Mutaciones de este modo: para ayudar de manera misteriosa a las luminosas divinidades, inventaron el oráculo de los tallos de milenrama. Adjudicaron al Cielo el número tres y a la Tierra el número dos y calcularon de conformidad los números siguientes.
>
> —*I Ching*, sección Shuo Kua / Discusión de los trigramas

El *Libro de las mutaciones* se basa en la interpretación de una serie de figuras con sus correspondientes numéricos. La técnica, simplificando mucho, consiste en sacar series de números que luego convertirás en hexagramas cuyo significado podrás descifrar, libro en mano.

Ahora bien: ¿qué rayos pinta la milenrama en todo esto?

Es una buena pregunta.

Resulta que los palitos de milenrama pueden servir para «obtener» estas secuencias de números, mediante un proceso que no intentaré explicar, porque es complejo y no lo entiendo bien. Baste decir que funciona (lo de sacar secuencias numéricas; en las habilidades oraculares de *Achillea*, no me meto); tanto es así, que en 1999 este vínculo entre la milenrama y los números aleatorios inspiró y dio título a un algoritmo empleado en criptografía, y que al parecer viene incorporado de serie en sistemas operativos como el iOS: el algoritmo *Yarrow*, término inglés para la milenrama.

¿Pero por qué los chinos emplearon milenrama, y no cualquier otro material vegetal simbólicamente relevante, como bastoncillos de madera de azufaifo (*Ziziphus jujuba*) o de caqui (*Diospyros kaki*)?

La respuesta, si existe, está fuera de mi alcance (probablemente porque esté escrita en chino...).

Lo que sí puedo añadir es que la milenrama forma parte del botiquín tradicional chino, y aparece en tratados muy antiguos de plantas culturalmente relevantes; algunas fuentes indican que debe recogerse durante el quinto día del quinto mes, ponerse a secar y colgarse encima de la puerta a modo de defensa contra venenos (junto a las **artemisas** que ahuyentan los males de aquel mes aciago, supongo). Con todo, desconozco si se le atribuía algún poder especial que justificase su elección como material para palitos de adivinación.

No puedo ofrecer respuestas definitivas, pero sí alguna que otra propuesta curiosa: hay quien sugiere que quizás la milenrama llamó la atención en China por crecer encima de tumbas, y que por tanto le hubiesen podido atribuir una especial relación con los espíritus de los muertos —espíritus que poseían, de algún modo, la información sobre el futuro que los vivos codiciábamos.

Aquel verano la devolvieron a la tierra en un ataúd de roble, ataviada con su falda de cuerdas y su cinturón con placa de bronce; a sus pies depositaron bebida fermentada en un contenedor hecho de corteza de abedul. No había cumplido más de dieciocho inviernos.

Habrían de pasar 3.500 años antes de que se excavase su túmulo en Egtved, en la península de Jutlandia (Dinamarca). Cuando volvió a abrirse su tumba, en 1921, hallaron un brote florido de milenrama, colocado como un sello en el borde del ataúd, donde las dos mitades cierran su abrazo de roble.

Imposible saber si los pueblos que habitaban la Escandinavia de la Edad del Bronce atribuían poderes oraculares o místicos a la milenrama, si la creían relacionada con el Más allá, o capaz de acompañar el espíritu de una muchacha adonde quiera que vayan los espíritus cuando abandonan su cuerpo.

Podemos hallar trazas materiales, pocas, de *Achillea* en contextos arqueológicos; trazas escritas, también escasas, y que nunca reflejan toda la diversidad, toda la sabiduría, todas las formas en que los humanos entablamos relación con ellas. Mil vidas podríamos pasar recorriendo el océano de nuestra ignorancia y no llegaríamos a sus límites.

Hay historias que se han perdido, senderos que ya jamás podremos volver a pisar. Solo quedan trazas enigmáticas de savia seca, ecos de mundos pasados, atrapados como milenrama de verano entre los labios de un ataúd.

IX
Regreso

Bajo los primeros, tímidos parpadeos de las estrellas móviles, por fin se ven los altos cipreses bordeando el camino y la valla del huerto, y se escucha el croar de las ranas en la alberca.

En la oscuridad la mente intuye el emparrado que no ve, las calabazas vinateras y las alubias que trepan por los tutores, los renglones de pimientos y lechugas, los árboles de fruta o de sombra que orlan la vivienda. La noche es clara y amable, henchida de perfumes familiares —jazmín, rosas, azahar—.

Las bisagras de la verja anuncian con un chirrido nuestro regreso, y cuando la mirada se acostumbra y hiende las sombras que nos separan del umbral de la casa, el huerto parece un lugar mucho más interesante de lo que era antes de partir. De repente, entre las legumbres de escaso glamur encuentras a una hija de lobos que puede hablarte de las cumbres andinas; entre los limoneros y mandarinos divisas a un frutal de hesperidio perfumado, ancestral, por cuyas sendas podrías llegar hasta China y más allá.

Y el árbol de ramas ahítas de frutos secos como cuernos dulces que se mecen junto a tu ventana, cerca del acerolo, se revela más complejo y más precioso que el oro o los diamantes.

Porque la red de senderos de savia se expande hasta el infinito, y regresa al mismo lugar donde nace: el lindar mismo de cada puerta.

❧

25

Habas de lobo contra elfos e insectos: *Lupinus* sp.

¿Qué habrán hecho los altramuces para ser llamados «la más insustancial de todas las legumbres»?

Segundón de segundones, los altramuces raramente han salido bien parados en las jerarquías ficticias que creamos para encasillar a los alimentos. Son un apunte marginal en la Historia de la Agricultura, la gran historia oficial de nuestro noviazgo con las plantas domesticadas.

Tal vez porque los amargos en el vaso no nos parecen mal (véase el **ajenjo**), pero en el plato nos estorban más, y los altramuces son amargos a rabiar, un amargo tóxico del que hay que deshacerse si quieres comértelos en un potaje.

Sus flores como mariposas, papilionáceas, y simientes en vainas nos indican que se trata de una leguminosa, pariente de habas, frijoles, garbanzos, soja o lentejas.

Las legumbres raramente han tenido mucho atractivo social, a pesar de ser una base esencial de la dieta en muchísimas culturas. De hecho, en la gran mayoría de sociedades agrícolas los pilares de la dieta consistían, por una parte, en cosechas ricas en carbohidratos (ya fuesen cereales, como trigos o maíz, o bien órganos subterráneos de almacenamiento, como patatas y ñames). No obstante, a su lado veremos aparecer con regularidad a una o varias legumbres, que aportan proteínas en cantidades (y calidades) interesantes, y que ayudan a complementar los aportes nutricionales de cereales y verduras.

Con todo, nuestra imaginación colectiva ha otorgado el papel protagonista a los cereales, que aparecen siempre como los Batman de la película, mientras que las legumbres tienen que conformarse con ser Robin (si les llega).

Este papel de segundonas no es del todo casual; y es que, en general, las legumbres consienten que nos las comamos, pero un poco a regañadientes. No son conquistas fáciles, y aunque te las lleves al huerto, pueden tirarse siglos o incluso milenios haciéndose las duras, echando mano de sus conocimientos pocimísticos: porque las legumbres saben sintetizar un sinfín de compuestos indigestos o directamente tóxicos, y no renuncian a ellos así como así.

Los efectos que puede producir la ingesta de legumbres —como ventosidades o dolores de barriga— son más bien poco glamurosos, y si encima son amargas, como les pasa a los altramuces, aún peor.

Los altramuces llevan a los lobos en su nombre científico, porque los romanos (por algún motivo que no hemos aclarado del todo) los llamaron *Lupinus*, y se les quedó. Pero en español las conocemos bajo otros muchos nombres, como *alberjones*, *chochos* o *altramuces*.

Existen más de 600 especies de *Lupinus* en todo el mundo, pero las que nos hemos traído al huerto son principalmente cuatro: tres del área mediterránea, y una de las regiones andinas, que domesticamos de forma independiente hace muchos siglos. Estas leguminosas tienen un aspecto muy elegante, con hojas compuestas palmadas y varas de flores tan vistosas como hermosas; de hecho, ser tan bien plantadas ha dado trabajo a algunas especies como planta ornamental*.

El altramuz mediterráneo de mayor (aunque relativa) solera es *Lupinus albus*, que como su nombre científico indica suele tener las flores blancas

* Es el caso de *Lupinus luteus*, domesticado y generalmente cultivado para consumo animal, p. ej., en dehesas.

(o azuladas; de hecho, su ancestro silvestre las tiene azules). Hasta hace relativamente poco, cuando hablábamos de altramuz para comer —en España, al menos— nos referíamos a este, y si alguna vez te han servido unos cuantos altramuces como aperitivo junto a una caña, lo más probable es que fueran *L. albus*.

Sin embargo, a nivel gastronómico nunca han estado al mismo nivel que otras legumbres como los garbanzos, las lentejas o las habas (¡y eso que las habas —*Vicia faba*— se las traen!), en buena parte debido precisamente a su amargor.

Estas habas de lobo están muy bien defendidas químicamente con una serie de alcaloides amargos cuyos efectos no son nada apetecibles; de hecho, los herbarios antiguos recomendaban el empleo de los altramuces como vermífugos y como desinfectantes externos para roña, úlceras, etc. Esto bien lo sabían los griegos, que los conocían como *thermoi* (palabra que contiene la misma raíz que *termómetro*, *termostato*, *termolábil*... ese *thermos* que hace referencia a algo caliente, que «quema si lo ingieres»). De ahí que los *Lupinus* no puedan comerse tal cual, sino que debes detoxificarlos para consumirlos de forma segura.

Por suerte, estos compuestos amargos son hidrosolubles, por lo que puedes desvestir de amargura a tus altramuces a base de baños: tradicionalmente se dejan en remojo durante largo tiempo en agua, a menudo salada, para cocerlos después.

No fue hasta principios del s. XX que nos tomamos en serio la cuestión de los altramuces como objetivo de mejoras agrícolas*; se dice que la chispa del interés surgió tras un «Banquete Altramucil» organizado en 1917 por la Sociedad Botánica Alemana, en el que *Lupinus* estuvo presente en todas partes (desde el mantel hasta el café, pasando por la sopa, el pan o los licores). De ahí que en la década de los años 20 se empezasen a desarrollar variedades dulces, con contenidos en alcaloides mucho menores.

Estas mejoras no las protagonizaron solamente *Lupinus albus*, sino algunos hermanos suyos como el altramuz amarillo (*L. luteus*) o el de

* En general y salvo honrosas excepciones, una mejora agrícola se entiende como «lo que es amargo deja de serlo» (entre otras muchas características que pueden verse afectadas).

hoja estrecha (*L. angustifolius*) que, curiosamente, se cultiva sobre todo en Australia —donde no existen altramuces autóctonos, y, sin embargo, su producción actual es tan grande que exportan altramuz a ciertas zonas del Mediterráneo para su consumo como aperitivo.

Y es que a *Lupinus* le pasa una cosa triste pero común: aquello de que nadie es profeta en su tierra. Y esto no pasa solo entre los altramuces del Viejo Mundo...

❧

Las alturas andinas no son entorno para pusilánimes.

A 4.000 metros de altura sobre el nivel del mar, además de unas vistas impresionantes, también tienes más dificultades para sobrevivir si no estás adaptado a la dureza de las condiciones. Viento, lluvia, y extremos térmicos serán tu pan de cada día, que no será pan, porque pocos cereales se encuentran a gusto en estas condiciones. Las plantas que se domestican entre las culturas andinas son otras, y entre sus integrantes más famosas están las patatas (*Solanum tuberosum*) o la quínua (*Chenopodium quinoa*) de fama más reciente.

Sin embargo, junto a estas tenemos a un grupo de especies que suelen apodarse «los cultivos perdidos de los Incas»: toda una serie de plantas que el tiempo y los devenires culturales han ido arrinconando más y más. Entre estos cultivos perdidos está un altramuz: el tarwi (quechua) o tauri (aymara), *Lupinus mutabilis*.

Encontrarás cultivos de tarwi desde Venezuela y Colombia hasta Bolivia, pero hoy creemos que el centro de domesticación donde formalizamos nuestra relación agrícola con él —en algún momento entre el 650 a. e. c. y el s. II— se halla en las regiones del norte peruano, probablemente en el departamento de Cajamarca, y a medida que pasa el tiempo lo encontramos en yacimientos más alejados. La cultura Nazca* —que nació y se desarrolló en valles peruanos cercanos a la costa, más al sur, hasta su decadencia hacia el s. VII— cultivaba tarwi; de hecho, encontramos semillas de *Lupinus mutabilis* domesticado en tumbas nazca de hace 1.500 años.

Con todo, hoy día al *tarwi* aún le queda mucho camino para recuperar la importancia relativa que tuvo antaño. Por una parte, y según cuen-

* Sí, la misma que creó las famosas líneas en el suelo cuya forma se aprecia únicamente desde el cielo.

tan agricultores indígenas ecuatorianos, es muy fácil de cultivar. Una vez has seleccionado semilla buena y has escogido con cuidado el terreno y el momento para plantar, tras la siembra prácticamente puedes desentenderte de la planta hasta que esté lista para cosechar.

El problema es que, si los altramuces mediterráneos son amargos, el tarwi no lo es menos —o quizás incluso más— y desamargarlo es un proceso largo: el remojón puede variar desde dos días en agua corriente, hasta una semana si se cambia el agua a diario. Farragoso, sí, pero puede sacársele partido a la situación y verlo por el lado bueno: el agua resultante ¡sirve como insecticida y desinfectante!

En la actualidad está intentando revalorizarse este cultivo, cuyo perfil nutricional es harto interesante: su contenido en proteínas y en aceite puede alcanzar el 50% y el 18% respectivamente. No obstante, sigue cargando con el sambenito de ser cultivo indígena, de segunda categoría: otra planta que sufre sin tener ninguna culpa por verse encasillada en nuestras jerarquías sociales (tan arbitrarias como, a veces, estúpidas).

El cultivo y recolección de tarwi, al menos en los Andes ecuatorianos, es de lo más prosaico que hay, sin ningún tipo de ritual alrededor. Y muchas comunidades que lo cultivan no lo hacen para comérselo directamente, sino para venderlo a los valles más bajos, donde se procesa y desamarga la semilla.

Y me pregunto si eso siempre ha sido así, si esa ausencia de ritual es debida a que los riesgos agrícolas son mínimos porque *Lupinus* se las compone sin problemas, y prácticamente ningún agricultor teme perder los cultivos (por lo que tampoco necesita recurrir a pactos divinos para que la cosa salga bien). O si existieron ritos en tiempos pretéritos, entre los Incas o las culturas preincaicas, como la de Tiwanaku, y se han perdido por el camino.

Aunque *Lupinus mutabilis* sea el único altramuz americano que ha sido domesticado, en realidad el continente americano puede presumir de una gran cantidad de *Lupinus* silvestres, y los pueblos nativos les daban usos diversos. Algunos funcionaban como indicadores: los okanagan-colville tomaban la floración de *Lupinus sulphureus* o *L. sericeus* como señal de que las marmotas (*Marmota monax*) ya estaban lo suficientemente gordas como para cazarlas y comerlas. Otros tenían usos medicinales más o menos curiosos, como el que los kwakiutl daban a *L. littoralis*: frotaban las raíces reducidas a cenizas en la cuna de los recién nacidos para ayudarles a dormir. No obstante, también se les atribuían propiedades mágicas, como el poder de controlar a los caballos (que teóricamente otorgaba el frotarse la planta en las manos o el cuerpo, entre los menominee). Si funcionaba tenía que ser digno de verse.

Y, por supuesto, las flores se empleaban como guirnaldas y adornos, por ejemplo, durante los Festivales a las Fresas, que muchas tribus celebraban por la gran importancia simbólica y cultural que poseen las *Fragaria* nativas (y que aún siguen organizándose en varios puntos de Norteamérica).

Pues con flores de altramuz, toda fiesta es más bella.

> Para la enfermedad élfica: toma betónica, hinojo, altramuz, la parte inferior de la belladona, y musgo o liquen del signo bendito de Cristo, e incienso, un puñado de cada. Ata todas las hierbas en un paño, báñalo tres veces en agua bendita, que le canten tres misas...

En la medicina de la Inglaterra alto medieval, los rituales curiosos sí estaban a la orden del día, como bien demuestran las primeras líneas que describen un remedio contra una enfermedad élfica (*elf disease*), contenidas en un manuscrito del s. IX conocido como *Leechbook*.

La medicina medieval anglosajona no tiene muy buena fama, habiéndose considerado durante mucho tiempo como un atajo de remedios aderezados con mucha superstición por encima. Sin embargo, en los últimos tiempos se está reconociendo la utilidad real de algunos de los remedios que proponía, incluyendo elementos que podríamos tachar de «rituales supersticiosos».

Si echas un vistazo al *Leechbook*, primero, verás que abundan nombres de plantas más bien rarunos (al estar escritos en inglés antiguo); y, en segundo lugar, advertirás que aparecen enfermedades un poco peculiares, como la *enfermedad élfica*, posesiones demoníacas, visitas nocturnas de elfos y goblins, o «las tentaciones del demonio», que podrías tratar de la siguiente forma:

> Arraclán, puerro, altramuz, rábano, betónica, hinojo, cárices; bendice todas las hierbas, ponlas en un poco de cerveza y agua bendita,

> y deja la bebida en el cuarto del enfermo, y que antes de beberla el enfermo cante tres veces sobre el remedio, «*Deus! In nomine tuo salvem me fac.*»

Entre estas «enfermedades peculiares» hay unas cuantas que hoy día podríamos meter dentro del saco de «trastornos mentales» como, por ejemplo, la epilepsia. Y, tras haber observado estos manuscritos con atención, algunos estudiosos apuntan a que el único ingrediente que tienen en común estos remedios es el altramuz (que correspondería a *L. albus*, pues los demás aún no se habían introducido en Inglaterra por aquellos tiempos). Este detalle tal vez sea fruto de la casualidad, pero existen tenues indicios de que quizás su presencia obedeciese a un criterio más sólido que el mero azar, por dos motivos que relacionan la bioquímica de los *Lupinus* con los trastornos epilépticos.

En primer lugar, se ha visto que ciertos alcaloides que sintetizan los altramuces tienen efecto blandamente sedante sobre el sistema nervioso central. Cierto: es un efecto *muy* tenue comparado con la medicación anticonvulsiva que emplea la medicina moderna... pero para un anglosajón del s. X menos daría una piedra.

La segunda cuestión es que los altramuces poseen contenidos muy elevados de manganeso, elemento que parece estar relacionado con este trastorno: las personas aquejadas de epilepsia crónica presentan bajos niveles de manganeso en sangre, y sabemos que, en ratas epilépticas, si aumentas estos niveles, la facilidad para caer presa de un ataque disminuye.

De momento no tenemos pruebas fehacientes de que comer altramuces tenga un efecto positivo sobre la epilepsia crónica: por ahora parece ser una hipótesis que nadie se ha molestado aún en demostrar o refutar con estudios clínicos serios. No obstante, y puestos a dejar volar la imaginación en ausencia de pruebas, me gusta pensar que tal vez sea cierto; que quizás ese «remedio contra las tentaciones del demonio» ayudaba realmente a sobrellevar una condición tan dura y difícil como la epilepsia, hace más de mil años.

Y, si lo pensamos bien, ¿quién sabe cuántos secretos más pueden estar escondidos en las vainas, las flores o las hojas de los altramuces a los que tan poco caso hacemos?

26

De perfumes cítricos ancestrales: *Citrus medica*

Senderear las rutas de la savia nos regala otra forma de mirar, de interrogar con curiosidad a la realidad, que no nos abandona al regresar a los huertos y vergeles de cada día. Puedes intuir lo maravilloso y extraño en lo cotidiano, que convierte al limonero junto al cobertizo en un ser casi mitológico, que puede contarte historias de fama y gloria... y no solo las suyas, sino también las de su padre: el cidro, titán entre los cítricos.

Como dioses arcaicos de panteones olvidados, suplantados por divinidades más jóvenes, los vetustos cidros sobreviven en los resquicios de nuestra memoria.

(Pero resquicios frescos, bien regados y de clima suave, que son árboles un poco señoritos.)

Adentrémonos en el jardín de las Hespérides a escuchar los ecos de sus gestas...

Si tuviese que definir a los cítricos con unas pocas palabras, creo que escogería algo así como «bellísimo caos». Bellísimo, porque son maravillosamente hermosos en hoja, fruto y flor, y se han cultivado como planta ornamental desde hace milenios. De follaje lustroso y siempreverde, en Europa los cítricos —entre los que se cuentan naranjas, limones, limas, pomelos, mandarinas y otros muchos frutales— han estado presentes en los jardines y huertos de los ricos y poderosos, a menudo como símbolo de estatus.

Yo me crie con una idea menos elevada y aristocrática de estos árboles: en el jardín de casa crecían varios naranjos y un limonero, además de un calamondín, mandarinas y clementinas en abundancia. Y, aunque me armaba (y, ay, sigo armándome) unos líos tremendos para relacionar el nombre y la fruta correctamente, por aquel entonces yo creía que salían de árboles *claramente* diferentes entre sí, que existían categorías sencillas de reconocer y bien separaditas: los limoneros a un lado, los naranjos a otro, los naranjos amargos en otro rincón, las limas (ese misterioso fruto) por otro lado, mandarinas, clementinas, pomelos... y tan felices como fáciles de clasificar.

Y... no, resulta que no. Más adelante descubrí que quizás los cítricos sean felices, pero desde luego que fáciles de clasificar, no.

Estos parientes de las **rudas** (pues pertenecen a la familia de las rutáceas) son un caos absoluto, con árboles genealógicos más enrevesados que los de los dioses del Olimpo; y lo que creíamos que era un nutrido grupo de hermanas dentro del género *Citrus* se parece más al panteón mítico griego que a una casta y fraterna hermandad cítrica.

Las pruebas de que disponemos actualmente apuntan a que la genealogía de la mayoría de cítricos que mejor conocemos hoy, como los limones o las naranjas, se remonta en última instancia a los amores —muy promiscuos— entre tres especies de *Citrus* distintas, especies que consideramos ancestrales*.

La primera es *C. reticulata*: un cítrico de fruta algo achatada, que en español se conoce como *mandarina* (pero atención, porque este nombre no se aplica únicamente a esta especie).

La segunda es la pampelmusa o cimboa, *C. maxima*, que nos resulta poco familiar en regiones de habla hispana.

Y la última es *C. medica*, conocida como poncil o cidro.

* No son las únicas «especies ancestrales» que existen, pero son las más relevantes para los cítricos que más familiares nos resultan.

El género *Citrus* es originario del sureste asiático, y *C. medica* se considera la especie ancestral de distribución más occidental: así hay que buscar sus raíces a los pies de los Himalayas, en las regiones del Yunnan (China) y del noreste de la India. Sin embargo, hay que admitir que, en realidad, no está del todo claro dónde terminan estas raíces, porque no siempre es fácil distinguir entre cidros silvestres o asilvestrados (fugados de cultivos humanos). Sea como fuere, todos los indicios apuntan hacia aquellas regiones subtropicales como cuna de *C. medica.*

Las primeras menciones cítricas de que disponemos se hallan en textos indios, y hay quien afirma que se refieren al cidro; sin embargo, es difícil establecer correlaciones entre términos antiguos y especies biológicas, y más aún si pensamos que no siempre es fácil diferenciar entre *Citrus medica* y su numerosa prole...

Los cidros son arbolitos más bien bajitos (alcanzan unos 3 m como máximo), con espinas recias en todas las ramas, un carácter que aparece a menudo en los limoneros, descendientes directos de *C. medica.* Echan flores de pétalos blancos, a menudo con tonalidades violeta en el exterior, y no asoman en un único momento sino en varios a lo largo del año, así que puede haber distintas cosechas de fruta anuales.

¡Y qué fruta! Su aspecto tiene un deje jurásico, de saurio extinto; vistas desde fuera, las cidras recuerdan a limones, pero en versión aumentada: más grandes, con la piel mucho más abollado-rugosa (como aquejada por una celulitis extrema), y muy perfumadas.

De hecho, y pese a que generalmente nos atraen los frutos grandes, y las cidras sin duda lo son —¡hay cultivares que pueden alcanzar los 10 kg!—, estas no se comían, al menos no al principio de nuestra relación con ellas. El motivo es fácil de adivinar al cortar una por la mitad: observarás que la parte blanca entre la cáscara y la pulpa (o *albedo*), es enorme, mientras que los gajos de pulpa son raquíticos (de hecho, en algunos cultivares prácticamente han desaparecido, quedando solo las semillas). Y si intentas comerte esta pulpa, el resultado probablemente sea más bien poco satisfactorio, pues las cidras suelen ser muy ácidas*.

* En cultivo hemos obtenido variedades semi-ácidas e incluso dulces, pero son más raras.

Entonces, ¿por qué diantres nos interesamos por un fruto que, de buenas a primeras, es bastante poco apetecible?

Y la respuesta es: por su perfume...

❧

Entre el s. IV y el III a. e. c., un hombre compuso un libro en diez volúmenes dedicado al reino vegetal; esta obra, conocida como la *Historia de las Plantas*, incluye unas líneas que dicen así:

> Las tierras del Oriente y del Meridión parecen poseer plantas peculiares [...] por ejemplo: Media y Persia tienen, entre otras muchas, esa que se conoce como «manzana médica» o «persa».
>
> Este árbol tiene hoja parecida a la del madroño, pero espinas como las de los peros o los espinos blancos, aunque lisas y muy agudas y fuertes. La «manzana» no se come, pero es muy fragante, al igual que la hoja del árbol. Y si la manzana se coloca entre las ropas, las protege de la polilla.

El autor de estas líneas es el griego Teofrasto, discípulo de Aristóteles y considerado el padre de la botánica, y su testimonio deja constancia de que hacia el año 300 a. e. c. las cidras ya habían viajado desde la India hasta la cuenca mediterránea, y no como fruta comestible precisamente.

De hecho, parece que el origen mismo de la palabra «cítrico» está relacionado con el perfume de las cidras: *citrum* era el nombre que los antiguos romanos le daban a un pariente de los **cipreses**, el araar o *Tetraclinis articulata*, cuya madera perfumada se empleaba para fabricar muebles de elevado valor. Y, supongo que por los parecidos aromáticos entre la madera del araar y nuestra fruta protagonista, las cidras se convirtieron en *citreum*, y de ahí el nombre que damos al género *Citrus* entero.

El aprecio por el perfume de las cidras no es un fenómeno exclusivo del mundo mediterráneo; si tiramos del hilo y vamos recomponiendo el collar de civilizaciones por las que tuvo que pasar el cidro antes de llegar a Grecia y Roma, nos encontramos con el mundo persa, donde la cidra es conocida como *bālang* o *bātrang*; el término origen de esta palabra (del persa medio *vātrang*) hay quien la interpreta como derivada de las raíces lingüísticas que significan «viento perfumado» y «color». Viajeros que visitan Irán en el s. XIX mencionan las cidras, conocidas por su tamaño y su fragancia, como elemento que se empleaba para decorar salas.

Algo parecido sucede si seguimos avanzando hasta detenernos en China, donde también se emplean como ambientador casero. Solían colocarse en pirámide dentro de palanganas de porcelana blanca que se depositaban encima de la mesa del estudioso de turno, pues se creía que el aroma de las cidras ayudaba a pensar con más claridad y lucidez. Tras unos meses con una cidra cerca de mi mesa de trabajo, doy fe de que su característico perfume se nota en el ambiente. Su aroma —en buena parte determinado por el aceite esencial de su piel— es peculiar, con bajos niveles de limoneno y la presencia de una molécula curiosa: la beta-ionona, típica del olor a **violetas**. No lo recuerdo asociado a una especial «claridad y lucidez mental», pero quién sabe... ¿quizá solo funciona en China?

Sin embargo, es bien sabido que del mundo del aroma al del sabor hay un pasito muy pequeño, y por eso algunos empleos de las cidras están a caballo entre estas dos esferas sensoriales.

Para empezar, puedes beber el perfume de *Citrus medica*. En muchos supermercados italianos puedes encontrar botellines de *cedrata*, entre cuyos ingredientes destacan precisamente las cidras que le dan nombre, además de un delicioso aroma y sabor. Estas cidras se cultivan, sobre todo, en un tramo de costa calabresa conocida como la Riviera dei Cedri (la ribera de los cidros, de la que habla la escritora Helena Atlee en su conocido libro *El país donde florece el limonero*). En Calabria la *cedricoltura* es actividad muy seria, y existen organismos dedicados a su promoción y puesta en valor, como el Consorzio del Cedro di Calabria, que ofrece recetas tan apetecibles como la siguiente:

> **Para preparar Licor al cidro**
>
> Tomar cuatro cidras y rallar únicamente la corteza exterior verde, introduciéndola a continuación en un frasquito con 200 g de alcohol. Tapar y agitar —mañana y tarde— todos los días durante dos semanas; filtrar y reservar el líquido resultante en una botella.
>
> Mezclar en una cacerola 1L de agua y 800 g de azúcar; añadir los restos de corteza de cidra, y cocer a fuego lento durante 15 minutos. Dejar que se enfríe, colar, y añadir el resultado a la botella con el filtrado alcohólico de cidra. Añadir otros 200 g de alcohol y dejar reposar 5 o 6 días antes de filtrarlo por última vez; guardar el licor perfumado en una botella elegante, que se aconseja servir muy frío.

Sin embargo, existen más bebidas hechas a base de cidro en otros lugares, como Irán, Francia o Grecia, y no solo a partir de sus frutos, sino también de sus flores, igualmente muy perfumadas, ¡o incluso de sus hojas!

Con todo, quizás el empleo gastronómico más extendido de las cidras sea convertirlas en dulces pues, aunque su jugo no suele consumirse y su pulpa acostumbra a ser ácida, el resto de la fruta es perfecta para repostería, sobre todo su albedo blanco: puedes, por ejemplo, cocinarlo en forma de torta, o hacerlo en conserva (ya sea con miel o con azúcar), o confitarlo para obtener lo que en el medioevo se conocía como *diacitrón.*

Cuando el cocinero de Felipe II compone durante el siglo de Oro español su *Arte de cocina, pastelería, bizcochería y conservería* (1611), entre las muchas recetas que incluye, escoge una donde explica cómo preparar diacitrón, que empieza de la siguiente forma:

> Hase de tomar la cidra, y mondarla de la cáscara, y de los agrios, y luego salarlo, y de que haya tomado la sal echarlo en agua clara, que esté fría, hasta que cueza y esté muy tierno, y sacarlo, y echarlo en agua clara, y tenerlo dos días, mudándole las aguas: luego échalo en conserva en el azúcar [...].

Y no termina ahí el proceso, que no es rápido ni siquiera en el s. XXI; puedes dulcificar a las cidras, pero se tomarán su tiempo.

El diacitrón que he visto y comido yo es de un color verde espectacular, y se empleaba como fruta confitada por sí sola, o incluida en dulces como tortas y bollos (y aún podrás encontrar algunos trocitos en algunos *panettoni* italianos). Sin embargo, si te tropiezas con cidra escarchada en el supermercado, es poco probable que el paquete contenga *Citrus medica*: el nombre se lo ha birlado una especie de calabaza (*Cucurbita ficifolia*), y al confitarse no obtienes diacitrón, sino calabazate. Curiosamente, esta confusión ya empezaba a gestarse hace siglos, o eso podría deducirse a partir de las ordenanzas publicadas en la ciudad de Granada en el s. XVI; en el apartado dedicado a los confiteros, hay un pasaje que dice así:

> Que el diacitrón y calabazate sea cubierto con buen azúcar blanco, y que el diacitron se venda por diacitron, y el calabazate por calabazate, y no lo uno por lo otro, sino cada cosa por si, so la dicha pena.

Se llevarían las manos a la cabeza si viesen cómo la hemos liado desde entonces...

❧

En China, las cidras —conocidas como *hsiang yuan* (香橼, «cítrico fragante») y que se consideran llegadas de regiones más meridionales, como la India— raramente se comen. No obstante, tenemos menciones antiguas (s. IV, s. VIII) a que sus frutos podían confitarse, o servir como decoración de mesa diríase comestible, pues tras haberse labrado con diseños de flores y pájaros, se impregnaban de miel.

La variedad más famosa y apreciada de *Citrus medica* en Oriente no presenta la típica forma alimonada, globosa. Conocida con el nombre científico de *C. medica* var. *sarcodactylis*, la fruta está dividida en muchos «dedos» larguiruchos que le dan un aspecto característico que recuerda a una mano —más concretamente, a la mano de un personaje de enorme importancia religiosa, que le ha prestado su nombre: se trata del cidro 'Mano de Buda', *Foshou* en chino.

Estas cidras son las que se amontonan en pirámide para perfumar e inspirar a los eruditos chinos, las que se cultivan para Año Nuevo como símbolo de buena suerte y longevidad (porque el ideograma usado para escribir *shou* —mano— se pronuncia de forma parecida al ideograma de la longevidad, también *shou*).

Debido al gran aprecio que se les tiene, aparecen a menudo en pinturas, porcelanas, tallas, etc.; si ves un cidro representado junto a un melocotón y una granada, tienes ante ti un motivo conocido como *Sanduo* (algo así como «las Tres Abundancias»): larga vida, felicidad y progenie abundante.

Como es lógico, el cidro 'Mano de Buda' también está íntimamente asociado con el budismo; sin embargo, no es esta la religión que ha desarrollado una relación más estrecha con *C. medica*, sino el judaísmo... y la historia de cómo diantres acaba una fruta subtropical india como elemento imprescindible en el calendario ritual hebreo es de lo más curioso.

❧

Cada año, a principios del otoño boreal y en coincidencia con el final del ciclo agrícola, las comunidades judías de todo el mundo festejan el Sukkot, la Fiesta de los Tabernáculos. En ella, las familias se trasladan a cabañas provisionales (esos tabernáculos que le dan nombre a la fiesta), y durante siete u ocho días se celebran varios ritos, en los que no pueden faltar Cuatro Especies vegetales muy concretas; palabrita de la Torá, especificada en Levítico, capítulo 23, versículo 40. En este pasaje se manda a los israelitas a tomar «frutos de los mejores árboles, ramos de palmeras, ramas de árboles frondosos y sauces de río».

Las identidades de las palmeras (*lulav*) y los **sauces** (*aravot*) están bastante claras, y los «árboles frondosos» (*hadasim*) terminaron interpretándose como **arrayanes**, todas ellas especies relativamente comunes en Oriente Próximo. Sin embargo, que la interpretación canónica de la Torá termine identificando la cuarta especie, esos «frutos de los mejores árboles» (*pri ʿeṣ hadar*), como cidras... parece, de buenas a primeras, de lo más extraordinariamente improbable que pueda imaginarse.

Así pues, ¿cómo sucedió?

Las hipótesis que se barajan hoy como más probables apuntan a influencias persas: los restos más antiguos de cidro que se han encontrado en Palestina se hallaron en Ramat Rahel, un antiguo complejo palaciego a las afueras de Jerusalén que floreció entre los siglos VII y IV a. e. c., y que estuvo bajo la influencia de los imperios asirio, babilonio, y persa.

Así pues, nuestro *Citrus medica* crecía en un jardín real cerrado como parte de una flora de élite, quizás solo para ser admirada y olida, pero no consumida, y que debido a sus requerimientos hortícolas necesitaba de irrigación constante durante todo el año. Porque el cidro no es solo el cítrico más sensible a las heladas y a las bajas temperaturas: tampoco le gusta pasar sed, y en el clima semiárido o árido de Oriente Próximo, olvidarte de regar tu *C. medica* puede acabar en desastre.

Exótico, lujoso, perfumado, extraño, con un aura de otro mundo... y que crece en abundancia de agua, como las otras tres especies escogidas para la fiesta de los Tabernáculos (piensa en los oasis y sus palmeras, los torrentes con sus mirtos, los sauces de agua y luna).

Es probable que todas estas características sumasen puntos a ojos de los rabinos que dictaminaron la identificación de la cidra con ese «fruto del mejor árbol» del Levítico, un fenómeno que aparece en algún momento durante los primeros siglos antes de la era común (y que, curiosamente, no comparten todas las comunidades hebreas del mundo: el pueblo judío etíope, los Beta Israel, no incluyen al cidro en su Sukkot).

Estas Cuatro Especies han tenido una importancia notable en la comunidad hebrea, sirviendo en ocasiones como símbolo identitario: aparecen, por ejemplo, en las monedas acuñadas durante la gran revuelta judía (entre los años 66 y 73) y la de Bar-Kojba (132-136), o en lámparas de aceite del mismo período. Más adelante desaparecen del mapa iconográfico, pero su papel en la Fiesta de los Tabernáculos permaneció, y se convirtió en garantía de supervivencia para *Citrus medica*. Podría decirse que, en general, «Quien a buena celebración ritual se arrima, buena tradición le cobija», y mejores perspectivas de futuro tiene. El Sukkot ha mantenido vivo y floreciente el cultivo de cidros allá donde existían comunidades de fieles y un clima propicio, así como su trasiego internacional, dado que la diáspora judía lleva siglos paseándose por el mundo entero —a veces a gusto y otras a disgusto— y todas las comunidades, estén donde estén, necesitan cidras como Dios manda para celebrar la fiesta de los Tabernáculos. Y, como estas no crecen en todas partes, toca enviarlas desde centros de clima más cálido, como el Mediterráneo, hacia regiones más frescas.

Estas Cuatro Especies —palma, sauce, mirto y cidra— tienen que agitarse a los cuatro vientos durante la festividad, y poco más; hay familias que confitan el fruto o preparan mermelada, pero muchas otras se deshacen de él tras la fiesta.

Sin embargo, su importancia se siente tan enorme, que la cantidad de preceptos y dudas alrededor de qué es aceptable y qué no al escoger una cidra es igualmente enorme, y fascinante.

Existe una profunda preocupación por la cuestión de los injertos, práctica muy común en el cultivo de cítricos. Según la ley rabínica, el fruto de un árbol injertado no es aceptable bajo ningún concepto; sin embargo, es imposible determinar si una cidra cumple esta regla por su aspecto, lo que hace necesario visitar las plantaciones de cidros y asegurarse de que los «mejores árboles» cumplen las especificaciones rituales. Sin embargo, la cosa se complica incluso más: para que un cidro sea ritualmente puro, su árbol genealógico entero tiene que estar libre de injertos. Si tú naciste de pepita, pero tu tatarabuelo nació de injerto, ya no vales. Esto ha llevado a rabinos y científicos de la comunidad judía a embarcarse en pesquisas curiosísimas, estudiando y analizando las historias de cultivo y la genética de cidros italianos, marroquíes e incluso yemenitas —pues existen muchas variedades distintas, entre ellas la 'Diamante' (típica de la Riviera dei Cedri italiana), la 'Temani' (del Yemen), o la 'Etrog' (que significa «cidra» en hebreo).

Una de las características curiosas que a menudo se les exige a las cidras ritualmente aceptables es la presencia de un elemento conocido como *pittam*: se trata de los restos del estilo y el estigma de la flor de cidro, que no son caedizos, sino que permanecen en el extremo del fruto a modo de rabito pequeño y robusto. Pese a que no siempre está presente, este elemento es muy característico de *Citrus medica* y existen creencias curiosas a su alrededor, como que su ingesta facilita el parto o aumenta la fertilidad de quien lo come.

Los *etrogim* tienen que ser ejemplares perfectos, sin máculas físicas ni defectos de linaje o cultivo; muchos fieles ahorran durante el año para comprar un *etrog* de elevada calidad, cuyo rango de precios en mercados internacionales puede abarcar varios órdenes de magnitud: los más baratos pueden costarte unos pocos dólares, mientras que los más caros se venden a cientos de dólares. En 2017, los *etrogim* de calidad suprema en Nueva York costaban entre mil y dos mil dólares la pieza.

Hay cidras que se descartan por no tener *pittam* (o haberlo perdido por causas no naturales), otras cuya coloración no es perfecta, o cuya parentela es sospechosa. Otras, en cambio, no se aceptan bajo ninguna circunstancia, y existe una interesante literatura rabínica acumulada en siglos pretéritos que discute y elabora qué cidras pueden o no usarse en el Sukkot. En el s. XIX, por ejemplo, podía llegar una carta desde China de comunidades judías que dudaban sobre el empleo de cidras 'Mano de Buda':

> Las cidras de Hanchan se parecen a las de Bagdad en apariencia, pero hay una diferencia: la mitad superior del fruto tiene forma de dedos humanos, en número de diez o quince. ¿Está permitido usar esta cidra? Los judíos de la ciudad de Hanchan encargan cidras egipcias, pero éstas llegan maltrechas, o cuando la Fiesta ya ha empezado, y por eso pregunto si podemos usar las cidras locales para cumplir con nuestra obligación ritual, y si podemos bendecirlos o no.

La respuesta fue que no (aun siendo una *C. medica* en toda regla), sobre todo por la forma que tienen, que no se parece a las cidras tradicionales.

Porque no es la cidra taxonómica, sino la cidra cultural, impregnada de tradiciones seculares, la que perfuma el corazón de las fiestas: «Todos los *etrogim* son cidras, pero no todas las cidras son *etrogim*», como se comenta en un libro dedicado a la cuestión.

Y las decisiones que tomamos no beben solo de ciencia aséptica, sino de historias compartidas, y de emoción.

27

Las semillas que sabían valorar tesoros: *los algarrobos*

Es hermoso partir a la aventura con ilusión y energía, e igualmente hermoso (si no más) es regresar al hogar, portando en el zurrón los aprendizajes que nos ha regalado el viaje.

Cuando era pequeña, el hogar que me acogía tras toda excursión y todo paseo tenía un jardín donde aún hoy crece un venerable ejemplar del último árbol de nuestro viaje, que nos susurrará esta noche al oído. En la oscuridad no veo sus frutos alargados con los que tantas veces he jugado, lanzándoselos a los perros para que corriesen tras ellos. En la oscuridad, su identidad es tan equívoca como su nombre común, que —como ya nos enseñaron los **acerolos**— puede llevarnos a confusión...

Quien más, quien menos, todo el mundo hispanoparlante conoce un algarrobo.

Lo que pasa es que no todos conocemos al mismo algarrobo, al ser un nombre común que hemos aplicado a especies distintas, tanto en Hispanoamérica como en España.

El árbol del jardín de mi infancia es un algarrobo mediterráneo, el primero que bautizamos con ese término, que proviene del árabe *al-jarrūb*; en botánica lo conocemos como *Ceratonia siliqua*. Las dos palabras de su nombre científico hacen referencia a la característica que más nos ha interesado de este árbol: sus frutos, unas legumbres largas como el palmo de una mano, que nacen verde claro y se oscurecen hasta adoptar un color marrón achocolatado. Estas algarrobas cuelgan en manojos laxos de las ramas del árbol (al menos, de pies femeninos y hermafroditas, porque también hay algarrobos que no dan fruto porque solo producen flores masculinas). Se dice que los griegos asimilaron la forma que tenían estas legumbres a los cuernos de un animal, y de ahí que terminase llamándose *Ceratonia* —que en realidad se pronunciaría *Keratonia*, porque viene de *keration*, «pequeño cuerno». No, no es casualidad que el nombre te suene a marca de champú, pues las queratinas de nuestro pelo derivan su nombre de la misma raíz griega. Estas son una familia de moléculas que conforman también otras estructuras animales, como la lana, las pezuñas o los cuernos.

El algarrobo es, pues, el «árbol con cuernos». Cuernos dulces, eso sí, porque la pulpa (más bien seca) de las algarrobas tiene un discreto contenido en azúcares (sobre todo sacarosa), y ello la convierte en un alimento bastante nutritivo, a pesar de que en el Mediterráneo occidental su consumo esté más asociado al ganado que a manjares refinados. Aun siendo perfectamente comestible, y que convenientemente preparada puede resultar de lo más rica, en muchos lugares aún hoy se asocia al hambre y a la postguerra, a «comida de cerdos».

En otros puntos del Mediterráneo, en cambio, se emplean las algarrobas para obtener siropes muy apreciados, que llevan nombres distintos según la región que consideremos. En Chipre se conoce como *charoupomelo*, y con él se elaboran dulces como el *pasteli* (una especie de tofe), o el *soutzoukkos*, que combina frutos secos y sirope para aglutinarlos. En el Líbano la melaza de *Ceratonia* se denomina *dibs al-jarrūb*, y es una de las preparaciones tradicionales que aparece en la lista del Arca del Gusto (de la Fundación para la Biodiversidad de Slow Food). Además de emplearse como si de miel se tratara, puede mezclarse con pasta de sésamo o *tahini* en una combinación que suena deliciosa. La versión maltesa se conoce como *gulepp tal-Harrub*, y es un remedio casero muy estimado por sus propiedades expectorantes y béquicas (que ayuda a combatir la tos).

Ay, y yo tirándoselas a los perros...

La algarroba lleva ya un tiempo anunciándose como una especie de pseudochocolate, un quiero-y-no-puedo (más o menos como la raíz de achicoria —*Cichorium intybus*— y el café). Esta tendencia a establecer comparaciones, a asemejar alimentos a otros alimentos, es tan normal como frecuente a lo largo de la historia; sin embargo, no sé hasta qué punto le hacemos un favor a las pobres algarrobas y a las pobres achicorias, cuyos méritos no deberían ser juzgados en función de cuánto se acercan al ideal imposible del chocolate o del café. Confieso que a mí la algarroba no me sabe a chocolate, sino a algarroba, y ese sabor es digno de ser celebrado en sí mismo (de hecho, el *brownie* más increíble que he probado estaba hecho con algarroba; y qué decir de las *mousses* de algarroba, delicadas, espectaculares...).

Con todo, los algarrobos no solo intervienen en pseudochocolates y postres varios, sino que son ingredientes muy importantes en la elaboración de un dulce muy especial, en el que todos pensamos cuando el calor aprieta...

¿Has comido algarroba alguna vez?

La respuesta que nos dan la mayoría de niños (salvo algunos que tienen familia en Marruecos y que se iluminan al hablar de las algarrobas) es un no categórico. Algunos ni siquiera reconocen los árboles al pasar por delante.

Y yo disfruto sorprendiéndolos al decirles que me apuesto cualquier cosa a que sí han comido, y que lo más seguro es que les encantase... pues ¿quién no ha probado un helado?

Ceratonia siliqua forma parte de lo que yo llamo «la botánica secreta del helado», ingredientes que permanecen ocultos, discretos, que no buscan destacar o ser protagonistas en el cucurucho, pero que sostienen y realzan los sabores y las texturas del conjunto.

En el caso del algarrobo, el ingrediente no es la pulpa de la vaina de algarroba, sino la harina conocida como *harina de garrofín,* obtenida a partir de sus semillas. En ellas hay cantidades notables de polisacáridos, compuestos que en contacto con el agua adquieren una textura mucilaginosa y aumentan la densidad y la viscosidad del líquido. De hecho, este mucílago se ha empleado como gomina, pero también en la industria cosmética o para la fabricación de papel*.

En el mundo heladero, añadir harina de garrofín a la mezcla hace que la textura final sea más cremosa, evita que se formen cristales de hielo demasiado grandes, y le da al resultado la consistencia extra que cualquier helado necesita para sobrevivir dignamente en los expositores de una heladería, sin empezar a gotear por todo y a derrumbarse al cabo de unas horas.

Una contribución muy valiosa, sin duda alguna.

Sin embargo, las semillas de algarroba nos pueden hablar del valor de las cosas más allá de los helados, dado que tuvieron antaño un papel curioso en otra esfera —hoy totalmente metafórica—, un papel que me encandiló desde el primer momento en que lo descubrí...

Quizás los seres humanos seamos los únicos organismos vivos que asignamos un valor a aquello que nos rodea, ya sean objetos, seres, ecosistemas, actividades o incluso conceptos abstractos. Este es un fenómeno que me fascina desde hace mucho tiempo, y me interrogo constantemente sobre el tema, en lo pequeño (¿qué valor tiene un episodio de un pódcast, un artículo en un blog, una compra ética?) y en lo grande (¿qué valor tiene la flora urbana, un bosque sano, un río o un océano de aguas limpias?).

El valor de las cosas a veces se nos escapa por completo, porque es un concepto escurridizo y a menudo circunstancial: cambia según a quién le preguntes, o según la cultura en la que hayas crecido. Sin embargo, otras veces inventamos sistemas y unidades para medirlo, e incluso para ponerle un precio.

Muchas de estas unidades son totalmente ficticias: euros, pesos, grados centígrados, minutos, kilómetros, toneladas, amperios o vatios... nos las hemos inventado. Cierto: las hemos anclado más o menos a la realidad, pero siempre hay un componente aleatorio que escogemos por comodidad (el sistema decimal), o por herencia (como la medición del tiempo en un sistema sexagesimal —60 segundos en un minuto, 60 minutos en una hora, etc.— ideado en Mesopotamia).

* ¡Igual que el mucílago obtenido a partir de algunos **olmos**!

No obstante, hay unidades de medida que no son inventadas. Hay algunas que nacen directamente a partir de una realidad natural... y algunas incluso nacen *literalmente*, porque son seres vivos dormidos que si germinan pueden convertirse en plantas hechas y derechas. Y entre estas unidades naturales se encuentra la semilla del algarrobo, cuyo nombre en tiempos antiguos era *quilate*.

Los quilates de *Ceratonia siliqua* poseen una notable regularidad en el peso, que se aproxima siempre a los 200 mg, y este detalle los convirtió en una unidad ampliamente utilizada en el mundo antiguo. Como es lógico, no era adecuada para pesar sacos de cebada o fanegas de lentejas, sino cantidades pequeñas; y las cantidades pequeñas que más interesaba medir con precisión eran sustancias preciosas, como metales acuñados en forma de moneda, cuyo peso se daba en quilates. Si te adentras en el mundo de la numismática, verás que los expertos distinguen incluso distintos «quilates» —egipcios, grecorromanos y sirios— con diferencias diminutas, que se miden en décimas, centésimas e incluso milésimas de gramo.

Así el quilate ha perdurado hasta nuestros días como unidad de medida que asociamos al oro, a las piedras preciosas, a esos diamantes a los que asignamos más o menos valor según antiguas equivalencias en semillas de algarrobo.

Con la diferencia de que si plantas un diamante, por muy perfecto que sea, no sale nada; y si plantas 100 quilates puede brotar un pequeño algarrobal...

❧

Traslademonos a 1492, esa fecha crucial, bisagra, que vuelve a poner en contacto dos mundos que llevaban mucho tiempo sin saber el uno del otro, con consecuencias, digamos, interesantes para la historia: historia natural y humana, para empezar, pero también es un momento importante desde el punto de vista lingüístico.

Con los españoles que se desplazan a las Indias viajan muchísimos términos botánicos del Viejo Mundo, que terminan etiquetando a una flora nueva, exuberante, y que a veces no tiene nada que ver con la flora que llevaba ese nombre en un principio; así pasó con los acerolos.

Los algarrobos, en cambio, son un caso más interesante...

Para empezar, llama la atención que hay varios árboles americanos que terminan con ese nombre común a cuestas, y por suerte para la botánica, al menos esta vez el motivo tiene un cierto sentido taxonómico: todos son árboles, todos tienen las hojas compuestas, y todos pertenecen a la familia de las leguminosas y echan frutos que están a medio camino entre lo seco y lo jugoso, con pulpa comestible y dulce.

En varios lugares de Mesoamérica y Sudamérica —Nicaragua, Panamá, Venezuela, Colombia...— la etiqueta nominal de «algarrobo» suele ir colgada de *Hymenaea courbaril**, un árbol multiusos que proporciona desde madera y resinas interesantes, hasta vainas de pulpa dulce y comestible (aunque, según dicen, de olor no muy atractivo). A diferencia del algarrobo mediterráneo, las hojas compuestas de *Hymenaea* tienen solo dos folíolos, muy elegantes; y sus legumbres son más gruesas y robustas, con cáscara dura que oculta en su interior las semillas, rodeadas por una pulpa de consistencia harinosa y color generalmente crema-pardusco.

Otra planta que se conoce como «algarrobo» en algunos países de Mesoamérica es la bellísima *Samanea saman* (antaño conocida como *Albizia saman*, al igual que los árboles de la seda o acacias de Constantinopla —*Albizia julibrissin*— de hermosas flores, muy parecidas a las de *Samanea*). Este algarrobo ha sido muy empleado a lo largo y ancho de los trópicos del mundo entero como árbol ornamental y de sombra, pues su amplia copa en forma de paraguas ofrece cobijo fresco. Sus vainas se parecen a las del algarrobo mediterráneo en aspecto, y su pulpa es dulce y comestible, pero su empleo gastronómico es más bien reducido.

Sin embargo, de todos los árboles que llevan o han llevado la etiqueta algarrobística en América, los más importantes probablemente sean los hermanos del género *Prosopis*.

Allá donde el algarrobo mediterráneo es casi único en su género (solo hay dos especies de *Ceratonia* en todo el mundo), hay unos 50 *Prosopis* diseminados por los trópicos y subtrópicos del Viejo y del Nuevo Mundo, sobre todo Sudamérica, donde se da la mayor concentración de especies.

* U otras especies del mismo género.

No todas se conocen como algarrobos (algunas suelen asociarse al término *mezquite*), y muchas mantienen sus nombres nativos, pero si me lees desde Argentina, Perú, Brasil, Bolivia, Ecuador... es muy probable que el algarrobo que has imaginado sea una especie de *Prosopis*, como *P. alba* (algarrobo blanco), *P. nigra* (algarrobo negro), o *Prosopis flexuosa* (algarrobo dulce o negro también*). Estos árboles llegan a formar verdaderos algarrobales, y son elementos muy importantes del paisaje, especies clave para las comunidades de seres vivos, tanto humanos como no humanos.

Al igual que *Ceratonia*, muchos *Prosopis* se caracterizan por ser altamente resistentes a la sequía, en buena parte gracias a sus enormes sistemas radiculares, que destacan por ser de los más profundos y extensos del reino vegetal. Los huarangos, por ejemplo (*P. pallida,* algarrobo pálido), tienen raíces que alcanzan los 60 metros de profundidad, lo que les permite sorber el agua de la capa freática aun en entornos hiperáridos donde llueve poquísimo. La arquitectura radicular de los *Prosopis* estructura el suelo, mejora sus condiciones edáficas y puede actuar como una malla de contención del sustrato en los entornos riparios que habitan, aumentando su estabilidad. Con *Prosopis* sanos y felices, todo el ecosistema se beneficia, y eso nos incluye a nosotros, claro está.

Sabemos, de hecho, que los algarrobos fueron muy importantes para varias civilizaciones que tal vez no nos legaron restos escritos, pero sí dejaron anotado en el registro arqueológico su empleo regular de los productos de *Prosopis*.

En Perú, por ejemplo, aparecen restos de algarrobo de más de 4.000 años de antigüedad en recipientes hallados en un templo al pie de los Andes, el Templo del Zorro, en el yacimiento de Buena Vista. Al tratarse de un periodo precerámico, los cuencos en cuestión estaban hechos con materiales de origen vegetal: cáscaras de calabazas y **calabazas vinateras**. A través de ellos intuimos que, hace ya muchos años, elaborábamos bebidas de algarrobo y las empleábamos en contextos rituales. Actualmente en Perú, los frutos de *P. pallida* sirven, sobre todo, para preparar algarrobina,

* Ten siempre presente que los nombres comunes de «algarrobo blanco», «algarrobo negro», «huarango», etc., pueden designar a especies distintas en países y regiones distintas. La identidad científica que ofrezco es común, pero no universalmente válida.

un concentrado de azúcares de la pulpa de algarroba que se embotella y se propone como medicamento (fortificante, estomacal, e incluso afrodisíaco) y como saborizante en cócteles.

Sin embargo, los restos arqueológicos más antiguos de *Prosopis* están un poco más al sur, en Argentina, donde los primeros registros de consumo de algarrobo se remontan a más de 10.000 años atrás (en la esquina superior oeste del país, en la provincia de Jujuy). Argentina es, de hecho, el país sudamericano con mayor riqueza prosopiística del continente entero (unas 24 especies, de las que once son endémicas, que únicamente se encuentran en este rincón del mundo); puedes tropezarte con algún algarrobo tanto si vas a la Patagonia como si subes a la Puna andina.

La madera de *Prosopis* se ha empleado como material de construcción, como combustible, e incluso como fuente de tinte entre algunos pueblos indígenas del noroeste argentino, para obtener tintes marrones (a partir de *P. nigra* y *P. chilensis*). Y, como es natural, los frutos de algunas especies se emplean como alimento desde hace mucho, mucho tiempo.

Al contrario de lo que sucede con el algarrobo mediterráneo —que es, en esencia, un árbol cultivado—, los *Prosopis* no pertenecen al ámbito del huerto, sino al mundo silvestre; si un algarrobo se plantaba entre tus cultivos por sus propios medios, quizás te alegrases y lo cuidases, pero no solías sembrarlo adrede* junto al maíz, los ajíes o las calabazas. Sin embargo, las vainas de algarrobo, una vez recolectadas y secadas, sí podían terminar almacenadas junto al maíz, otro alimento que se empleaba para preparar bebidas. Así sucedía en El Shincal, un asentamiento inca del s. XV en Catamarca, en el noroeste argentino; se trataba de un centro político y ritual donde se celebraban regularmente grandes festividades, en las que se consumían ingentes cantidades de bebidas fermentadas, alcohólicas, sobre todo obtenidas a partir de maíz y de vainas de algarrobo.

Aunque ya no sea una práctica tan común como lo fue antaño, aún se preparan distintos productos a base de algarrobo molido, tanto *P. chilensis* (que acostumbra a llamarse *algarrobo blanco*, y que suele ser el preferido)

* Hay indicios sugerentes de que en algunos lugares y momentos históricos sí fueron cultivados, y pudo existir una selección de caracteres como, por ejemplo, ser menos espinosos o tener vainas más dulces. Sin embargo, no es lo más común.

como *P. flexuosa* (*algarrobo negro*, por tener las vainas más oscuras). Entre ellos destacan el *patay*, algo parecido a una torta o pan de algarrobo, y una serie de bebidas como el *ulpo* («una especie de lejía [...] que era consumida mientras se pastoreaba al ganado»), la *añapa* (refresco de *Prosopis* no alcohólico) o la *aloja* (que sí lo es). El consumo comunitario de esta última se hizo más y más relevante con el paso del tiempo, hasta llegar a su máxima expresión en tiempos de dominio inca. Y lo notaron también los españoles durante el momento colonial temprano, dejando constancia de «algarrobeadas» y grandes borracheras como algo importante para la población del noroeste argentino.

Hoy en día la embriaguez alcohólica es de lo más prosaico imaginable, pero debemos pensar que existe una larga tradición de lo que podríamos llamar «borracheras sagradas»: cogorzas que pillas en contextos y situaciones con un componente ritual, ceremonial, incluso sagrado, y así sucede en el caso que nos ocupa. Por ejemplo, aparecen restos ligados a bebidas de algarrobo en contextos funerarios de varios yacimientos del noroeste argentino, y también se menciona el consumo de aloja en conexión con celebraciones o festividades que tienen, o tuvieron, carácter religioso de algún tipo. Un ejemplo curioso es el de la «Fiesta o juego del Chiqui», cuyo protagonista vegetal era *Prosopis,* por partida doble: era «el tacu o algarroba» alrededor del cual se celebra la fiesta, pero también la aloja que se bebe durante la ocasión. Esta celebración aparece descrita en un texto publicado a finales del s. XIX en el diario *La Nación* de Buenos Aires (firmado por Samuel Lafone Quevedo, un gran estudioso y observador que vivió largo tiempo en Catamarca), y dice así:

> Cuenta el Indio Peralta nacido en el ya abandonado Pueblo del Pantano, que para celebrar la fiesta del Chiqui hacían reunión de hombres y mujeres, que se juntaban bajo de un algarrobo con varias tinajas llenas de aloja; en anticipación de la tal función, dos días antes salían los hombres al campo á correr liebres, huanacos, pumas y otras aves (...) y con las cabezas de los animales que cazaban daban vueltas alrededor del Arbol entonando el canto o vidala de los Indios y chupando aloja á más y mejor.

Las interpretaciones de esta celebración y sus elementos han variado a lo largo de la historia, pero actualmente parece aceptado que se trataba de una fiesta para espantar al Chiqui (la mala suerte o desventura en quechua) que podía abatirse sobre el pueblo y sus cosechas. Podría imaginarse como una especie de rogativa prehispánica para que las divinidades climatológicas (y los loros, que al parecer eran unos devoradores de maíz de primera categoría) se portasen bien.

Y, dada la importancia que tienen las oscilaciones climáticas del Pacífico Sur —los conocidos fenómenos del Niño y la Niña—, y la capacidad de los *Prosopis* para mitigar muchos de los problemas que pueden causar, el algarrobo parece un árbol perfecto para canalizar oraciones y esperanzas por un futuro mejor...

Pero para eso tienen que estar vivos.

Solo si viven son capaces de mejorar la humedad del suelo, retener sustrato, enriquecer la tierra de nutrientes imprescindibles para las plantas —como el nitrógeno—, dar sombra, dar alimento, y darlo en cantidades mayores cuando las condiciones son más secas.

Quizás aún no nos hemos dado cuenta, y seguimos pensando que más vale tener calderilla en el bolsillo que un árbol que apaga la sed de quienes se cobijan a su sombra. Pero en un mundo árido, donde el agua vale más que el oro, los veinticuatro quilates que yo prefiero son esas semillas que encierran el mayor de los tesoros.

Y sueño con que un día —preferiblemente no muy lejano— no sea la única que lo piense.

Epílogo
Fin de trayecto

What we call the beginning is often the end
And to make an end is to make a beginning.
The end is where we start from.

Lo que llamamos el principio a menudo es el final
Y hacer un final es hacer un principio.
El fin es donde empezamos.

—T. S. Eliot, *Four Quartets* (Little Gidding, V.)

Guardadas las botas, colgado el bastón, los aperos de la aventura se retiran al rincón. Habiéndonos concedido tiempo para explorar mundo durante un rato, las raíces nos reclaman y nos ancoran al hogar, al entorno familiar. Todo ha vuelto a la normalidad.

Tras terminar el viaje, volver a casa, cerrar la puerta —o, del libro, la cubierta—... ¿qué perdura, y qué se desvanece?

Los detalles se escurrirán de la memoria como gotas de agua resbalando sobre las hojas de una col. Dentro de un mes, dentro de un año, es probable que hayas olvidado la corona de mirto de los mandeos, o el récord de altura de los girasoles. Quizás una anécdota o dos tendrán la suerte de quedarse enganchadas en alguna alcayata de nuestros trasteros mentales, y un día aflorarán de improviso, regalándonos el mismo deleite que se siente al redescubrir una bufanda sepultada bajo las prendas que el tiempo acumula en nuestros percheros.

Los recuerdos pueden marchitarse; en cambio, la curiosidad, una vez despierta, se resistirá al letargo, y se aferrará a esas hojas secas prendidas entre las páginas de un cuaderno de campo. Ya conoce las vías de acceso, cómo viajar a través del espejo, cómo adentrarse en la red de senderos de savia cuyos mapas dibujamos, desdibujamos, redibujamos a partir de nuestro deambular. A donde tu curiosidad te lleve, la savia te acompañará.

El final del camino suele identificarse con el destino. Una meta que alcanzar; un castigo que soportar. En tiempos de caos y destrucción —crisis ecológica global, extinción masiva, catástrofe climática— es fácil imaginarlo oscuro, pesado e inmutable como una losa que a veces sentimos bien merecida. Fácil, imaginarlo como un precipicio hacia el que avanzamos con prisa y sin pausa, nuestra vista nublada por la ceguera verde (entre otras cosas).

Sin embargo, y como bien dice el poeta David Whyte, el destino es, en esencia, cotidiano y profundamente dialéctico: «nuestro futuro [está] influenciado por el modo mismo en que conversamos» con nuestra vida —y, añado yo, con la de los seres que nos rodean. Ese futuro se construye, paso a paso, a partir de nuestro diálogo con la Tierra, los rastros que escribimos sobre ella: nuestra historia está en el mapa de senderos que hemos creado, en los caminos que hemos tomado —algunos recién abiertos, otros tan antiguos como el agua.

Y creo sinceramente que, si somos más conscientes de qué sendas conjuramos y recorremos, si aprendemos a valorar y nos dejamos fascinar por la red de historias de savia —presentes, pasadas e imaginadas en futuros deseables—, si sendereamos con respeto y curiosidad... ahí están las semillas para un futuro mejor.

Tras terminar el viaje, volver a casa, cerrar la puerta —o, del libro, la cubierta—... ¿qué perdura, y qué se desvanece?

Todo viaje es una siembra; toda semilla contiene la promesa de un bosque dormido en su interior.

Y dicho esto —y como suelo cerrar cada capítulo del pódcast—, no me queda más que dar las gracias a todas las plantas que nos han acompañado y nos acompañarán en viajes pasados, presentes y futuros; agradecerte a ti la compañía, desearte un feliz día...

¡y que la clorofila te acompañe!

¿Más?

¿Has disfrutado del viaje, y te gustaría saber cuándo me embarcaré en futuras aventuras?

Te invito a que te unas a la tribu-bosque vegetófila (¡con regalos de bienvenida y todo!) en <https://ainaserice.com/>

Si tienes cualquier pregunta, escríbeme a aina@ainaserice.com

Y recuerda que la clorofila nos acompaña... siempre :)

¡Gracias!

Si hay algo que el reino vegetal nos enseña es que el individuo independiente y autosuficiente es una ilusión. Si quieres alumbrar y mantener cualquier empresa, seas o no consciente de ello, deberán arroparte extensas redes de seres vivos, o tu proyecto se marchitará.

Por eso, a ti, que lees estas líneas y formas parte de la red: gracias.

A todas las personas de espíritu vegetófilo que han acogido a *La senda de las plantas perdidas* en su vida, que me han escrito para contarme desde dónde escuchan el pódcast; que me han enviado fotos de obras de arte creadas con mi voz de compañía; que me han animado y me animan a continuar cada día... gracias.

A toda la tribu-bosque que está conectada conmigo, que recibe mis proyectos con tanto cariño y me invita a ocupar un pequeño espacio en su vida para llenarlo de verde esperanza: gracias.

A mi pequeña gran familia cuyo cariño, optimismo y fe inquebrantable entretejen la mejor de las redes de seguridad: gracias.

A Lucía Triviño, amiga y compañera de fatigas, frustraciones, desahogos y triunfos (que de vez en cuando alguno cae); este libro es mejor gracias a su avezado ojo editorial, listo para poner remedio a mis múltiples resbalones ortográficos, tipográficos &etc. A Josué Fas, implacable cazador de puntos suspensivos y paréntesis, cuya atenta revisión ha mejorado el manuscrito (¡y lo ha aligerado de muchísimas «&»!) Gracias.

Infinitamente agradecida a las dos artistas que han contribuido a que este proyecto sea lo que es. A Mabel Moreno Navarro, shushilinda preciosa, ¡porque «me encanta, me encanta, me encanta»! No dejas de maravillarme. Gavina Ligas *carissima*, «*cugina maggiore*», cuyas manos están conectadas al corazón y llenan de sensibilidad sincera cada trazo que dibujan. *Per i tuoi meravigliosi disegni, per tutta la cura e tutto il cuore che ci hai messo. Grazie.*

A la mejor prologuista imaginable, mi querida Ruth Jaén Molina, de espíritu tan científico como poético. Qué afortunada soy al poder llamarte amiga, y contar con tu apoyo y comprensión totales en todo lo que hago. Gracias.

A mi familia en Patreon, que me da apoyo, ánimo y esperanza en mis locas aventuras vegetófilas: vuestra compañía y confianza en mí es lo más bonito que me ha sucedido en mucho tiempo, y aquello que me anima a no cejar en mi empeño y seguir avanzando en esta senda creativa. Sin vosotros, este libro no hubiese sido posible. Gracias.

A la mejor jardinera-editora del mundo, mi *okāchan* con sus tijeras de podar hechas de lógica y eficiencia. Cada libro nos ve crecer, evolucionar, madurar; cambian los mares que navegamos, pero el equipo que guía la nave y la mantiene a flote permanece, y me siento increíblemente afortunada al tenerte en ella.

All'amore mio, che mi sopporta, mi mantiene, mi incoraggia, mi sostiene. El chiringuito vegetófilo no estaría aquí, luchando por abrirse camino y convertirse en un ecosistema creativo floreciente, sin tu fe y confianza en mí *(e la tua disponibilità come cuoco per ogni emergenza). Ancora mille volte scelgo te.*

Y, por supuesto, gracias a ellas: a todas las habitantes del reino vegetal, en cuya compañía intento convertirme en una persona cada día un poco más «savia». Ser *trobairitz* a vuestro servicio, y aprender y maravillarme a vuestro lado sin cesar, es una de las mejores decisiones que he tomado.

Notas & Aclaraciones

Hace años que mantengo un romance (más o menos apasionado) con las notas académicas. La anécdota extra, el comentario en el margen de página... cuando resultan interesantes y equilibradas respecto al cuerpo del texto, me chiflan.

Como enamorada de la lengua y los idiomas —y siendo muy consciente de que cualquier traducción es, en cierto sentido, una «traición» al texto en lengua original— también adoro poder consultar versiones bilingües de los textos, y verlos en su forma primigenia siempre que resulta posible (incluso cuando no entiendo ni jota).

Pero hace años también que aprendí la lección: tengo gustos raros, y no hay mucha gente que los comparta. Por eso he limitado la cantidad de notas y de textos sin traducir en el cuerpo del libro... pero me he reservado esta sección para compartirlas (o, al menos, una parte).

Citas y textos originales
& anotaciones lingüísticas varias

Se ofrecen a continuación los textos en otras lenguas *sobre los que he basado mis propias traducciones*; para referencias completas (incluyendo las de citas textuales de obras en castellano, ya sean originales o traducciones), ver la Bibliografía. Se indica dónde puede localizarse la referencia — en el apartado general o específico de cada capítulo, como *bibl. general* o *específica*— al final de cada fragmento.

❧

De las Brugmansia:

Las citas del libro de Schultes, Hoffmann & Ratsch (ver bibl. específica) son las siguientes:

Pág. 17, «[...] son plantas de los dioses [...]»:

> *They are plants of the gods, but not the agreeable gifts of the gods, like Peyote, the mushrooms, Ayahuasca. Their powerful and wholly unpleasant effects, leading to periods of violence and even temporary insanity, together with their sickening aftereffects, have conspired to put them in a place of second category. They are plants of the gods, true, but the gods do not always strive to make life easy for man—so they gave man the Brugmansias, to which he must on occasion repair.*

Pág. 19, «Cuán agradable es el perfume [...]»:

> *How pleasant is the perfume of the long, bell-like flowers of the Yas, as one inhales it in the afternoon... But the tree has a spirit in the form of an eagle which has been seen to come flying through the air and then to disappear... The spirit is so evil that if a weak person stations himself at the foot of the tree, he will forget everything (...)*

De calabazas vinateras:

Pág. 27, *haiku* de Matsuo Bashō (traducción de D. Landiss; ver bibl. general)

> もの ひとつ 我が世は軽き瓢哉

> *just one possession, / my world light / as a gourd.*

Pág. 27, el mito Kmhmu de creación de la humanidad vía calabaza (sobre todo de Laos septentrional, pero hay cosidos de otras geografías no muy lejanas) relatado en Proschan (ver bibl. específica) está confeccionado a partir de texto en prosa y fragmentos de narrativa oral recogidos en el artículo, del que cito el extracto siguiente:

> *When the flood waters retreat and the brother and sister emerge from their life- saving drum, they must wrest a living from the devastated land, but they must also seek spouses with whom they can set about the task of repopulating the earth. They set out three times to find other humans, but each time they fail, encountering only one another. In despair, they again receive the assistance of a magical helper, the green-billed Malkoha (*Phaenicophaeus tristis*)* [...]. *The Malkoha advises the siblings that despite their disinclination to commit incest, they have no alternative.* [...]

From that then she gave birth.
It took
three years already,
three years already, she gave birth and
out came—
it wasn't a dipper-gourd it, was a bottle-
gourd.
It was a bottle-gourd,
it wasn't a human.
That gourd,
They placed it by the corner. It was seven months,
eh, out came—
They used one knife and carved it then,
a heated iron and drilled.
Out came we Kmhmu at that time,
out came we Kmhmu first.
Out they came and scattered quickly
everywhere, they came out altogether
and dispersed in every direction.

Pág. 27-8, canción polinesia recogida en Tuamotu (primer verso de la versión inglesa; recogida en la tesis de ʻ Akahi Masterson, ver bibl. específica):

Oh my calabash!
Blown towards me by the wind
My calabash rolls over and over on the toppling waves.
It is my diviner, giver of the wisdom of the stars.

Como buena estudiante de japonés (y apasionada de su cultura) que se precie, los ideogramas empleados en lenguas orientales me fascinan. Por ello te cuento que, en chino, *Lagenaria siceraria* se escribe *hulu*: 葫芦, y el instrumento hecho con una calabaza vinatera *hulusi*: 葫蘆絲 o 葫芦丝.

En japonés, *hyōtan* se compone con *kanji* distintos: 瓢箪. Los caracteres empleados para escribir *mubyō* como «seis calabazas vinateras» son 六瓢, mientras que la grafía de «sin enfermedad» es 無病.

Alrededor de los cipreses:

Pág. 35, la descripción de Plinio del ciprés como «Testarudo, desprovisto de fruto, de carácter difícil» proviene del siguiente pasaje de la *Historia Natural* (HN, 16.60; trad. inglesa referenciada en bibl. general):

> *This tree is naturally of a stubborn disposition, bears a fruit that is utterly useless, a berry that causes a wry face when tasted, and a leaf that is bitter: it also gives out a disagreeable pungent smell, and its shade is far from agreeable. The wood that it furnishes is but scanty, so much so indeed, that it may be almost regarded as little more than a shrub. This tree is sacred to Pluto, and hence it is used as a sign of mourning placed at the entrance of a house: the female tree is for a long time barren. The pyramidal appearance that it presents has caused it not to be rejected, but for a long time it was only used for marking the intervals between rows of pines: at the present day, however, it is clipped and trained to form hedge-rows, or else is thinned and lengthened out in the various designs employed in ornamental gardening, and which represent scenes of hunting, fleets, and various other objects: these it covers with a thin small leaf, which is always green.*
>
> *There are two varieties of the cypress; the one tapering and pyramidal, and which is known as the female; while the male tree throws its branches straight out from the body, and is often pruned and employed as a rest for the vine.*

Observa cómo diferencia entre «macho» y «hembra» siguiendo caracteres que nada tienen que ver con la botánica (y de lo curioso que resulta que la «hembra» sea la versión esbelta y de forma más, ejem, fálica de *Cupressus sempervirens*...

Pág. 36, el fragmento original de las *Historias* (4.75) de Heródoto en la traducción inglesa consultada (ver bibl. específica) dice:

> *The Scythians then take the seed of this hemp and, crawling in under the mats, throw it on the red-hot stones, where it smoulders and sends forth such fumes that no Greek vapor-bath could surpass it. The Scythians howl in their joy at the vapor-bath. This serves them instead of bathing, for they never wash their bodies with water. But their women pound cypress and cedar and frankincense wood on a rough stone, adding water also, and with the thick stuff thus pounded they anoint their bodies and faces, as a result of which not only does a fragrant scent come from them, but when on the second day they take off the ointment, their skin becomes clear and shining.*

Pág. 39: en japonés, el ideograma de *hinoki* es 檜, pero suele escribirse fonéticamente (en *katakana*) como ヒノキ; la familia de las cupresáceas quedaría como ヒノキ科 (el último *kanji* corresponde al de «familia» [botánica, al menos]).

DE LOS MIJOS:

Pág. 54, el fragmento del *Libro de las Odas* (de la 245, para ser más exactos) en traducción inglesa de J. Legge (ver bibl. específica) reza así:

> *He gave his people the beautiful grains: – The black millet, and the double-kernelled; The tall red, and the white. They planted extensively the black and the double-kernelled, Which were reaped and stacked on the ground. They planted extensively the tall red and the white, Which were carried on their shoulders and backs, Home for the sacrifices which he founded.*

El término *tiānmìng* se escribe con los ideogramas 天命.

Pág. 59, la cita literal que me facilitó Kato Maurice es:

> *Millet helps to build togetherness or unity among people in communities where it is grown. This is due to the fact that from the time of planting, harvesting and brewing for example different families come together since a lot of work is done and it needs a number of people who have to be united to execute the work. unity and togetherness is also shown during the drinking of the brewed millet drink (Malwa). Here people gather around a drinking pot and they drink from same pot but each one has to have his/her straw. As they drink, they tend to discuss on a lot of issues concerning them, their communities and the country at large.*

CHAPOTEANDO ENTRE ENEAS:

Pág. 67, la cita de W. Colenso sobre el polen de enea neozelandés proviene del artículo «Vegetable food of the ancient New Zealanders before Cook's visit», *Transactions of the New Zealand Institute*, 13 (1881), pp. 3-38, citado en la Base de datos *Ngā Tipu Whakaoranga* (ver bibl. específica). El original dice:

> [*The*] *pollen, in its raw state, closely resembled our ground table-mustard; it was made into a light kind of yellow cake, and baked. It was sweetish to the taste, and not wholly unlike London gingerbread.*

Pág. 68, la bellísima cita sobre el Camino del polen Navajo original (ver bibl. específica) es:

> *The Navaho have that wonderful image of what they call the pollen path. Pollen is the life source, the pollen path is the path to the center. The Navaho say, "Oh, beauty before me, beauty behind me, beauty to the right of me, beauty to the left of me, beauty above me, beauty below me, I'm on the pollen path.*

Flotando entre nenúfares:

Pág. 73, los versos de poesía hindú a Shiva corresponden a las dos primeras estrofas del *185. Campantar 11.154 Marukal,* de originales en tamil (creo) de los que tengo versiones en inglés:

1
"O god with matted hair!" she cries.
"You are my sole refuge!" she cries.
"Bull rider!" she cries, and faints in awe.
O Lord of Marukal
where the blue lily blooms in field waters,
is it fair
to make this woman waste from love's disease?
2
"Object of my thoughts!" she cries. "Siva!" she cries.
"Primal Being!" she cries.
"First among the gods!" she cries.
O our father who dwells in Marukal where the blue lily blooms in clusters,
is it right
to afflict this woman with longing?
—I. Viswanathan Peterson (ver bibl. específica)

La fórmula para transformarse en nenúfar del *Libro de los muertos* se titula, en la traducción que he consultado (de Sir E. A. Wallis Budge, ed. 1967), *The Chapter of making the transformation into a lotus.*

De alisos anfibios:

Pág. 82, el fragmento relativo al Kat Godeu que he incluido no es una traducción punto por punto de la obra, pero está inspirada en —y toma palabras y expresiones de— los siguientes versos (extraídos de *Gwenogyryn*; incluye versión en galés. Ver bibl. específica)

The Lord made answer
By efficacious word: —
Rush, ye chiefs of the wood,
With the prince in your thousands,
To hinder envious people (coming)
Upon an inhabited region.
When the shrubs were enchanted
For the work of destruction [...].
Now, the Alders, at the head of the line,
Thrust forward, the first in time.
The willows and Mountain Ash were late joining the army (...).

Pág. 85: leí la versión alemana del *Erlkönig* de Goethe (y no entendí ni pun, porque mi vocabulario alemán se limita a cosas como «ardilla», «girasol» o «estrella fugaz»), la traduje con varios programas, y leí también traducciones al inglés. Las dos primeras estrofas del original alemán dicen así:

Wer reitet so spät durch Nacht und Wind?
Es ist der Vater mit seinem Kind;
Er hat den Knaben wohl in dem Arm,
Er faßt ihn sicher, er hält ihn warm.
"Mein Sohn, was birgst du so bang dein Gesicht?"
"Siehst, Vater, du den Erlkönig nicht?
Den Erlenkönig mit Kron und Schweif?"
"Mein Sohn, es ist ein Nebelstreif."

La versión cantada en catalán que cito es la de Roger Mas, que puede escucharse en <http://www.rogermas.cat/?audiotheme_video=00-el-rei-dels-verns>.

El patinazo (de *elfo* a *aliso*) en la traducción que usó Goethe suele atribuirse a Herder.

Pág. 87, de alisos japoneses, tenemos a *A. firma* (*yashabushi*, 夜叉五倍子), o *A. japonica* (*hannoki*, 榛の木). El poema que aparece citado al cierre del capítulo (trad. Lodewijk Peterson; ver bibl. específica) es:

Manyōshū X-154
Hari wo yomeru
(1) Omovu ko ga
(2) Koromo suramu ni
(3) Nivovi koso
(4) Sima no vari-vara
(5) Aki tatazu tomo

(1/2) In order to rub the colour on the dress of my love, (3) do take on colour, (4/5) oh vari field of Sima, even if autumn has not yet come!General remarks: One uta *on the vari = black alder.*

La pronunciación transcrita en el texto no se ajusta exactamente a la japonesa moderna (en la que no hay sonidos que se transcriban con la V), pero desconozco el motivo. Se me ocurren dos opciones: que sea fonética japonesa antigua (el idioma ha evolucionado mucho desde aquellos lejanos siglos), que la transcripción sea antigua, o ambas cosas.

De fresnos duros y dulces:

Pág. 94: los fresnos de olor (*Fraxinus ornus*) son los conocidos en griego como *melia* (μελία). Μελίαι eran las ninfas de los fresnos, mientras que el fresno mayor se denomina βουμελία.

Pág. 95-96, el fragmento de la Völuspá que cito (más algunos versos extras), en el original, es:

Ask veit ek standa, heitir Yggdrasill
hár baðmr, ausinn hvíta auri;
þaðan koma döggvar þærs í dala falla;
stendr æ yfir grœnn Urðar brunni.
Þaðan koma meyjar margs vitandi
þrjár, ór þeim sal er und þolli stendr;
Urð hétu eina, aðra Verðandi,
skáru á skíði, Skuld ina þriðju;
þær lög lögðu, þær líf kuru
alda börnum, örlög seggja.

La versión inglesa (en J. Lindow, ver bibl. específica) que he manejado lo traduce como:

I know an ash tree that stands, called Yggdrasil,
A tall tree, sprinkled with white mud;
Thence come the dews that run into valleys,
Forever it stands green over the Urdarbrunn.
Thence come maidens,
much knowing,
three of them, out of that lake, which stands under the tree.
They call Urd one,
the second Verdandi
—they carved on a stick— Skuld the third.
They established laws,
they chose lives
for the children of people,
fates of men.

Pág. 97-8, de serpientes y fresnos en Plinio (HN, 16.24), versión inglesa:

[N]othing has been found to act as so good a specific for the bites of serpents as to drink the juice extracted from the leaves, and to apply them to the wounds. So great, too, are the virtues of this tree, that no serpent will ever lie in the shadow thrown by it, either in the morning or the evening, be it ever so long; indeed, they will always keep at the greatest possible distance from it. We state the fact from ocular demonstration, that if a serpent and a lighted fire are placed within a circle formed of the leaves of the ash, the reptile will rather throw itself into the fire than encounter the leaves of the tree. By a wonderful provision of Nature, the ash has been made to blossom before the serpents leave their holes, and the fall of its leaf does not take place till after they have retired for the winter.

El original latín puede consultarse en la edición de K. F. T. Mayhoff, 1906, a través de la Perseus Digital Library (<http://www.perseus.tufts.edu/>).

El título original del artículo sobre la «influencia magnética» de las hojas de fresno es «*Notice sur l'influence magnétique des feuilles du frêne* (Fraxinus americana) *sur le serpent a sonnette* (Crotalus horridus)», en *Le Recueil Industriel* de febrero de 1835.

La fórmula para invocar la buena suerte al encontrar una hoja de fresno con número par de folíolos en el original inglés decía así: *Even ash, I do thee pluck, Hoping thus to meet good luck; If no good luck I get from thee, I shall wish thee on the tree.*

DE BLANCOS ABEDULES:

Pág. 101, el poema rúnico islandés del s. XV que abre el capítulo, en la traducción inglesa consultada (Dickins, B. (ed), ver bibl. específica), dice:

Birch = leafy twig
and little tree
and fresh young shrub.

Del original:

Bjarkan er laufgat lim
ok lítit tré
ok ungsamligr viðr
abies buðlungr.

Pág. 108, el término para referirse a la madera en griego (que he transcrito como *xýlon*, se escribe ξύλον.

Pág. 110, el poema siberiano se recoge entre los «turcos de Minusinsk», y en la traducción inglesa dice así:

Piercing twelve heavens,
On the summit of a mountain,
A birch in the misty depths of air
Golden are the birch's leaves,
Golden its bark,
In the ground at its foot a basin
Full of the water of life,
In the basin a golden ladle...

La cita aparece en Chadwick (ver bibl. específica), pero la obra que cita es de Uno Holmberg, *Siberian Mythology*, p. 350, citando a Anton Schiefner, *Hel-*

densagen der minusinskischen Tataren (SPb., 1859), p. 62. ¡Toda una matrioska rusa (o siberiana, en este caso) de citas!

De eucaliptos:

Pág. 119, la cita original de Mueller (en *Eucalyptographia*, p. 6; más detalles en bibl. específica) es:

> *In submitting now the first portion of this monograph to the public, the author ventures to express a hope, that the importance of the Eucalypts, whether viewev in their often unparalleled celerity of growth among hardwood-trees, or estimated in their manifold applicabilities to the purposes of industrial life, or contemplated as representing among them in all-overtowering height the loftiest trees in Her Majesty's dominions, will be still more deservedly recognized by the perusal of these unpretensive pages both here and elsewhere.*

Brezos en las alturas (y no):

Pág. 126, la canción escocesa citada en su versión original (en Whitelaw; ver bibl. específica) dice así:

Ae morn of May, when fields were gay,
Serene and charming was the weather,
I chanc'd to roam some miles frae home,
Far o'er yon muir, amang the heather.
O'er the muir amang the heather,
O'er the muir amang the heather,
How healthsome 'tis to range the muirs,
And brush the dew from vernal heather.

I walk'd along and humm'd a song,
My heart was light as ony feather,
And soon did pass a lovely lass,
Was wading barefoot thro' the heather!
O'er the muir amang the heather,
O'er the muir amang the heather,
The bonniest lass that e'er I saw,
I met ae morn amang the heather.

Pág. 131, Plinio nos cuenta (HN 11.15) que:

> *The third kind of honey, which is the least esteemed of all, is the wild honey, known by the name of ericeum. It is collected by the bees after the first showers of autumn, when the heather alone is blooming in the woods, from which circumstance it derives its sandy appearance.* [...] *Experience teaches us that we ought to leave for the bees two-thirds of this crop, and always that part of the combs as well, which contains the bee-bread.*

> [...] *Some persons, when they take the honey, weigh the hive and all, and remove just as much as they leave: a due sense of equity should always be stringently observed in dealing with them, and it is generally stated that if imposed upon in this division, the swarm will die of grief.*

Pág. 135, la cita original de Hooker (1874; en Nelson y Oliver, ver bibl. específica) dice:

> *Many years ago the Cape Heaths formed a conspicuous feature in the greenhouses of our grandfathers, and in the illustrated horticultural works of the day .... These have given place to the culture of soft-wooded plants—Geraniums, Calceolarias. Fuchsias, &c.; and the best collections of the present day are mere ghosts of the once glorious Ericeta of Woburn. Edinburgh. Glasgow, and Kew. A vast number of the species have indeed fallen out of cultivation .... No less than 186 species of Erica were cultivated* [*at Kew*] *in 1811. now we have not above 50. together with many hybrids and varieties.*

MÍTICOS ARRAYANES:

Pág. 141, la traducción inglesa de la Epopeya de Gilgamesh (o del fragmento donde se menciona el arrayán, recogido en S. Dalley (ed), ver bibl. específica) dice así:

> *Then I put (everything ?) out to the four winds, and I made a sacrifice,*
> *Set out a surqinnu-offering upon the mountain peak,*
> *Arranged the jars seven and seven;*
> *Into the bottom of them I poured (essences of ?) reeds, pine, and myrtle.*
> *The gods smelt the fragrance,The gods smelt the pleasant fragrance,*
> *The gods like flies gathered over the sacrifice.*

Págs. 143-144, del arrayán en el mundo mandeo, las citas originales son:

«En el nombre de la Gran Vida [...]»:

> *'In the name of the Great Life, all who smell thy perfume and become enveloped in thee, sixty major sins shall flow away from him, and all the pure spouses who are made perfect in thee shall be freed from evil deeds, and twist garlands and set them on their heads and, without blemish, shall rise and behold the place of Light.'*
>
> —En Drower (1937), ver bibl específica.

«Visten prendas de luz [...]»:

> *They are clothed in garments of radiance and are arrayed in a covering of light. They sit and dwell together, without offending one another and without sinning against one another. They are honored in their firmament and match*

as the eyelash the eye. Their thoughts are open on one another, and they know the First and the Last. They are a thousand thousand parasang (league) distant from one another and (yet) one is illumined by the other's radiance, one is fragrant through another's fragrance, one administer kuša to the other and they understand one another's thoughts. They have escaped every kind of death and death's corruption is not decreed for them. There is no passing away for them, they do not grow old, their strength does not diminish, and they are not plagued by diseases and infirmities. Their vesture does not become black nor their covering dark. Their (myrtle) wreaths do not wither; they do not crumble and do not lose their leaves

—En Aldihisi (donde también está la versión «original» escrita en, ehm, mandeo, supongo); ver bibl específica.

De enebros en el monte:

Pág. 145, la traducción de la estrofa del *Himno a Ártemis* de Calímaco de Cirene está adaptada a partir de traducciones inglesas, italianas y francesas, que dicen respectivamente así:

And give to me all mountains; and for city, assign me any, even whatsoever thou wilt: for seldom is it that Artemis goes down to the town. On the mountains will I dwell and the cities of men I will visit only when women vexed by the sharp pang of childbirth call me to their aid [...].

— Trad. A. W. Mair & G. R. Mair (1921, ver bibl. específica)

Dammi signoreggiar ciascuna altura,
D'una città mi appago esser regina
Che rado mi vedran civili mura.

Abitatrice di contrada alpina
M'inurberò nell'ora, che doglios
Le genitrici grideran Lucina [...]

— Trad. D. Strocchi (1816, ver bibl. específica)

Cède-moi les montagnes. Je ne demande qu'une ville à ton choix. Diane rarement descendra dans les villes. J'habiterai les monts, et n'approcherai des cités qu'aux moments où les femmes, travaillées des douleurs aiguës de l'enfantement, m'appelleront à leur aide.

— Trad. G. de la Porte du Theil (1842, ver bibl. específica)

Pág. 149, la traducción inglesa de Pausanias (8.13; ver bibl. específica):

The former city of Orchomenus was on the peak of a mountain, and there still remain ruins of a market-place and of walls. The modern, inhabited city lies under the circuit of the old wall. Worth seeing here is a spring, from which they draw water, and there are sanctuaries of Poseidon and of Aphrodite, the images being of stone. Near the city is a wooden image of Artemis. It is set in a large cedar tree, and after the tree they call the goddess the Lady of the Cedar.

Pág. 150, fragmento de la *Argonautica* relativo a Medea vs. la gran serpiente (ver bibl. específica):

> *"As he [the Colchian dragon-serpent] writhed he saw the maiden [Medea] take her stand, and heard her in her sweet voice invoking Hypnos (Sleep), the conqueror of the gods, to charm him. She also called on the night-wandering Queen of the world below [Hekate] to countenance her efforts. Iason from behind looked on in terror. But the giant snake, enchanted by her song, was soon relaxing the whole of his serrated spine and smoothing out his multitudinous undulations... Medea, chanting a spell, dipped a fresh sprig of juniper in her brew and sprinkled his eyes with her most potent drug; and as the all-pervading magic scent spread round his head, sleep fell on him."*

DE LOS TILOS:

Pág. 161, el fragmento del *Cantar de los nibelungos* en traducción inglesa consultada donde aparecen las hojas de tilo:

When from the dragon's death-wounds came pouring the hot blood
And therein he was bathing himself, the warrior good,—
There fell between his shoulders a large-sized linden-leaf:
On that spot one may would him; 'tis this doth cause my grief."

SOBRE LAS ENCANTADORAS VIOLETAS:

Pág. 165, la cita de Ovidio sobre los *manes* en sus *Fasti* —libro 2, versos 533-541—, en el latín original:

Est honor & tumulis. Animas placate paternas,
Parvaque in extructas (extinctas) munera ferte pyras.*
Parva petunt Manes: pietas pro divite grata est
Munere. Non avidos Styx habet ima Deos.
Tegula projectis (porrectis) satis est velata coronis,*
Et sparsæ Fruges, parcaque mica salis;
Inque mero mollita Ceres, violæque solutæ: [...]
Nec majora veto; sed & his placabilis umbra est [...].

*Indicado entre paréntesis las discrepancias en dos versiones consultadas: una, la edición de J. G. Frazer (Londres; Cambridge, MA., William Heinemann Ltd.; Harvard University Press, 1933), y la otra, de Gianbattista Bianchi di Siena (Venecia, en dos ediciones: una de Tommaso Bettinelli, 1781, otra Stamperia Rosa, 1811. El texto es prácticamente el mismo, con alguna que otra salvedad).

Traducción inglesa de A. & P. Wiseman (2013, p. 32; ver bibl. específica):

> [***21 February***] *There is honour paid also to tombs—appeasing the paternal spirits and bringing small gifts to the pyres erected for them. Small things are what the manes ask for; devotion pleases them, rather than a costly gift. Styx in the depths has no greedy gods.*
>
> *A tile covered with a spread of garlands is enough, and a sprinkling of corn and a meagre grain of salt, and Ceres softened in wine and a scattering of violets.* [...] *Not that I forbid bigger things; but even by these a ghost can be appeased.*

Traducción de un fragmento en francés (en F. Prescendi Morresi, 2007; ver bibl. específica):

> *Les Mânes demandent peu de chose: la piété leur est plus agréable qu'une riche offrande; il n'y a pas de dieux avides dans les profondeurs du Styx. Ils se contentent du don des couronnes qui recouvrent une tuile, de quelques grains, d'une pincée de sel, de pain trempé dans le vin et des violettes éparses* [...].

Traducción italiana del Bianchi di Siena (1811 y anteriores; ver bibl. específica):

> *Hanno il suo onore anche i sepolcri imponi,*
> *L'Ombre avite a placar, qual che tu sii,*
> *Sul rogo alzato non pregiati doni.*
> *Poco chieggiono i Mani: Uffizj pii*
> *Presso loro a un gran dono han peso uguale.*
> *Non ha la bassa Stige ingordi Iddii.*
> *Ad appagar lor brame un coccio vale*
> *Di serti a biotto ivi gettati ornato,*
> *E sparse biade intorno, e poco sale;*
> *E sciolte violette, e pan bagnato*
> *Nel vin pretto:* [...]
> *Nè vieto il più: ma queste ancor sono atte*
> *L'ombre a placare* [...]

Pág. 170, tenemos la obra de W. A. Mozart *Das Veilche* (compuesta en 1785 sobre un poema de Goethe), que empieza así:

> *Ein Veilchen auf der Wiese stand,*
> *gebückt in sich und unbekannt;*
> *es war ein herzigs Veilchen.*
> *Da kam ein' junge Schäferin*
> *mit leichtem Schritt und munterm Sinn*
> *daher, daher,*
> *die Wiese her und sang.*

Del mágico saúco:

Pág. 175, las citas de Teofrasto (ver bibl. general) están extraídas del fragmento siguiente:

> *The flower is white, made, up of a number of small white blossoms attached to the point where the stalk divides, in form like a honeycomb, and it has the heavy fragrance of lilies. The fruit is in like manner attached to a single thick stalk, but in a cluster as it becomes quite ripe, it turns black, but when unripe it is like unripe grapes; in size the berry is a little larger than the seed of a vetch; the juice is like wine in appearance, and in it men bathe their hands and heads when they are being initiated into the mysteries. The seeds inside the berry are like sesame.*

Pág. 179, el fragmento que cito del cuento de Andersen (en traducción inglesa de J. Hersholt, ver bibl. específica) es:

> *And the little boy looked toward the teapot. He saw the lid slowly raise itself and fresh white elder flowers come forth from it. They shot long branches even out of the spout and spread them abroad in all directions, and they grew bigger and bigger until there was the most glorious elderbush - really a big tree! The branches even stretched to the little boy's bed and thrust the curtains aside - how fragrant its blossoms were! And right in the middle of the tree there sat a sweet-looking old woman in a very strange dress. It was green, as green as the leaves of the elder tree, and it was trimmed with big white elder blossoms; at first one couldn't tell if this dress was cloth or the living green and flowers of the tree.*

Del árbol de la laca:

Pág. 189, «El legendario rey Shun (...)»:

> *... the legendary King Shun created his tableware from wood cut from the hills. After smoothing the traces of tool marks, they were then painted with black lacquer and brought to the palace ... This action was so extravagant that thirteen states refused to pay him allegiance. King Shun passed his Empire to King Yu, who decorated his ceremonial dishes with black varnish on the outside and red paint in the inside ... after becoming increasingly extravagant, thirty-three States refused to serve him.*

— citado en Chang y Schilling (que citan a Han & Chen, 2000, p. 221; ver bibl. específica)

Del olmo y sus sueños vanos:

Pág. 200-1, la cita sobre las Ordenanzas de 1669 sobre la plantación de árboles en Francia (citada en A. Pequet, 1753, p. 667; ver bibl. específica) dice así:

VI. Tous les Propriétaires d'héritages tenans & aboutissans aux grands Chemins & branches d'iceux, seront tenus de les planter d'Ormes, Hêtres, Chataigniers, Arbres fruitiers ou autres arbres suivant la nature du terrein, à la distance de trente pieds d'un de l'autre [...]; *& où aucuns desdits arbres périsoient, ils seront tenus d'en replanter d'autres dans l'année.*

Pag. 203, el extracto de la *Ilíada* está muy basado (aunque ligeramente modificado) en la traducción castellana de Gutiérrez (ver bibl. general).

Sobre los sauces lunares:

Pág. 205, los *haiku* de Kobayashi Issa que cito (con traducción inglesa incluida en los *Issa Archives*, ver bibl. específica) son de 1794, y dicen:

右は月左は水や夕柳 *(migi wa tsuki hidari wa mizu ya yū yanagi)*
moon to the right
water to the left...
the evening willow.
茶の煙柳と共にそよぐ也 *(cha no kemuri yanagi to tomo ni soyogu nari)*
the tea smoke
and the willow
together trembling

Pág. 207, la breve cita de las Geórgicas de Virgilio (negritas mías) sale de:

[...]*Hinc radios trivere rotis, hinc tympana plaustris*
[*445*]*agricolae et pandas ratibus posuere carinas,*
***viminibus salices fecundae**, frondibus ulmi,*
at myrtus validis hastilibus et bona bello
cornus, Ituraeos taxi torquentur in arcus [...]

En traducción inglesa (ver bibl. específica para referencia):

Hence, too, the farmers shave their wheel-spokes, hence Drums for their wains, and curved boat-keels fit; Willows bear twigs enow, the elm-tree leaves, Myrtle stout spear-shafts, war-tried cornel too; Yews into Ituraean bows are bent: [...]

Pag. 208, extracto de la *Odisea* basado en la traducción de Luis Segalà y Estalella (ver bibl. general).

Pág. 209, los versos del *Hamlet* shakespeariano (Acto IV, escena VII) donde Gertrude relata la muerte de Ofelia (aunque la traducción ofrecida no es mía sino de Vicente Molina Foix):

There is a willow grows aslant a brook,
That shows his hoary leaves in the glassy stream.
There, with fantastic garlands did she come,

Of crowflowers, nettles, daisies, and long purples—
That liberal shepherds give a grosser name,
But our cold maids do dead men's fingers call them —
There, on the pendant boughs her coronet weeds
Clamb'ring to hang, an envious sliver broke,
When down her weedy trophies and herself
Fell in the weeping brook.

Pág. 209, el poema chino del s. IX de Li Shang-yin en la traducción inglesa consultada (ref. en Silbergeld, ver bibl. específica) dice:

Boundless the leaves roused by Spring,/ Countless the twigs which tremble in the dawn./ Whether the willow can love or not,/ Never a time it does not dance. / Brown fluff hides white butterflies, / Drooping bands disclose the yellow oriole. / The beauty which shakes a kingdom must reach through all the body: / Who comes only to view a willow's eyebrows?

De la archiconocida ruda:

Pág. 218, la cita de la HN de Plinio (23.77; ver bibl. general) en su traducción inglesa dice:

After the defeat of that mighty monarch, Mithridates, Cneius Pompeius found in his private cabinet a recipe for an antidote in his own hand-writing; it was to the following effect: — Take two dried walnuts, two figs, and twenty leaves of rue; pound them all together, with the addition of a grain of salt; if a person takes this mixture fasting, he will be proof against all poisons for that day.

De amarguras y artemisas:

Pág. 229, la cita del Jingchu Suishiji (principios del s. VII) en la traducción inglesa consultada es:

On the fifth day of the fifth month... mugwort is picked and used to make dolls, which are hung above doors to drive away poisonous air.

Pág. 232, la primera estrofa del poema de Ernest Dowson *Absinthia Taetra* dice:

Green changed to white, emerald to opal; nothing was changed. The man let the water trickle gently into his glass, and as the green clouded, a mist fell from his mind.

Then he drank opaline.

De milenramas oraculares:

Pág. 240, adivinaciones amorosas con milenrama (Cameron, p. 115, ver bibl. general), cito el fragmento entero sobre el que baso mi traducción-adaptación:

> *The yarrow, cut by moonlight by a young woman, with a black-handled knife, and certain mystic words, similar to the following, pronounced—*
>
> *"Good-morrow, good-morrow, fair yarrow, And thrice good-morrow to thee ; Come, tell me before to-morrow, Who my true love shall be." The yarrow is brought home, put into the right stocking, and placed under the pillow, and the mystic dream is expected ; but if she opens her lips after she has pulled the yarrow, the charm is broken. Allusion is made to this superstition in a pretty song quoted in the 'Beauties of Highland Poetry,' p. 381, beginning—*
>
> *"Gu'n dh'eirich mi moch, air madainn an dé,*
> *'S ghearr mi'n earr-thalmhainn, do bhri mo sgéil ;*
> *An dùil gu'm faicinn-sa rùin mo chléibh ;*
> *Ochòin ! gu'm facas, 's a cùl rium féin."*
> *I rose yesterday morning early,*
> *And cut the yarrow according to my skill.*
> *Expecting to see the beloved of my heart.*
> *Alas ! I saw him—but his back was towards me.*

De altramuces:

Págs. 252-253, los curiosos remedios del *Leechbook* medieval inglés están incluidas (en versión original y traducida) en el vol. 2 de Cockayne (ver bibl. específica):

> *Against elf disease; take bishopwort, fennel, lupin, the lower part of enchanters nightshade, and moss or lichen from the hallowed sign of Christ, and incense, of each a hand full; bind all the worts in a cloth, dip it thrice in hallowed font water, have sung over it three masses, one "Omnibus sanctis," another "Contra tribulationem,", a third "Pro infirmis."*

(El remedio sigue adelante durante una página y media más... pp. 345-6)

> *A drink against temptations of the devil; tuftythorn, cropleek, lupin, Ontre, bishopwort, fennel, cassuck, betony; hallow these worts, put into some ale some holy water, and let the drink be in the same chamber as the sick man, and constantly before he drinketh sing thrice over the drink, "Deus! In nomine tuo salvum me fac." (p. 353)*

DE CIDROS ANTIGUOS:

Pág. 258: la descripción de Teofrasto de los cidros en la traducción inglesa de Arthur Hort (aunque los volúmenes incluyen también el original griego) dice así:

> *And in general the lands of the East and South appear to have peculiar plants, as they have peculiar animals; for instance, Media and Persia have, among many others, that which is called the 'Median' or 'Persian apple'. This tree has a leaf like to and almost identical with that of the andrachne, but it has thorns like those of the pear or white-thorn, which however are smooth and very sharp and strong. The 'apple' is not eaten, but it is very fragrant, as also is the leaf of the tree. And if the 'apple' is placed among clothes, it keeps them from being moth-eaten.*

Pág. 264, la consulta de las comunidades judías afincadas en China sobre la validez ritual (o no) de los cidros 'Mano de Buda', en el original citado en Ofir Shemesh (ver bibl. Esp), reza así:

> *Question from the province of Jin, Hanchan city. The citrons of Hanchan resemble those of Baghdad in their shape and marks, but there is one dif- ference. From the middle of the citron towards the top, its shape resembles human-like fingers, and each citron has ten or fifteen fingers, some long and some short. What is the status of this citron; is it permitted or not? And the Jews of the city of Hanchan send for citrons from Egypt, but these become damaged on the way, and sometimes the citrons arrive from Egypt on the intermediate days of the festival, and for these reasons I ask whether these local citrons may be used to fulfill the ritual obligation and whether the blessing may be made over them or not.*

OTRAS NOTAS ERUDITAS
Taxonomía & otros apuntes

Empecemos con unas cuantas puntualizaciones, curiosidades o notas que no tenían cabida a pie de página, y terminemos con las afiliaciones taxonómicas de nuestras protagonistas vegetales...

ℰ

En el **capítulo 3** dedicado a las calabazas de beber, menciono a la hierba mate; se trata de *Ilex paraguariensis*, especie hermana del acebo europeo (*I. aquifolium*).

En el **capítulo 7** protagonizado por las eneas, menciono que la composición nutricional de las *Typha* no es muy distinta de la de algunos trigos; y es que, si comparamos la harina del rizoma de enea con harina integral de escanda silvestre (*Triticum dicoccon*), los valores energéticos (por 100 g) están entre 266 y 1.128 kcal para las eneas, y entre 307 y 1.302 para la escanda: no hay tanta diferencia...

En el **capítulo 9** protagonizado por los alisos, menciono una expresión francesa (no me consta la región o la variedad dialectal concreta) que literalmente significa «tomar aliso por fresno», e implica cometer un fallo garrafal; en la versión original es *prène bern per rèche*.

En el **capítulo 12** relativo a los eucaliptos, en la literatura también se mencionan a varias especies que han sido trasladadas al género *Corymbia*, como *C. clavigera* o *C. confertiflora*, cuyas cenizas también se usaban entre los aborígenes del Territorio del Norte para varias finalidades. Lo mismo sucede con los *kinos*, obtenidos a partir de *Eucalyptus*, de especies de otros géneros que antaño se consideraban *Eucalyptus* (como *Corymbia*), pero también a partir de otras que no guardan relación de parentesco con ellos.

En el **capítulo 17** dedicado a las violetas debemos añadir que el término griego para hablar de estas flores, ἴον, no se circunscribía al género *Viola*, sino que a veces también se aplicaba a los alhelíes morados (del género *Matthiola*).

Aunque Perséfone se describe en alguna ocasión como coronada de violetas (rayos, ¡incluso la ciudad de Atenas se describe así!), la planta más famosa relacionada con la hija de Deméter es el granado (*Punica granatum*; es un frutal que me encanta, y al que he dedicado artículos en el blog y otro episodio del pódcast *La senda de las plantas perdidas*, en caso de que quieras averiguar más sobre ella).

Además, en este capítulo violetoso se trata una cuestión que me fascina desde hace tiempo: las palabras, los colores y las plantas. Este es un argumento mucho más complejo y al que no puedo hacer justicia (por espacio, y por desconocimiento, pues no es mi especialidad), pero querría puntualizar dos cosas:

1) El modelo «evolutivo» al que me refiero en el texto es el modelo de Berlin & Kay (1969). La antropología y la evolución de los vocabularios cromáticos alrededor del mundo es un campo dinámico y activo, y la validez universal de este modelo ha sido puesto en entredicho (algo que no sorprende, puesto que en las ciencias naturales rara vez funcionan los «universales»). Sin embargo, sigue siendo un punto de referencia importante en este campo, y no son pocos los idiomas cuya evolución se ajusta al modelo.

2) Por supuesto que las lenguas, y las culturas en que se desarrollan y mantienen vivas, no pueden juzgarse con los baremos del s. XIX que creían poder dividir el mundo entre «sociedades y lenguas primitivas», colocadas en una posición inferior respecto a «sociedades y lenguas más complejas y sofisticadas». Bien lo sabemos en biología: no por haber aparecido en tiempos más recientes es una margarita «mejor» que un ginkgo. Decir que una lengua o una planta son «más modernas» que otras no es un juicio de valor, sino una mera descripción que compara sus respectivas edades.

En el **capítulo** de las rudas (el 22) aparecen mis queridas comadrejas: *Mustela nivalis,* en el caso de la comadreja común, ampliamente distribuida por todo el hemisferio boreal. Este animalito es el mustélido más pequeño de su familia, además de gran cazador.

En el **capítulo 24**, dedicado a las milenramas, mencionar que en el apartado de la adivinación en China, la lectura del porvenir aplicando calor sobre huesos para interpretar después «la forma y dirección de estas grietas» tiene un nombre técnico (pues sí): es lo que conoce como *piroescapulomancia.* Y un detalle que no he logrado aclarar fuera de toda duda es si las milenramas usadas en China, esa *shì* (蓍), era *Achillea millefolium*, o su hermana *A. alpina* (syn. *A. sibirica*).

En el **capítulo 26** sobre los hermosos cidros, un apunte lingüístico: el término hebreo *etrog* probablemente deriva del persa, y es pariente de nuestra palabra *toronja.*

Por fin, en el **capítulo 27** consagrado a los algarrobos, nada más añadir que el término árabe *al-jarrūb* a su vez probablemente derive de alguna lengua semítica más antigua, como el asirio o el aramaico.

Y por último, incluir como mención especial a algunas otros ingredientes de origen vegetal que también forman parte del club de «la botánica secreta del helado», como la inulina (que proviene justamente de la raíz de achicoria, *Cichorium intybus*... o de un hermano del girasol, la pataca o tupinambo, *Helianthus tuberosus*); o la goma de guar (*Cyamopsis tetragonoloba*), de la familia de las leguminosas, como los algarrobos.

Y con esto —y con un cucurucho de helado con vegetales de todo tipo—, damos por cerradas las notas extrañas y pasamos a la sección de

Taxonomía & botánica

Las aguas taxonómicas, consultadas en marzo de 2021, colocan a nuestras protagonistas en las siguientes familias (ordenadas alfabéticamente):

Adoxáceas (Adoxaceae): **saúco** (*Sambucus* sp.).

Anacardiáceas (Anacardiaceae): **árbol de la laca** (*Toxicodendron vernicifluum* y otros parientes).

Betuláceas (Betulaceae): **abedules** (*Betula* sp.), **alisos** (*Alnus* sp.).

Compuestas (Asteraceae, Compositae): **artemisas** y ajenjos (*Artemisia* sp.), **girasol** (*Helianthus annuus*), **milenrama** (*Achillea millefolium*).

Cucurbitáceas (Cucurbitaceae): **calabazas de beber** (*Lagenaria siceraria*).

Cupresáceas (Cupressaceae): **ciprés** (*Cupressus sempervirens*), **enebros** y sabinas (*Juniperus* sp.).

Ericáceas (Ericaceae): **brezos** (*Erica* sp., *Calluna vulgaris*).

Gramínias (Poaceae): **mijos**.

Leguminosas (Leguminosae, Fabaceae): **altramuces** (*Lupinus* sp.), **algarrobos** (*Ceratonia siliqua*, *Prosopis* sp., *Samanea saman*, *Hymenaea* sp.).

Malpigiáceas: **acerolos americanos** (*Malpighia* spp.).

Malváceas (Malvaceae): **tilos** (*Tilia* sp.).

Mirtáceas (Myrtaceae): **eucaliptos** (*Eucalyptus* sp.), **arrayán** (*Myrtus communis*).

Nimfeáceas (Nymphaeaceae): **nenúfares** (*Nymphaea* sp.).

Oleáceas (Oleaceae): **fresnos** (*Fraxinus* sp.).

Rosáceas (Rosaceae): **acerolo** (*Crataegus azarolus*), tejocote (*C. mexicana*).

Rutáceas (Rutaceae): **rudas** (*Ruta* sp.), cidro (*Citrus medica*).

Salicáceas (Salicaceae): **sauces** (*Salix* sp.).

Solanáceas (Solanaceae): **toé** (*Brugmansia* sp.).

Tifáceas (Typhaceae): **eneas** (*Typha* sp.).

Ulmáceas (Ulmaceae): **olmos** (*Ulmus* sp.).

Violáceas (Violaceae): **violetas** (*Viola* sp.).

Para cualquier pregunta o consulta cuya respuesta no se encuentre aquí (o en la bibliografía), no dudes en escribirme :)

Bibliografía

Confeccionar la bibliografía de este libro es complicado.

Buena parte del material empleado lo amasé durante la preparación y redacción de mi anterior vástago literario, *El libro de las plantas olvidadas*, por lo que es posible (diría incluso probable, jeje) que se me escapen algunas fuentes.

Este apartado está dividido en dos grandes bloques: primero, una lista de fuentes «generales» (es decir, que he consultado para elaborar dos o más capítulos); y, a continuación, fuentes específicas de cada capítulo concreto.

Siempre que resulta posible, indico qué tipo de información proviene de qué fuente, por ello no están ordenadas alfabéticamente sin más, sino agrupadas por temáticas. Las fuentes de todas las citas se especifican al final de cada sección específica; todas las traducciones, a menos que se especifique lo contrario, son de la propia autora.

Bibliografía general

De botánica, taxonomía & etc.:

AA. VV., *Plants of the World Online Portal*, Kew, Royal Botanic Gardens. Disponible a través del portal <www.powo.science.kew.org>.

Castroviejo, S. (coord. gen.), *Flora iberica*, 1-8, 10-15, 17-18, 21, Madrid, Real Jardín Botánico, CSIC, 1986-2012. [A través del portal digital <www.anthos.es>.]

Giesecke, T. y S. Brewer, «Notes on the postglacial spread of abundant European tree taxa», *Vegetation History and Archaeobotany*, 27 (2018), pp. 337-349. Disponible en: <www.doi.org/10.1007/s00334-017-0640-0>.

Killeen, T. J., García, E., Stephan, E. y Beck, G., *Guía de Arboles de Bolivia*, La Paz, Herbario Nacional de Bolivia y Missouri Botanical Garden, 1993.

Langenheim, J., *Plant Resins: Chemistry, Evolution, Ecology, and Ethnobotany*, Portland, Timber Press, 2003.

San-Miguel-Ayanz, J.; D. de Rigo; G. Caudullo; T. Houston Durrant, y A. Mauri (eds.), *European Atlas of Forest Tree Species*, Luxemburgo, Publication Office of the European Union, 2016.

Etnobotánica general:

Allen, D. E. y G. Hatfield, *Medicinal plants in folk tradition: an ethnobotany of Britain & Ireland*, Portland, Cambridge, Timber Press, 2004.

Anderson, E. N.; D. Pearsall; E. Hunn, y Turner, N. (eds.), *Ethnobiology*, Nueva York, Wiley- Blackwell, 2011.

Pardo de Santayana, M.; R. Morales; J. Tardío, y M. Molina (eds.), *Inventario español de los conocimientos tradicionales relativos a la biodiversidad*, Fase II (vols. 1-3), Madrid, Ministerio de Agricultura y Pesca, Alimentación y Medio Ambiente, 2018.

Pieroni, A. y C. L. Quave (eds.), *Ethnobotany and Biocultural Diversities in the Balkans: Perspectives on Sustainable Rural Development and Reconciliation*, Nueva York, Springer, 2014.

Prance, G. y M. Nesbitt (eds.), *The Cultural History of Plants*, Nueva York, Routledge, 2005.

Quattrocchi, U., *CRC World Dictionary of Medicinal and Poisonous Plants: Common Names, Scientific Names, Eponyms, Synonyms, and Etymology*, Boca Raton-Londres-Nueva York, CRC Press (Taylor & Francis Group), 2012.

Rivera Núñez, D. et al., *Las variedades tradicionales de frutales de la Cuenca del Río Segura. Catálogo Etnobotánico (1): Frutos secos, oleaginosos, frutales de hueso, almendros y frutales de pepita*, Murcia, Universidad de Murcia, 1996.

Drori, J., *Around the world in 80 trees*, Laurence King publishing, 2018.

De simbología y mitología vegetal

Abella, I., *La magia de los árboles*, Barcelona, RBA Libros, 1996.

Cattabiani, A., *Florario: Miti, leggende e simboli di fiori e piante*, Milán, Mondadori, 1998.

De Gubernatis, A., *La mythologie des plantes* (vols. 1-2), París, C. Reinwald, 1878-1882.

De La Tour, C., *Le Langage des Fleurs*, 7.a ed., París, Garnier Frères, 1858.

Elliott, B., «The Victorian language of flowers», *Occasional Papers from the RHS Lindley Library*, 10 (2013), pp. 3-94.

Folkard, R., *Plant lore, legends and lyrics embracing the Myths, Traditions, Superstitions, and Folk-Lore of the Plant Kingdom,* Londres, Sampson Low, Marston, Searle and Rivington, 1884.

Krishna N. y Amirthalingam, M., *Sacred Plants of India*, Gurgaon, Penguin Books, 2014. ?

Rolland, E., *Flore Populaire, ou histoire naturelle des plantes dans leurs rapports avec la linguistique et le folk-lore* (tomos I-II), París, Librairie Rolland, 1896-1914.

Thiselton-Dyer, T. F., *The Folk-Lore of Plants,* Nueva York, D. Appleton & Company, 1889.

Waring, S., *The Wild garland; or, prose and poetry connected with English wild flowers*, Londres, Harvey and Darton, 1827.

Etnobotánica gastronómica y medicinal:

Duke, J. A., *Duke's handbook of medicinal plants of Latin America*, CRC Press, 2009.

Font Quer, P., *Plantas Medicinales: El Dioscórides Renovado*, Barcelona, Círculo de Lectores, 1999.

Lim, T. K., *Edible Medicinal And Non-Medicinal Plants, Vol. 4: Fruits*, Dordrecht-Nueva York, Springer, 2012.

—, *Edible Medicinal And Non-Medicinal Plants, Vol. 5: Fruits*, Dordrecht-Nueva York, Springer, 2013.

—, *Edible Medicinal And Non-Medicinal Plants, Vol. 7: Flowers*, Dordrecht-Nueva York, Springer, 2014.

—, *Edible Medicinal And Non-Medicinal Plants, Vol. 8: Flowers*. Dordrecht-Nueva York, Springer, 2014.

—, *Edible Medicinal And Non-Medicinal Plants, Vol. 9: Modified Stems, Roots, Bulbs,* Dordrecht- Nueva York, Springer, 2015.

—, *Edible Medicinal And Non-Medicinal Plants, Vol. 12: Modified Stems, Roots, Bulbs,* Dordrecht- Nueva York, Springer, 2016.

López Sáez, J. A. y J. Pérez Soto, «Plantas alexitéricas: antídotos vegetales contra las picaduras de serpientes venenosas», *Medicina naturista*, 3, núm. 1 (2009), pp. 17-24.

Small, E., *Top 100 Food Plants*, Ottawa, National Research Council of Canada, 2009.

Stewart, A., *The Drunken botanist: The Plants That Create The World's Great Drinks*, Chapel Hill, Timber Press, 2013.

Vaughan, J. G. y C. A. Geissler, *The New Oxford Book of Food Plants* (2.a ed.), Oxford, Oxford University Press, 2009.

De perfumes y cosméticos:

Manniche, L., *Sacred Luxuries: Fragrance, aromatherapy & cosmetics in Ancient Egypt*, Londres, Opus Publishing, 1999.

Septimus Piesse, G. W., *The Art of Perfumery and Method of Obtaining the Odors of Plants* [...], Filadelfia Lindsay and Blakiston, 1857.

Voudouri, D. y C. Tesseromatis, «Perfumery from Myth to Antiquity», *International Journal of Medicine and Pharmacy*, 3, núm. 2 (2015), pp. 41-55.

De tintes y colores:

Cardon, D., *Le monde des teintures naturelles*, Belin, 2014.

Eastaugh, N.; V. Walsh; T. Chaplin, y R. Siddall, *The Pigment Compendium. A dictionary of historical pigments*, Oxford, Elsevier Butterworth-Heinemann, 2004.

Del mundo grecorromano:

Fuentes literarias:

Athenaeus, *The Deipnosophists. Or Banquet Of The Learned Of Athenaeus* (C. D. Yonge, B. A., ed.), Londres, Henry G. Bohn, 1854.

Heródoto, *The Histories* (trad. A. D. Godley), Cambridge, Harvard University Press, 1920.

Homero, *The Odyssey* (trad. A. T. Murray), Cambridge y Londres, Harvard University Press y William Heinemann, 1919.

—, *The Iliad* (trad. A. T. Murray) , Cambridge y Londres, Harvard University Press y William Heinemann, 1924.

—, *Ilíada* (trad. Fernando Gutiérrez), Penguin Random House, 2015.

—, *Ilíada* (ed. C. Rodríguez Alonso), Madrid, Ediciones Akal, 1989.

López Eire, A. et al., *El Dioscórides Interactivo: sobre los remedios medicinales manuscrito de Salamanca*, Salamanca, Universidad de Salamanca, 2006. Consultado en: <dioscorides.usal.es>.

Plinio el Viejo, *The Natural History* (trad. de J. Bostock y H. T. Riley), Londres, Taylor and Francis, 1855.

Teofrasto, *Enquiry into Plants and minor works on odours and weather signs* (trans. A. Hort) *in two volumes*, Londres y Nueva York, William Heinemann & G. P. Putnam's sons, 1916.

Virgilio, *Aeneid* (trad. de T. C. Williams), Boston, Houghton Mifflin Co., 1910.

—, *Bucolics, Aeneid, and Georgics Of Vergil* (ed. J. B. Greenough), Boston, Ginn & Co., 1900.

Textos académicos:

Bernhardt, P., *Gods and Goddesses in the Garden: Greco-Roman Mythology and the Scientific Names of Plants*, Rutgers University Press, 2008.

Carroll, M., *Earthly Paradises. Ancient gardens in history and archaeology*, The British Museum Press, 2003.

Faraone, C. A. y D. Obbink, *Magika hiera: ancient Greek magic and religion*, Nueva York y Oxford, Oxford University Press, 1991.

Forster, E. S., «Trees and plants in Homer», *The Classical Review*, 50, núm. 3 (1936), pp. 97-104.

Larson, J., *Ancient Greek cults: a guide*, Nueva York, Routledge, 2007.

Liddell, G. G. y Scott, R., *A Greek-English Lexicon. revised and augmented throughout*, Oxford, Clarendon Press. 1940.

Luck, G., *Arcana mundi: magic and the occult in the Greek and Roman worlds: a collection of ancient texts*, 2.a ed., Baltimore, The Johns Hopkins University Press, 2006.

Ulrich, R. B., *Roman woodworking*, New Haven, Yale University Press, 2007.

Wilkins, J. M. y S. Hill, *Food in the ancient world*, Oxford, Blackwell Publishing, 2006.

Del mundo medieval, renacentista y moderno en Occidente:

Fuentes originales:

Gerard, J., *The Herball or General Historie of Plants*, Londres, John Norton, 1597.

Laguna, A., *Pedacio Dioscorides Anazarbeo, Acerca de la materia medicinal y de los venenos mortiferos & etc.*, Amberes, Casa de Juan Latio, 1555.

Mattioli, P. A., *I discorsi di M. Pietro Andrea Matthioli... ne i sei libri di Pedacio Dioscoride Anazarbeo Della Materia Medicinale...*, Venecia, Imprenta de Vincenzo Valgrisi, 1563.

Monardes, N., *Primera y segunda y tercera partes de la Historia medicinal, de las cosas que se traen de nuestras Indias Occidentales, que siruen en Medicina: Tratado de la Piedra Bezaar y de la yerua escuerçonera* [...], Sevilla, Casa de Alonso Escriuano, 1574.

Textos académicos:

Drury, S., «Plants and Wart Cures in England from the Seventeenth to the Nineteenth Century: Some Examples», *Folklore*, 102, núm. 1 (1991), pp. 97-100.

Kelly, F., «Trees in early Ireland», *Irish Forestry*, 56 (1999), pp. 39-57.

Łuczaj, L. J., «A relic of medieval folklore: Corpus Christi Octave herbal wreaths in Poland and their relationship with the local pharmacopoeia», *Journal of Ethnopharmacology*, 142 (2012), pp. 228-240.

Morales, R., «Glosario de alusiones a vegetales en las obras completas de Cervantes», *Anales Cervantinos*, 37 (2005), pp. 267-295.

Pardo de Santayana, M.; A. García-Villaraco; M. Rey Bueno, y R. Morales, «Naturaleza a través de la botánica y zoología en la literatura renacentista española: La Celestina», *Asclepio. Revista de Historia de la Medicina y de la Ciencia*, 63, núm. 1 (2011), pp. 249-292. [ISSN: 0210-4466]

Quelit, Q. y Hasegawa-Collins, S. (Illus.), *Botanical Shakespeare: an Illustrated Compendium of All the Flowers, Fruits, Herbs, Trees, Seeds, and Grasses cited by the World's Greatest Playwright*, HarperCollins, 2017.

Del Lejano Oriente: China, Japón, Corea & etc.

Bashō, M. y Landis Barnhill, D., *Bashō's haiku: selected poems by Matsuo Bashō, translated by David Landis*, Albany Barnhill, State University of New York Press, 1996.

Hu, S.-Y., *Food Plants of China*, Chinese University Press, 2004.

Keng, H., «Economic Plants of Ancient North China as Mentioned in "Shih Ching" (Book of Poetry)», *Economic Botany*, 28, núm. 4 (1974), pp. 391-410.

Koehn, A., «Chinese Flower Symbolism», *Monumenta Nipponica*, 8, núms. 1-2 (1952), pp. 121-146.

Péronny, C., *Les plantes du Man.Yô-Shû*, Masionneuve & Larose, París, 1993.

Schafer, E. H., *The golden peaches of Samarkand. A study of T'ang Exotics*, Berkeley, Los Ángeles y Londres, University of California Press, Reimpresión de 1985.

Valder, P., *The Garden Plants of China*, Portland (Oregón), Timber Press, 1999.

Del mundo islámico e iranio:

Campbell-Thompson, R. C., *A dictionary of Assyrian Botany*, The British Academy, Londres, 1949.

Carabaza Bravo, J. M. et al., *Árboles y arbustos de Al-Ándalus*, Madrid, CSIC, 2004.

Dafni, A. et al., «Ritual plants of Muslim graveyards in northern Israel», *Journal of Ethnobiology and Ethnomedicine*, 2 (2006), p. 38. [doi:10.1186/1746-4269-2-38].

Encyclopædia Iranica, online edition, Nueva York, 1996. Disponible a través del portal digital <www.iranicaonline.org>.

Nasrallah, N., *Annals of the Caliph's Kitchen: Ibn Sayyār al-Warrāq's Tenth-Century Baghdadi Cookbook*, Leiden-Boston, Brill, 2007.

Yaniv, Z. y N. Dudai (eds.), *Medicinal and Aromatic Plants of the Middle-East*, Dordrecht, Springer, 2004.

¡Cajón de sastre!

AA. VV., *Native American Ethnobotany DataBase*, 2003, a través del portal <http://naeb.brit.org/>

Cameron, J., *Gaelic Names of Plants* [...], Edimburgo y Londres, William Blackwood and Sons, 1883.

Bussmann R. (eds), *Ethnobotany of the Caucasus. European Ethnobotany*, Springer, Cham, 2016.

Judd, W. y Judd, G., *Flora of Middle-Earth*, Oxford University Press, 2017.

Musselman, L. J., *A Dictionary of Bible plants*, Cambridge, Cambridge University Press, 2012.

Ostling, M., «Witches' Herbs on Trial», *Folklore*, 125, núm. 2 (2014), pp. 179-201.

Samorini, G., *Giorgio Samorini Network: Studi nel campo fenomenologico delle droghe psicoattive*, disponible a través de <https://samorini.it>.

Bibliografía específica

Capítulo 1: La lección de los acerolos

Del tejocote en el Día de Muertos en México:

AA. VV., *La festividad indígena dedicada a los muertos en México* (Patrimonio Cultural y Turismo. Cuadernos 16), México, Consejo Nacional para la Cultura y las Artes , 2006.

Del acerolo europeo, véase por ejemplo:

Caliskan, O., «Mediterranean Hawthorn Fruit (*Crataegus*); Species and Potential Usage», en Preedy, V. y Watson, R., (eds), *The Mediterranean Diet, An Evidence-Based Approach* (1st Edition), Academic Press, 2014.

De acerolos americanos:

Lascurain, M., Avendaño, S., del Amo, S. y Niembro. A., *Guía de frutos silvestres comestibles en Veracruz*, México, Fondo Sectorial para la Investigación, el Desarrollo y la Innovación Tecnológica Forestal, Conafor-Conacyt, 2010.

Schreckinger, M. E., Lotton, J., Lila, M. A. y Gonzalez de Mejia, E., «Berries from South America: A Comprehensive Review on Chemistry, Health Potential, and Commercialization», *J Med Food*, 13, núm. 2 (2010), pp. 233–246.

Capítulo 2: La lección del toé

Texto clásico sobre enteógenos (plantas con efectos psicodélicos) que menciono en el texto:

Schultes, R. E.; Hofmann, A., y Rätsch, C., *Plants of the Gods: Their Sacred, Healing, and Hallucinogenic Powers* (Revised and Extended Edition), Healing Arts Press, 2001.

Reconocimiento taxonómico con descripción del género *Brugmansia* (que incluye una tabla de caracteres diferenciales entre *Brugmansia* y *Datura*, entre ellos el momento de floración):

Lockwood, T. E., «Generic recognition of *Brugmansia*», Botanical Museum leaflets, Harvard University, 23 (1973), pp. 273-284 [https://www.biodiversitylibrary.org/part/168561#/summary].

Clasificación hortícola de las *Brugmansia* según apetencias de temperatura (entre otras muchas cosas):

AAVV., *Brugmansia Growers International* (BGI), 2002-2019. Disponible en <https://www.brugmansia.us>

Flores de *Brugmansia* de polinización nocturna:

Mejicano, E., «Pollination Syndrome and Nectar Protection in *Brugmansia suaveolens* (Solanaceae) [Report]», Monteverde Institute, 2011 [https://digital.lib.usf.edu/SFS0001417/00001]

Supuestos efectos intoxicantes del olor de las *Brugmansia* (puestos a prueba y refutados):

Kite, G. C. y Leon, C., «Volatile compounds emitted from flowers and leaves of *Brugmansia* × *candida* (Solanaceae)», *Phytochemistry*, 40, núm. 4 (1995,), pp. 1093-1095.

De Chavín de Huántar y el Obelisco Tello:

Marconetto, M. B., «El jaguar en flor: representaciones de plantas en la iconografía aguada del noroeste argentino», *Boletín del Museo Chileno de Arte Precolombino*, 20, núm. 1 (2015), pp. 29-37.

Samorini, G., «Aspectos y problemas de la arqueología de las drogas sudamericanas», *Cultura y Droga*, 19, núm. 21 (2014), pp. 13-34. [DOI: 10.17151/cult.drog.2014.19.21.2.]

Torres, C. M., «Chavín's Prychoactive Pharmacopoeia: The Iconographic Evidence», en Conklin, W. J. y Quilter, J. (Eds), *Chavín: Art, Arquitecture and Culture*, Los Angeles, Cotsen Institute of Archaeology, University of California, 2008.

De usos de *Brugmansia* en los Andes:

De Feo, V., «The Ritual Use of *Brugmansia* species in Traditional Andean Medicine in Northern Peru», *Economic Botany*, 58, Supplement (2004), pp. S221-S229.

De Feo, V., «Ethnomedical field study in northern Peruvian Andes with particular reference to divination practices», *Journal of Ethnopharmacology*, 85 (2003), pp. 243–256.

Cabises, F., «Las plantas mágicas del Perú primigenio», *Revista de Neuro-psiquiatría*, 50 (1987), pp. 24-35.

Armijos, C., Cota, I. y González, S., «Traditional medicine applied by the Saraguro yachakkuna: a preliminary approach to the use of sacred and psychoactive plant species in the southern region of Ecuador», *Journal of Ethnobiology and Ethnomedicine*, 10:26 (2014).

Usos amazónicos de las *Brugmansia*:

Caballero-Serrano, V. et al., «Traditional ecological knowledge and medicinal plant diversity in Ecuadorian Amazon home gardens», *Global Ecology and Conservation*, 17 (2019) e00524 [https://doi.org/10.1016/j.gecco.2019.e00524]

Dillon Swanson, T., «Singing to Estranged Lovers: Runa Relations to Plants in the Ecuadorian Amazon», *JSRNC* 3, núm. 1 (2009), pp. 36-65 [doi: 10.1558/jsrnc.v3i1.36]

Shepard Jr., G. H., «Three Days for Weeping: Dreams, Emotions, and Death in the Peruvian Amazon», *Medical Anthropology Quarterly, New Series*, 16, núm. 2 (2002), pp. 200-229.

Suárez, C., «La flor de los secretos», *Cáñamo: La revista de la cultura del cannabis*, núm. 140 (2009), pp. 58-62

—, *La Edad del Desarrollo: Señoritas y muchachos en la selva que se acaba*, Tesis de Maestría en Estudios Amazónicos, 2011.

De la escopolamina y los alcaloides tropánicos:

Gonzales Gil, P., «La Escopolamina», *Revista de Química PUCP*, 24, núm. 1-2 (2010), pp. 11-13.

Kennedy, D. O., *Plants and the Human Brain*, Oxford University Press, 2014.

Ott, J., *Shamanic Snuffs or Entheogenic Errhines*, Entheobotanica, 2001.

Toro, G. y Samorini, G., *Giusquiamo, pianta delle streghe: Fra ebrezze rituali e medicine tradizionali*, Turín, Yume, 2019.

Ullrich, S. F., Hagels, H. y Kayser, O., «Scopolamine: a journey from the field to clinics», Phytochem Rev (2016), [DOI 10.1007/s11101-016-9477-x]

De *Brugmansias-daturas* en toxicología e intoxicaciones más o menos sonadas:

Benítez, G. et al., «The genus *Datura* L. (Solanaceae) in Mexico and Spain – Ethnobotanical perspective at the interface of medical and illicit uses», *Journal of Ethnopharmacology* 219 (2018), pp. 133–151.

García Caballero, C., Quintela Jorge, O. y Cruz Landeira, A., «Alleged drug-facilitated sexual assault in a Spanish population sample», *Forensic Chemistry,* 4 (2017), pp. 61–66.

Iglesias-Lepine, M. L. et al., «El resurgir de las daturas y las brugmansias como drogas recreacionales», *Cartas al Editor / Med Clin (Barc),* 139, núm. 2 (2012), pp. 88–91.

Kerchner, A. y Farkas, Á., «Worldwide poisoning potential of *Brugmansia* and *Datura*», *Forensic Toxicology*, 38 (2020), pp. 30–41 [https://doi.org/10.1007/s11419-019-00500-2].

Kim., Y. et al., «Intoxication by angel's trumpet: case report and literature review», *BMC Research Notes*, 7 (2014), artículo núm. 553.

King, L. A. et al., «Letter to the Editor: Scopolamine: Useful medicine or dangerous drug?», *Science and Justice,* 54 (2014), pp. 321–322.

Marneros, A., Gutmann, P. y Uhlmann, F., «Self-amputation of penis and tongue after use of Angel's Trumpet», *Eur Arch Psychiatry Clin Neurosci.*, 256 (2006), pp. 458–459 [DOI 10.1007/s00406-006-0666-2].

Citas textuales:

Schultes, Hofmann, y Rätsch, op. cit.Suárez (2011), op. cit.

Capítulo 3: La lección de la calabaza de beber

De la aparición de *calabazas* en lenguas hispánicas antes del «descubrimiento» de América, ejemplos en:

Gual Camarena, M., *Vocabulario del comercio medieval*, en <http://www.um.es/lexico-comercio-medieval> [Consulta: 01/01/2021]

De *Lagenaria* en África y disquisiciones sobre sus orígenes y dispersión:

Chomicki, G.; Schaefer, H. y S. Renner, S., «Origin and domestication of Cucurbitaceae crops: insights from phylogenies, genomics and archaeology», *New Phytologist*, 226 (2020), pp. 1240–1255 doi: 10.1111/nph.16015

Clarke, A. C. et al., «Reconstructing the origins and dispersal of the Polynesian bottle gourd (*Lagenaria siceraria*)», *Molecular Biology and Evolution*, 23 (2006), pp. 893–900.

Decker-Walters, D. et al., «Diversity in landraces and cultivars of bottle gourd (*Lagenaria siceraria*; Cucurbitaceae) as assessed by random amplified polymorphic DNA», *Genetic Resources and Crop Evolution,* 48 (2001), pp. 369–380.

Decker-Walters, D. et al., «Discovery and Genetic Assessment of Wild Bottle Gourd [*Lagenaria siceraria* (Mol.) Standley; Cucurbitaceae] from Zimbabwe», *Economic Botany*, 58, núm. 4 (2004), pp. 501-508.

Erickson, D. L. et al., «An Asian origin for a 10,000-year-old domesticated plant in the Americas», *Proc Natl Acad Sci USA*, 102, núm. 51 (2005), pp. 18315–18320.

Morimoto, Y. et al., «Diversity of landraces of the white-flowered gourd (*Lagenaria siceraria*) and its wild relatives in Kenya: fruit and seed morphology», *Genetic Resources and Crop Evolution*, 52 (2005), pp. 737–747.

Schlumbaum, A. y Vandorpe, P., «A short history of *Lagenaria siceraria* (bottle gourd) in the Roman provinces: morphotypes and archaeogenetics», *Veget Hist Archaeobot*, 21 (2012), pp. 499–509 [DOI 10.1007/s00334-011-0343-x]

De calabazas vinateras en la India:

Katewa, S. S. et al., «Traditional uses of plant biodiversity from Aravalli hills of Rajasthan», *Indian Journal of Traditional Knowledge*, 2, núm. 1 (2003), pp. 27-39.

Teron, R., «Bottle gourd: part and parcel of karbi culture», *Indian Journal of Traditional Knowledge*, 4, núm. 1 (2005), pp. 86-90.

Y el *murli* que tengo yo en casa, claro, ¡que buena prueba es de su empleo!

Usos y simbología oriental

Li, H.-L. «The Vegetables of Ancient China», *Economic Botany*, 23, núm. 3 (1969), pp. 253-260.

Walters, T. W., «Historical Overview on Domesticated Plants in China with Special Emphasis on the Cucurbitaceae», *Economic Botany*, 43, núm. 3 (1989), pp. 297-313.

De *Lagenaria* en el sureste asiático:

Proschan, F., «Peoples of the Gourd: Imagined Ethnicities in Highland Southeast Asia», *The Journal of Asian Studies*, 60, núm. 4 (2001), pp. 999-1032.

De los pueblos navegantes del Pacífico y sus calabazas de agua:

'Akahi Masterson, I., *Hua Ka Nalu; Hawaiian Surf Literature*. Tesis de Master of Arts en Pacific Islands Studies, Universidad de Hawai'i, 2010.

Kelley, D. H. y Milone, E. F., *Exploring Ancient Skies: A Survey of Ancient and Cultural Astronomy* (Second Edition), Springer, 2011.

Bruce, L., «Preliminary study of three Polynesian sources for celestial navigation», en Peacock, K. y Daeufer, C. J., *Micronesian and Polynesian Voyaging, Miscellaneous Work Papers*, Pacific Islands Program, University of Hawai'i, 1976.

Burtenshaw, M., «The first horticultural plant propagated from seed in New Zealand: *Lagenaria siceraria*», *New Zealand Garden Journal*, 6, núm. 1 (2003), pp. 10-16.

De calabazas vinateras (y de *Crescentia cujete*) en América:

Kistler, L. et al., «Transoceanic drift and the domestication of African bottle gourds in the Americas», *Proc Natl Acad Sci USA*, 111, núm. 8 (2014), pp. 2937-2941. [<www.doi.org/10.1073/pnas.1318678111>]

Meulenberg, I. R. M. M., *Calabashes and bottle gourds from Suriname: A comparative research between Maroons and Amerindians, with a case-study in Konomerume, a Kari'na village*, Tesis de Maestría en Arqueología por la Universidad de Leiden, 2011.

Ventura, C., «The Symbolism of Jakaltek Maya Tree Gourd Vessels and Corn Drinks in Guatemala», *Journal of Ethnobiology*, 16, núm. 2 (1996), pp. 169-183.

Citas textuales:

Bashō, op. cit. (ver bibliografía general)

Adaptación libre del mito Kmhmu a partir del material en Proschan, op. cit.

'Akahi Masterson, op. cit.

Capítulo 4: El guardián de los umbrales

De taxonomías cupresáceas (incluyendo a *Cupressus*, *Hesperocyparis*, *Chamaecyparis*):

Adams, R. P., Bartel, J. A. y Price, R. A., «A new genus, *Hesperocyparis*, for the cypresses of the Western Hemisphere (Cupressaceae)», *Phytologia*, 9, núm. 1 (2009), pp. 160-185.

Earle, C. J., *The Gymnosperm Database*, disponible a través del portal <https://conifers.org>

Liao, P.-C., Lin, T-P. y Hwang, S.-Y., «Reexamination of the pattern of geographical disjunction of *Chamaecyparis* (Cupressaceae) in North America and East Asia», *Botanical Studies*, 51 (2010), pp. 511-520.

Little, D. P., «Evolution and Circumscription of the True Cypresses (Cupressaceae: *Cupressus*)», *Systematic Botany*, 31, núm. 3 (2006), pp. 461-480.

Liu, Y.-S., Mohr, B. A. R. y Basinger, J. F., «Historical biogeography of the genus *Chamaecyparis* (Cupressaceae, Coniferales) based on its fossil record», Palaeobio Palaeoenv, 89 (2009), pp. 203–209 [DOI 10.1007/s12549-009-0010-8].

Terry, R. G. et al., «A molecular biogeography of the New World cypresses (*Callitropsis*, *Hesperocyparis*; Cupressaceae)», *Plant Systematics and Evolution* (2016), DOI 10.1007/s00606-016-1308-4.

Yang, Z.-Y., Ran,J.-H. y Wang,X.-Q., «Three genome-based phylogeny of Cupressaceae s.l. : Further evidence for the evolution of gymnosperms and Southern Hemisphere biogeography», *Molecular Phylogenetics and Evolution, 64* (2012), pp. 452–470.

De cipreses y *Las Leyes* de Platón:

Platón, *Plato in Twelve Volumes* (trad. R. G. Bury de vols. 10 & 11), Cambridge y Londres, Harvard University Press y William Heinemann, 1967 & 1968.

De cipreses y prohibiciones pitagóricas:

Diogenes Laertius, *Lives of Eminent Philosophers* (R.D. Hicks, ed.) Cambridge, Harvard University Press, 1972.

De cipreses en Irán:

Djamali, M. et al., «On the chronology and use of timber in the palaces and palace-like structures of the Sasanian Empire in "Persis" (SW Iran)», *Journal of Archaeological Science: Reports, Elsevier*, 12 (2017), pp. 134-141 [10.1016/j.jasrep.2017.01.030 . hal-01772543].

Farahmand, H. y Karimi, H. R., «Old Persian cypress accessions, a rich and unique genetic resource for common cypress (*Cupressus sempervirens* L.) in the world», *Acta Hortic.*, 1190 (2018), pp. 113 -117.

Spofford, A. R., «Characteristics of Persian Poetry», The North American Review, 140, núm. 341 (1885), pp. 328-345.

Van Ruymbeke, C., *Science and Poetry in Medieval Persia: The Botany of Nizami's Khamsa*, Cambridge University Press, 2007.

De cipreses en tiempos clásicos:

Bernabé Pajares, A. y Jiménez San Cristóbal, A. I., *Instructions for the Netherworld: The Orphic Gold Tablets*, Leiden y Boston, Brill, 2008.

Connors, C., «Seeing Cypresses in Virgil», *The Classical Journal*, 88, núm. 1 (1992), pp. 1-17.

Matterne, V. y Derreumaux, M., «A Franco-Italian investigation of funerary rituals in the Roman world, "les rites et la mort à Pompei", the plant part: a preliminary report», *Veget Hist Archaeobot*, 17 (2008), pp. 105–112.

Cipreses y cementerios fuera del ámbito cristiano:

Yılmaz, H., Kuşak, B. y Akkemik, Ü., «The role of Aşiyan Cemetery (İstanbul) as a green urban space from an ecological perspective and its importance in urban plant diversity», *Urban Forestry & Urban Greening*, 33 (2018), pp. 92-98.

Pinceladas básicas de *hinoki* en Japón:

Adams, C., «Japan's Ise Shrine and Its Thirteen-Hundred-Year-Old Reconstruction Tradition», *Journal of Architectural Education*, 52, núm. 1 (1998), pp. 49-60.

Kitagawa, J. et al., «Human impact on the Kiso-hinoki cypress woodland in Japan: a history of exploitation and regeneration», *Veget Hist Archaeobot*, 23 (2014), pp. 649–664.

Citas textuales:

Durrell, G., *Mi familia y otros animales*, Alianza Editorial, 2010.

Heródoto, op. cit. (ver bibliografía general).

Plinio el Viejo, op. cit. (ver bibliografía general).

Capítulo 5: La flor que contempla amaneceres

Información general, fechas de introducción en Europa y simbología occidental de los girasoles:

Campbell-Culver, M., *The Origin of Plants. The People and plants that have shaped Britain's Garden History since the year 1000*, Headline Book Publishing, 2001.

Nelson, E. C., «"Helianthus annuus" 'Oscar Wilde': some notes on Oscar and the cult[ivation] of sunflowers», *The Wildean*, 43 (2013), pp. 2-25.

Zemanek, A. et al., «Selected foreign plants in old Polish botanical literature, customs and art (*Acorus calamus*, *Aesculus hippocastanum*, *Cannabis sativa*, *Fagopyrum*, *Helianthus annuus*, *Iris*)», en Morel, J. P. y Mercuri, A. M. (Eds.), *Plants and Culture: seeds of the cultural heritage of Europe*, Bari, Centro Europeo per i Beni Culturali Ravello, Edipuglia, 2009.

Del heliotropismo:

Vandenbrink, J. P., Brown, E. A., Harmer, S. L. y Blackman, B. K., «Review: Turning heads: The biology of solar tracking in sunflower», *Plant Science*, 224 (2014), pp. 20–26.

Creux, N. M. et al, «Flower orientation influences floral temperature, pollinator visits and plant fitness», *New Phytologist* (2021), doi: 10.1111/nph.17627

Algunos de los *papers* más importantes que intervienen en la **polémica sobre el centro de domesticación** de los girasoles (ordenados cronológicamente):

Smith, B. D., «Eastern North America as an independent center of plant domestication», *Proc Natl Acad Sci USA*, 103, núm. 33 (2006), pp. 12223–12228.

Lentz, D. L., Bye, R., y and Sánchez-Cordero, V., «Ecological Niche Modeling and Distribution of Wild Sunflower (*Helianthus annuus* L.) in Mexico», *International Journal of Plant Sciences*, 169, núm. 4 (2008), pp. 541-549.

Lentz, D. L. et al., «Sunflower (*Helianthus annuus* L.) as a pre-Columbian domesticate in Mexico», *Proc Natl Acad Sci USA*, 105, núm. 17 (2008), pp. 6232–6237.

Brown, C. H., «A lack of linguistic evidence for domesticated sunflower in pre-Columbian Mesoamerica», *Proc Natl Acad Sci USA*, 105, núm. 30 (2008), E47.

Heiser, C. B., «How old is the sunflower in Mexico?», *Proc Natl Acad Sci USA*, 105, núm. 30 (2008), pp. E48.

Rieseberg, L. y Burke, J. M., «Molecular evidence and the origin of the domesticated sunflower», *Proc Natl Acad Sci USA*, 105, núm. 30 (2008), pp. E46.

Smith, B. D., «Winnowing the archaeological evidence for domesticated sunflower in pre-Columbian Mesoamerica», *Proc Natl Acad Sci USA*, 105, núm. 30 (2008), pp. E45.

Lentz, D. L., DeLand Pohl, M. y Bye, R., «Reply to Rieseberg and Burke, Heiser, Brown, and Smith: Molecular, linguistic, and archaeological evidence for domesticated sunflower in pre-Columbian Mesoamerica», *Proc Natl Acad Sci USA*, 105, núm. 30 (2008), pp. E49–E50.

Bye, R.; Linares, E. y Lentz, D. L., «México: centro de origen de la domesticación del girasol», *Revista Especializada en Ciencias Químico-Biológicas*, 12, núm. 1 (2009), pp. 5-12.

El desenlace:

Blackman, B. K. et al., «Sunflower domestication alleles support single domestication center in eastern North America», *Proc Natl Acad Sci USA*, 108, núm. 34 (2011), pp. 14360–14365 [www.pnas.org/cgi/doi/10.1073/pnas.1104853108].

Girasoles en América:

Heiser, Jr., C. B., «The Sunflower among the North American Indians», *Proceedings of the American Philosophical Society*, 95, núm. 4 (1951), pp. 432-448.

Nabhan, G. P. y Reichhardt, K. L., «Hopi Protection of *Helianthus anomalus*, a Rare Sunflower», *The Southwestern Naturalist*, 28, núm. 2 (1983), pp. 231-235.

Vega Sosa, C., «El curso del sol en los glifos de la cerámica azteca tardía», *Estudios de cultura Náhuatl*, 17 (1984), pp. 125-170.

Citas textuales:

Hernández, F., *Historia de las Plantas de Nueva España*, versión electrónica del Instituto de Biología de la UNAM disponible en el portal <http://www.ibiologia.unam.mx/plantasnuevaespana/creditos.html>

Monardes, op. cit. (ver bibliografía general).

Capítulo 6: Oda a los cereales que se volvieron invisibles

Mijos. En general:

Jukanti, A. K. et al., «Crops that feed the world 11. Pearl Millet (*Pennisetum glaucum* L.): an important source of food security, nutrition and health in the arid and semi-arid tropics», *Food Sec.*, 8 (2016), pp. 307–329 [DOI 10.1007/s12571-016-0557-y].

Madella, M., Lancelotti, C. y García-Granero, J. J., « Millet microremains—an alternative approach to understand cultivation and use of critical crops in Prehistory», *Archaeol Anthropol Sci.*, 8 (2016), pp. 17–28 [DOI 10.1007/s12520-013-0130-y].

Weber, S. y Kashyap, A., «The vanishing millets of the Indus civilization», *Archaeol Anthropol Sci*, 8 (2016), pp. 9–15 [DOI 10.1007/s12520-013-0143-6].

De mijos y arroz en Japón:

Crawford, G. W., «Advances in Understanding Early Agriculture in Japan», *Current Anthropology*, 52, núm. S4 (2011), pp. S331-S345.

Aventuras del mijo escobero en China:

Hunt, H. V. et al., «Genetic evidence for a western Chinese origin of broomcorn millet (*Panicum miliaceum*)», *The Holocene*, 28, núm. 12 (2018), pp. 1968–1978.

Lua, H. et al., «Earliest domestication of common millet (*Panicum miliaceum*) in East Asia extended to 10,000 years ago», *Proc Natl Acad Sci USA*, 106, núm. 18 (2009), pp. 7367–7372.

Sterckx, R. (ed), *Of tripod and palate: food, politics, and religion in traditional China,* Palgrave MacMillan, 2005.

De los fideos más antiguos jamás hallados:

Albala, K., *Noodle Soup: Recipes, Techniques, Obsession*, University of Illinois Press, 2018.

Lu , H. et al., «Millet noodles in Late Neolithic China», *Nature*, 437, núm. 13 (2005), pp. 967-968.

De agricultura y modelos sociales:

Liu, X., Zhao, Z. y Jones, M. K., «From people's commune to household responsibility: Ethnoarchaeological perspectives of millet production in prehistoric northeast China», *Archaeological Research in Asia*, 11 (2017), pp. 51-57.

Talhelm, T., Zhang, X. y Oishi, S., «Moving chairs in Starbucks: Observational studies find rice-wheat cultural differences in daily life in China», *Science Advances*, 4 (2018), eaap8469.

Mijos viajando por la(s) Ruta(s) de la seda:

Sprengler, R. N., Fruit from the Sands: The Silk Road Origins of the Foods We Eat, University of California Press, 2019.Mijos en Grecia y Roma:

Murphy, C., «Finding millet in the Roman world», *Archaeol Anthropol Sci.*, 8 (2016), pp. 65–78 [DOI 10.1007/s12520-015-0237-4].

Ruiz Gutiérrez, A., «Los grafitos parietales de las ciudades romanas», en Iglesias Gil, J. M. (Ed), *Actas de los XVIII Cursos Monográficos sobre el Patrimonio Histórico*, Santander, Ediciones de la Universidad de Cantabria, 2008.

Valamoti, S. M., «Millet, the late comer: on the tracks of *Panicum miliaceum* in prehistoric Greece», *Archaeol Anthropol Sci* (2013), DOI 10.1007/s12520-013-0152-5.

Cerveza de mijo en Europa:

Sõukand, R. et al., « An ethnobotanical perspective on traditional fermented plant foods and beverages in Eastern Europe», *Journal of Ethnopharmacology,* 170 (2015), pp. 284–296.

Del mijo de dedo, *Eleusine coracana*:

Blench, R., «Finger millet: the contribution of vernacular names towards its prehistory», *Archaeol Anthropol Sci*, 8 (2016), pp. 79–88 [DOI 10.1007/s12520-012-0103-6].

Ceasarı, S. A. et al., «Finger Millet [*Eleusine coracana* (L.) Gaertn.] Improvement: Current Status and Future Interventions of Whole Genome Sequence», *Frontiers in Plant Science*, 9 (2018), art. núm. 1054.

Young, R., «Finger Millet Processing in East Africa», *Veget Hist Archaeobot*, 8 (1999), pp. 31-34

Chandra, D. et al., «Review of Finger millet (*Eleusine coracana* (L.) Gaertn): A power house of health benefiting nutrients», *Food Science and Human Wellness*, 5 (2016), pp. 149–155.

Del fonio:

Hilu, K. W., M'Ribu, M., Liang', H. y C. Mandelbaum, C., «Fonio Millets: Ethnobotany, Genetic Diversity and Evolution», *S. Afri 1. Bot*, 63, núm. 4 (1997), pp. 185-190.

Jideani, I. A. y Jideani, V. A., «Developments on the cereal grains *Digitaria exilis* (*acha*) and *Digitaria iburua* (*iburu*)», *J Food Sci Technol* (May–June 2011) 48(3):251–259 [DOI 10.1007/s13197-010-0208-9]

Citas textuales:

Legge, J. (Trad), «The Religious Portions of the Shih King», en Müller, F. M. (Ed), *The Sacred Books of the East, Vol. 3*, Oxford, Claredon Press, 1879.

Capítulo 7: Fibras de agua & polvo de oro

De hallazgos prehistóricos de enea, información nutricional & etc.

Bellini, C. et al., «Plant gathering and cultivation in prehistoric Tuscany (Italy)», *Veget Hist Archaeobot*, 17 (2008), (Suppl 1), pp. S103–S112 [DOI 10.1007/s00334-008-0189-z]

Revedin et al., «Thirty thousand-year-old evidence of plant food processing», *Proc Natl Acad Sci USA*, 107, núm. 44 (2010), pp. 18815–18819 [www.pnas.org/cgi/doi/10.1073/pnas.1006993107]

Usos etnobotánicos de *Typha* spp. (sobre todo gastronómicos):

AA. VV., *Ngā Tipu Whakaoranga database*, Registro 1211 (consultado el 20 de noviembre de 2020). Disponible a través del portal <http://maoriplantuse.landcareresearch.co.nz>

Brooker, S. G., Cambie, R. C., Cooper, R. C., «Economic Native Plants of New Zealand», *Economic Botany*, 43, núm. 1 (1989), pp. 79-106.

Denham, T., «Traditional forms of plant exploitation in Australia and New Guinea: the search for common ground», *Veget Hist Archaeobot*, 17 (2008), pp. 245–248 [DOI 10.1007/s00334-007-0105-y]

Gott, B., «Cumbungi, *Typha* species: a staple Aboriginal food in Southern Australia», *Aust Aborig Stud* (1999), pp. 33-50.

Nash, D., *Aboriginal Plant Use in south-eastern Australia Leaflet*, Education Services of Australian National Botanic Gardens, 2004.

Prendergast, H. D. V.; M. J. Kennedy; R. Webby, y K. R. F. Markham, «Pollen Cakes of *Typha* spp. [Typhaceae]: 'Lost' and Living Food», *Economic Botany*, 54, núm. 3 (2000), pp. 254-255.

De la aparición de sudarios hechos con fibra de enea en Izmir:

Nedelcheva, A.; Y. Dogan, D. Obratov-Petkovic, e I. M. Padure, «The Traditional Use of Plants for Handicrafts in Southeastern Europe», *Hum Ecol*, 39 (2011), pp. 813-828. [doi:10.1007/s10745-011-9432-9]

De eneas en Hispanoamérica...

Austin, D. F., «Sacred Connections with Cat-tail (*Typha*, Typhaceae) - Dragons, water-serpents and reed-maces>, *Ethnobotany Research & Applications*, 5 (2007), pp. 273-303.

Carrasco, D., «Quetzalcoatl's Revenge: Primordium and Application in Aztec Religion», *History of Religions*, 19, núm. 4 (1980), pp. 296-320.

Morehart, C. T. y Morell-Hart, S., «Beyond the Ecofact: Toward a Social Paleoethnobotany in Mesoamerica», *J Archaeol Method Theory*, 22 (2015), pp. 483–511 [DOI 10.1007/s10816-013-9183-6]

... y en Norteamérica

Capelin, E. F., Source of the Sacred: Navajo Corn Pollen; Hááne' Baadahoste' ígíí (Very Sacred Story), Tesis por el Colorado College, 2009.Kimmerer, R. W, *Braiding sweetgrass: Indigenous Wisdom, Scientific Knowledge and the Teachings of Plants*, Milkweed editions, 2013.

Morris, D. P., *Archeological investigations at Antelope House*, National Park Service, U. S. Department of the Interior. Washington, D.C., 1986.

Del *tzité* (*Erythrina* sp., como *E. berteroana*)

Villar Anléu, L. M. y Morales, D., *Guatemala, árboles mágicos y notables*, Guatemala C. A., Artemis Edinter Editores, 2006.

Inventando usos modernos para *Typha*:

Ciesielczuk, T., Rosik-Dulewska, C. & Poluszyńska, J., «The Possibilities of Using Broadleaf Cattail Seeds (*Typha latifolia L.*) as Super Absorbents for Removing Aromatic Hydrocarbons (BTEX) from an Aqueous Solution», Water Air Soil Pollut., 230 (2019): 6. [https://doi.org/10.1007/s11270-018-4058-9]

Citas textuales:

La cita de Joseph Campbell se ha extraído de la tesis de Capelin, op. cit.Pendergast et al., op. cit.*Ngā Tipu Whakaoranga database* (ver arriba; traducción propia).

Capítulo 8: De ninfas y soles sumergidos

Nenúfares en la India:

Tetali, P., Tetali, S., y Sitaramam, V., «Reconstruction of the origins of Padmavyūha based on the ecobiology of *Nymphaea nouchali* Burm.f.: Lost details of an ancient war craft», *Annals of the Bhandarkar Oriental Research Institute*, 93 (2012), pp. 193-204.

Nenúfares en Egipto:

Hayes, W. C., «The Egyptian God of the Lotus: A Bronze Statuette», *The Metropolitan Museum of Art Bulletin*, 33, núm. 8 (1938), pp. 182-184.

Pommerening, T., Marinova, E. y Hendrickx, S., «The Early Dynastic origin of the water-lily motif», *Chronique d'Égypte*, 85 (2010), fasc. 169-170 [doi: 10.1484/J.CDE.1.102018]

Szpakowska, K., «Altered States: An inquiry into the possible use of narcotics or alcohol to induce dreams in Pharaonic Egypt», en Eyma, A. K. y Bennett, C. J., *A Delta-man in Yebu: Occasional Volume of the Egyptologists' Electronic Forum No. 1*, EEUU, Universal Publishers, 2003.

Wallis Budge, E. A., *The Book of the Dead: The Papyrus of Ani in the British Museum*, Nueva York, Dover Publications, 1967.

Psicoactividad de los nenúfares:

Auffret, M., Drapier, S. y Vérin, M., «The Many Faces of Apomorphine: Lessons from the Past and Challenges for the Future», *Drugs R D*, 18 (2018), pp. 91–107 [https://doi.org/10.1007/s40268-018-0230-3]

Bertol, E. et al., «*Nymphaea* cults in ancient Egypt and the New World: a lesson in empirical pharmacology», *Journal of the Royal Society of Medicine*, 97 (2004), pp. 84–85.

Nenúfares en América:

McDonald, J. A., y Stross, B., «Water Lily and Cosmic Serpent: Equivalent Conduits of the Maya Spiritual Realm», *Journal of Ethnobiology*, 32, núm. 1 (2012), pp. 74–107.

Dobkin de Rios, M. et al., «The Influence of Psychotropic Flora and Fauna on Maya Religion [and Comments and Reply]», *Current Anthropology*, 15, núm. 2 (1974), pp. 147-164.

Samorini, G., «The oldest archeological data evidencing the relationship of *Homo sapiens* with psychoactive plants: A worldwide overview», *Journal of Psychedelic Studies*, 2019, [DOI: 10.1556/2054.2019.008]

De nenúfares africanos:

Fischer, E. y Magdalena Rodriguez, C., «690. *Nymphaea thermarum*», *Curtis's Botanical Magazine*, 27, núm. 4 (2010), pp. 318–327.

Magdalena, C., *The Plant Messiah: Adventures in Search of the World's Rarest Species*, Viking, 2017.

De nenúfares, Claude Monet & Joseph Bory Latour-Marliac:

Russell, V., *Monets's Water Lilies*, Frances Lincoln, 1998.

Taxonomía y enredos botánicos de las *Nymphaea*:

Borsch, T., Löhne, C., Mbaye , M. S. y Wiersema, J., «Towards a complete species tree of *Nymphaea*: shedding further light on subg. *Brachyceras* and its relationships to the Australian water-lilies», *Telopea,* 13, núm. 1-2 (2011), pp. 193–217.

Borsch, T. et al., «Phylogeny of *Nymphaea* (Nymphaeaceae): Evidence from substitutions and microstructural changes in the chloroplast trnT-trnF region», *Int. J. Plant Sci.*, 168, núm. 5 (2007), pp. 639–671.

Dkhar, J., Kumaria, S., Rao, S. R. y Tandon, P., «Molecular phylogenetics and taxonomic reassessment of four Indian representatives of the genus *Nymphaea*», *Aquatic Botany,* 93 (2010), pp. 135–139.

Selvakumari, E., Shantha, A., Sreenath Kumar, C. y Purushoth Prabhu, T., «Phytochemistry and Pharmacology of the Genus *Nymphaea*», *Journal of Academia and Industrial Research (JAIR),* 5, núm. 7 (2016), pp. 98-108.

Songpanich, P. y Hongtrakul, V., «Intersubgeneric cross in *Nymphaea* spp. L. to develop a blue hardy waterlily», *Scientia Horticulturae* 124 (2010), pp. 475–481

Citas textuales:

Viswanathan Peterson, I., *Poems to Siva: The Hymns of the Tamil Saints*, Princeton University Press, 1989.

Portal web de la *Fondation Monet*, disponible en la dirección <https://fondation-monet.com/claude-monet-2/citations/>

Capítulo 9: El árbol que sangra junto al río

Del curado de la madera de aliso:

Cywa, K., «Trees and shrubs used in medieval Poland for making everyday objects», *Vegetation History and Archaeobotany,* 27 (2018), pp. 111–136.

Morales, R. et al., «Biodiversidad y Etnobotánica en España», *Memorias R. Soc. Esp. Hist. Nat.*, 2a ép., 9 (2011), pp. 157-207.

Apariciones de alisos en el mundo gaélico:

Evans, J. G., *Poems from the Book of Taliesin*, Tremvan: Llambedrog, Gales del norte, 1915.

Schreiber, C. y Whalen, P., *The Mabinogion*, Londres y NY, Dent&Dutton, 1913.

Squire, C., *Celtic Myth and Legend: poetry & romance*, Londres, Gresham, 1910.

Relación estrecha entre alisos & madera para escudos:

Meroney, H., «Early Irish Letter-Names», *Speculum*, 24, núm. 1 (1949), pp. 19-43.

Tegel, W., Muigg, B., y Büntgen, U., «The wood of Merovingian weaponry», *Journal of Archaeological Science*, 65 (2016), pp. 148-153.

De *crannog* de aliso:

Barrett, M. T., Brown, D. y Plunkett, G., «Refining the statistical parameters for constructing tree-ring chronologies using short-lived species: Alder (*Alnus glutinosa* Gaertn)», *Dendrochronologia,* 55 (2019), pp. 16–24.

De confusiones y traducciones con alisos implicados:

Parra Membrives, E. y García Peinado, M. A. (Eds), *Aspects of Literary Translation: Building Linguistic and Cultural Bridge in Past and Present*, Tübingen, Narr Francke Attempto Verlag GmbH, 2012.

Colores de aliso:

Lambaré, D. A., y Hilgert, N. I., «Dyeing Plants and Knowledge Transfer in the Yungas Communities of Northwest Argentina», *Economic Botany*, 65, núm. 3 (2011), pp. 315–328.

Mostacero León, J., López Medina, S. E., Yabar, H., y De La Cruz Castillo, J., «Preserving Traditional Botanical Knowledge: The Importance of Phytogeographic and Ethnobotanical Inventory of Peruvian Dye Plants», *Plants*, *6*, núm. 63 (2017) [doi:10.3390/plants6040063].

Nozawa, K., «Dyeing and Painting using Plant Pigments», *Curtis's Botanical Magazine*, 16, núm. 2 (1999), pp. 134-136.

Citas textuales:

Adaptación del *Kat Godeu* a partir de la traducción de Evans, op. cit.

La cita sobre el «maravilloso secreto del aliso» (*le merveilleux secret du bèr*) está listada en Rolland, op. cit.

Traducción-adaptación del poema de Goethe a partir de Mangan, J. C., *Anthologia Germanica: German Anthology : a Series of Translations* (...), W. Curry, 1845.

Lodewijk Pierson, J., *The Manyosu, Book X*, Brill Archive, 1929 (poesía final).

Capítulo 10: El árbol que se hizo lanza, bronce y rayo

De sámaras de fresno comestibles:

Lewis-Stemple, J., *Foraging: A practical guide to finding and preparing free wild food*, Robinson, 2012.

De *frênette* y Freixenet:

Guillerme, S. et al., «L'arbre hors forêt en France. Diversité, usages et perspectives», *Rev. For. Fr.*, 61, núm. 5 (2009), pp. 543-560.

Para el origen etimológico de Freixenet, basta con visitar la web <https://freixenet.es>, donde se especifica que «el Freixenet» era el apodo de uno de los propietarios de la Casa, descendiente de «los Ferrer de la Freixeneda»; *freixe* es el término catalán para los fresnos, y *freixeneda*, para «fresneda».

De exudados dulces de fresno y manitol:

AAVV., *Plant Immigrants* No. 147, Washington, D. C., Office of Foreign Seed and Plant Introduction, Bureau of Plant Industry USDA, Julio 1918.

Guarrera, P. M., «Le piante nelle tradizioni popolari della Sicilia», *Erboristeria domani* (Enero 2009), pp. 46-55.

Fitch, C. et al., «Position of the Academy of Nutrition and Dietetics: Use of Nutritive and Nonnutritive Sweeteners», *J Acad Nutr Diet.*, 112 (2012) pp. 739-758.

Del fresno en la mitología y la épica griega:

Larson, J., *Greek Nymphs: Myth, Cult, Lore*, Oxford University Press, 2001.

Stoll Shannon, R., *The Arms of Achilles and Homeric Compositional Technique*, Números 36-40, Brill, 1975.

De vikingos y fresnos:

Abram, C., *Evergreen Ash: Ecology and Catastrophe in Old Norse Myth and Literature*, University of Virginia Press, 2019.

Barnes, M. P., *Runes: A Handbook*, Boydell Press, 2012.

Kure, H., «Hanging on the World Tree Man and cosmos in Old Norse mythic poetry», en Andrén, Jennbert & Raudvere (eds.), *Old Norse religion in long-term perspectives*, Lund, Nordic Academic Press, 2006, pp. 68–71.

Müller, P. O. et al. (Eds), *Word-Formation: An International Handbook of the Languages of Europe*, Berlin y Boston, Walter de Gruyter GmbH & Co KG, 2015.

Roberts, J., Kay, C. y Grundy, L., *A Thesaurus of Old English in Two Volumes*, Ámsterdam y Atlanta, Rodopi, 2000.

Sigurđardóttir, A. et al. (Eds), *The Old Norse Dictionary* (ONP), disponible en línea a través del portal <https://onp.ku.dk/onp/onp.php>

Fresnos y rayos:

Smiley, E. T., «Lightning Protection», Bartlett Tree Research Laboratories Technical Report, accedido en febrero de 2021 a través del portal <https://www.bartlett.com>

Fresnos, folklore y simbología:

Dumont, D. J., «The Ash Tree In Indo-European Culture», *Mankind Quarterly*, 32, núm. 4 (1992), pp. 323-336.

Karanović, Z. y Jokić, J. (Eds), *Plants and herbs in traditional Serbian culture: Handbook of folk botany*, University of Novi Sad, 2013.

De la enfermedad del decaimiento del fresno:

Coker, T. L. R. et al., «Estimating mortality rates of European ash (*Fraxinus excelsior*) under the ash dieback (*Hymenoscyphus fraxineus*) epidemic», Plants, People, Planet, 1 (2019), pp. 48– 58 [https://doi.org/10.1002/ppp3.11]

También existen proyectos como *PONTE: Pest Organisms Threatening Europe*, a través de cuyo portal <https://www.ponteproject.eu> puede consultarse información sobre este problema fitosanitario.

Identidad botánica de los insectos de la cera chinos:

Batchelor, R., «John Bradby Blake, the Chinese Tallow Tree and the Infrastructure of Botanical Experimentation», *Curtis's Botanical Magazine*, 34, núm. 4 (2017), pp. 402–426.

Liu, G. K.-C., «Cicadas in Chinese Culture (Including the Silver-Fish)», *Osiris*, 9 (1950), pp. 275-396.

De las cantáridas y sus efectos afrodisíacos:

Melnyk, J. P. y Marcone, M. F., «Aphrodisiacs from plant and animal sources—A review of current scientific literature», *Food Research International*, 44 (2011), pp. 840–850.

Citas textuales:

Hesíodo, op cit. (ver bibliografía general).Adaptación-traducción de la Völuspá a partir de la versión incluida en Lindow, J., *Norse Mythology: A Guide to Gods, Heroes, Rituals, and Beliefs*, Oxford University Press, 2001.

Plinio el Viejo, op. cit. (ver bibliografía general)

Capítulo ii: Inicios de hoja, rama, luz y fuego

De dinámicas ecosistémicas en la taiga

Khapugin, A.A., Vargot, E.V., Chugunov, G.G., «Vegetation recovery in fire-damaged forests: a case study at the southern boundary of the taiga zone», *Forestry Studies | Metsanduslikud Uurimused* 64 (2016), pp. 39–50.

Mollicone, D. et al., «A remote sensing based approach to determine forest fire cycle: case study of the Yenisei Ridge dark taiga», *Tellus B: Chemical and Physical Meteorology*, 54, núm. 5 (2002), pp. 688-695 [DOI: 10.3402/ tellusb. v54i5.16714]

De etimologías betuláceas:

Mallory, J. P. y Adams, D. Q., *The Oxford Introduction to Proto-Indo-European and the Proto-Indo-European World*, Oxford University Press, 2006.

Etnobotánica & simbología abedulística:

Abenójar Sanjuán, O., «El abedul de hojas doradas: representaciones y funciones del axis mundi en el folclore finougrio», Libvrna, 2 (2009), pp. 13-24.

Łuczaj, Ł., Bilek, M. y Stawarczyk, K., «Sugar content in the sap of birches, hornbeams and maples in southeastern Poland», *Cent. Eur. J. Biol.*, 9, núm. 4 (2014), pp. 410-416 [DOI: 10.2478/s11535-013-0284-8].

Rastogi, S., Mohan Pandey, M., Kumar, A. y Rawat, S., «Medicinal plants of the genus *Betula*—Traditional uses and a phytochemical—pharmacological review», *Journal of Ethnopharmacology*, 159 (2015), pp. 62–83

Svanberg, I. et al., «Uses of tree saps in northern and eastern parts of Europe», *Acta Soc Bot Pol*, 81, núm. 4 (2012), pp. 343-357. [doi:10.5586/asbp.2012.036]

Wick, B. M., «Die Birke: Botanik, medizinische Nutzung und kulturelle Bedeutung», *Schweiz Z Ganzheitsmed.*, 29 (2017) pp. 168–177 [DOI: 10.1159/000475587].

Zaraś-Januszkiewicz, E. y Szewczak, A., «The identification of tree and shrub species connected with the spiritual, secular life and cultural landscape of Warmia and Mazury, Poland», *Ann. Warsaw Univ. of Life Sc. - SGGW, Horticult. and Landsc. Architect.*, 31, (2010), pp. 81–90.

De la corteza de abedul:

Clennett, C. y Sanderson, H., «Plate 436. *Betula papyrifera*», *Curtis's Botanical Magazine*, 19 (2002), pp. 40-48 [https://doi.org/10.1111/1467-8748.00328]

Kozowyk, P. R. B., Soressi, M., Pomstra, D. y Langejans, G. H. J., «Experimental methods for the Palaeolithic dry distillation of birch bark: implications for the origin and development of Neandertal adhesive technology», *Scientific Reports*, 7, *8033 (2017), pp.* 1-9 [DOI:10.1038/s41598-017-08106-7]

Upadhyaya, K. D., «Indian Botanical Folklore», *Asian Folklore Studies*, 23, núm. 2 (1964), pp. 15-34.

De abedules, Rusia y Siberia:

Crate, S. A., «Walking Behind the Old Women: Sacred Sakha Cow Knowledge in the 21st Century», *Human Ecology Review*, 15, núm. 2 (2008), pp. 115-129.

Dynda, J., «Rusalki: Anthropology of time, death, and sexuality in Slavic folklore», *Studia Mythologica Slavica,* 20 (2017), pp. 83-109.

Frank, S. P., «Emancipation and the Birch: The Perpetuation of Corporal Punishment in Rural Russia, 1861–1907», *Jahrbücher für Geschichte Osteuropas, Neue Folge*, 45, núm. 3 (1997), pp. 401-416.

Namba Walter, M. y Neumann Fridman, E. J. (Eds), *Shamanism: an encyclopedia of world beliefs, practices, and culture*, ABC-Clio, 2004.

Rancour-Laferriere, D., *The Slave Soul of Russia: Moral Masochism and the Cult of Suffering*, NYU Press, 1995.

Usoltsev, V., *Forest Arabesques, or Sketches of Our Trees' Life* (trad. T. Wells), 3ª Ed., modified. 2016.

Zyryanova, O. A., Terazawa, M., Koike, T. y Zyryanov, V. I., «White Birch Trees as Resource Species of Russia: Their Distribution, Ecophysiological Features, Multiple Utilizations», *Eurasian J. For. Res.*, 13, 1 (2010), pp. 25-40.

Citas textuales:

El poema inicial proviene de Dickins, B. (Ed), *Runic and Heroic Poems of the Old Teutonic Peoples*, Cambridge, Cambridge University Press, 1915.

Chadwick, N. K., «Shamanism Among the Tatars of Central Asia», *The Journal of the Royal Anthropological Institute of Great Britain and Ireland*, 66 (1936), pp. 75-112.

Capítulo 12: Los árboles que encendieron el mundo

De conversaciones alrededor de una hoguera & su importancia antropológica:

Wiessner, P. W., «Embers of society: Firelight talk among the Ju/'hoansi Bushmen», *Proc Natl Acad Sci USA*, 111, núm. 39 (2014), pp. 14027–14035 [www.

pnas.org/cgi/doi/10.1073/pnas.1404212111].

Panorama general de *Eucalyptus*:

Grattapaglia, D. «Genomics of *Eucalyptus*, a Global Tree for Energy, Paper, and Wood», en Moore, P. H. y Ming, R. (Eds), *Genomics of Tropical Crop Plants*, Springer, 2008.

De *Eucalyptus* en Australia:

Anónimo, «Jarrah and Karri», *Bulletin of Miscellaneous Information* (Royal Botanic Gardens, Kew), Vol. 1899, No. 155/156 (1899), pp. 205-212.

Ladiges, P. Y, Bayly, M. J. y Nelson, G. J., «East-West Continental vicariance in *Eucalyptus* Subgenus *Eucalyptus*», en Williams, D. M. y Knapp, S. (Eds), *Beyond Cladistics: The Branching of a Paradigm*, University of California Press, 2010, pp. 267-302.

Nangala, J., Napangardi, Y., Napangardi, Y. y Wright, B. R., «Ethnobotany of Warrilyu (*Eucalyptus pachyphylla* F.Muell. [Myrtaceae]): Aboriginal Seed Food of the Gibson Desert, Western Australia», *Economic Botany*, 73, núm. 3 (2019), pp. 416–422.

Robin, L., «Australia in Global Environmental History», en McNeill, J. R. y Stewart Mauldin, E. (Eds), *A Companion to Global Environmental History*, Blackwell Publishing, 2012.

Smith, N. M., «Ethnobotanical fieldnotes from the Northern Territory, Australia», *J. Adelaide Bot. Garden*, 14, núm. 1 (1991), pp. 1-65.

Tooby, M., «The jarrah forest debate», *Landscape Australia*, 2, núm. 4 (1980), pp. 262-263, 265-267

De tintes de eucaliptos:

Blake, S., *Eucalyptus dye database*, a través del portal <https://sallyblake.com/eucalyptus-dyes-1>

Compuestos aromáticos de *Eucalyptus*:

Williams, C., *Medicinal Plants in Australia Volume 2: Gums, Resins, Tannin and Essential Oils*, Rosenberg Publishing, 2011.

De los kinos:

Locher, C. y Currie, L., «Revisiting kinos—An Australian perspective», *Journal of Ethnopharmacology*, 128 (2010), pp. 259–267.

Tippett, J. T., «Formation and fate of kino veins in *Eucalyptus* L'Herit.», *IAWA Bulletin* n.s., 7, núm. 2 (1986), pp. 137-143.

De Ferdinand Müller/Mueller:

Home, R. W., «A botanist for a continent: Ferdinand von Mueller (1825-96)», *Endeavour*, 22, núm. 2 (1998), pp. 72-75.

Mueller, F., Eucalyptographia. *A descriptive atlas of the eucalypts of Australia and the adjoining islands*, Melbourne, J. Ferres, government printer, 1883.

Eucalyptus y la conquista del mundo entero:

Bennett, B. M., «A Global History of Australian Trees», *Journal of the History of Biology*, 44 (2011), pp. 125–145 [DOI 10.1007/s10739-010-9243-7]

Coates, P., *American Perceptions of Immigrant and Invasive Species: Strangers on the Land*, University of California Press, 2007.

Florence, R. H., «Cultural problems of *Eucalyptus* as exotics», *The Commonwealth Forestry Review*, 65, núm. 2 (1986), pp. 141-163.

Hinke, N., «La llegada del eucalipto a México», *Revista Ciencias*, 58 (2000), pp. 60-62.

Leland, J., *Aliens in the Backyard: Plant and Animal Imports Into America*, University of South Carolina Press, 2005.

Stanturf, J. A., Vance, E. D., Fox, T. R. y Kirst, M., «*Eucalyptus* beyond Its Native Range: Environmental Issues in Exotic Bioenergy Plantations», *International Journal of Forestry Research*, 2013, Article ID 463030, pp. 1-5 <http://dx.doi.org/10.1155/2013/463030>

Citas textuales:

Mueller, op. cit.

Capítulo 13: Las flores que sacan miel de la pobreza

De brezales (principalmente) en Europa:

Karg, S., «Direct evidence of heathland management in the early Bronze Age (14th century B.C.) from the grave-mound Skelhøj in western Denmark», *Vegetation History and Archaeobotany*, 17 (2008), pp. 41–49.

Fagúndez, J., «Heathlands confronting global change: drivers of biodiversity loss from past to future scenarios», *Annals of Botany*, 111, núm. 2 (2013), pp. 151-172

Groves, J. A., Waller,M. P., Grant, M. J. y Schofield, J. E., «Long-term development of a cultural landscape: the origins and dynamics of lowland heathland in southern England», *Vegetation History and Archaeobotany*, 21, núm. 6 (2012), pp. 453-470

Prøsch-Danieisen, L. y Simonsen, A., «Palaeoecological investigations towards the reconstruction of the history of forest clearances and coastal heathlands in south-western Norway», *Vegetation History and Archaeobotany*, 9 (2000), pp. 189-204

Tilley, C., *Landscape in the Longue Durée: History and Theory of Pebbles in a Pebbled Heathland Landscape*, UCL Press, 2017.

De mieles de brezo y brecina:

Koch et al., «Flagellum Removal by a Nectar Metabolite Inhibits Infectivity of a Bumblebee Parasite», *Current Biology*, 29 (2019), pp. 3494–3500

Moise, G., «Research methods and analysis used to determine fakes in food (honey)», *Scientific Papers Series Management, Economic Engineering in Agriculture and Rural Development*, 16, núm. 4 (2016), pp. 229-234

Moise, A., Mărghitaş, L. Al., Dezmirean, D., Bobiş, O. y Maghear, O., «Theoretical Study Regarding the Heather Honey (*Calluna vulgaris*)», *Bulletin UASVM Animal Science and Biotechnologies*, 68, núm. 1-2 (2011), pp. 233-237

De biogeografía y evolución entre los brezos:

Désamoré, A. et. al., «Out of Africa: north-westwards Pleistocene expansions of the heather *Erica arborea*», Journal of Biogeography, 38 (2011), pp. 164–176.

McGuire, A. F. y Kronn, K. A., «Phylogenetic relationships of European and African *Ericas*», *Int. J. Plant Sci.*, 166, núm. 2 (2005), pp. 311–318.

Ojeda, F., Arroyo, J. y Teodoro Marañón, T., «Ecological distribution of four co-occurring Mediterranean heath species», *Ecography*, 23 (2000), pp. 148–159.

—, «The Phytogeography of European and Mediterranean Heath Species (Ericoideae, Ericaceae): A Quantitative Analysis», *Journal of Biogeography*, 25, núm. 1 (1998), pp. 165-178.

Pirie, M., D.; Oliver, E. G. H. y Bellstedt, D. U., «A densely sampled ITS phylogeny of the Cape flagship genus *Erica* L. suggests numerous shifts in floral macro-morphology», *Molecular Phylogenetics and Evolution*, 61 (2011), pp. 593–601

Pirie et al., «The biodiversity hotspot as evolutionary hot-bed: spectacular radiation of *Erica* in the Cape Floristic Region», *BMC Evolutionary Biology* (2016) 16:190 DOI 10.1186/s12862-016-0764-3

Schwery, O. et al., «As old as the mountains: the radiations of the Ericaceae», *New Phytologist*, 207 (2015), pp. 355–367.

De brezos en África:

Adal et al., «An iconic traditional apiculture of park fringe communities of Borena Sayint National Park, north eastern Ethiopia», *Journal of Ethnobiology and Ethnomedicine*, 11 (2015): 65 [DOI 10.1186/s13002-015-0051-1]

Hemp, A. y and Beck, E., «*Erica excelsa* as a fire-tolerating component of Mt. Kilimanjaro's forests», *Phytocoenologia*, 31, núm. 4 (2001), pp. 449-475.

Hemp, A. y Hemp, C., «Environment and Worldview: the Chaga homegardens Part I: ethnobotany and ethnozoology», en Clack T. A. R. (Ed), *Culture, History and Identity: Landscapes of Inhabitation in the Mount Kilimanjaro Area, Tanzania: Essays in honour of Paramount Chief Thomas Lenana Mlanga Marealle II* (1915-2007), Archaeopress, 2009, pp. 235 -303.

De brezos ornamentales y cultivados:

Elliott, B., «Australian and South African plants cultivated in the early 19th century», *Curtis's Botanical Magazine*, 26, núm. 1/2 (2009), pp. 175-180.

Nelson, E. C. y Oliver, E. G. H., «Cape heaths in European gardens: the early history of South African *Erica* species in cultivation, their deliberate hybridization and the orthographic bedlam», *Bothalia*, 34, núm. 2 (2004), pp. 127-140.

Citas textuales:

Whitelaw, A., *The Book of Scottish Song*, Glasgow, Edimburgh & Londres, Blackie & Son, 1855.

La cita de Hooker está extraída de Nelson y Oliver, op. cit.

Capítulo 14: La corona del verdor eterno

Del empleo de mirto como desodorante, la cita proviene de:

Quer y Martínez, J., Continuación de la Flora Española o historia de las plantas de España [...], Madrid, Por Joachin Ibarra, 1778.

De arrayanes y la Alhambra:

De la Herrán, R. et al., «The Forgotten Myrtle of the Alhambra Gardens of Granada: Restoring and Authenticating World Heritage», *J. Agr. Sci. Tech.*, 18, (2016), pp. 1975-1983.

Arrayán en el mundo clásico:

Forster, E. S., «Trees and Plants in the Greek Tragic Writers», *Greece & Rome*, 21, núm. 62 (1952), pp. 57-63.

Maderna, E., *Le mani degli dèi: Mitologie e simboli delle piante officinali nel mito greco*, Aboca, 2016.

Touzé, R., «Le myrte et Aphrodite, quelque part entre le désir et le dégoût», en Bodiou, L. (dir.); et al., *Chemin faisant: Mythes, cultes et société en Grèce ancienne. Mélanges en l'honneur de Pierre Brulé* [en línea], Rennes: Presses universitaires de Rennes, 2009. Disponible en Internet en la dirección <http://books.openedition.org/pur/103031>.

Whitehorne, J., *Cleopatras*, USA y Canadá, Routledge, 2002 (ed. digital)

Yılmaz, H., Akkemik, Ü. y Karagöz, Ş., «Identification of plant figures on stone statues and sarcophaguses and their symbols: the Hellenistic and Roman periods of the Eastern Mediterranean Basin in the Istanbul Archaeology Museum», *Mediterranean Archaeology and Archaeometry*, 13, núm 2 (2013), pp. 135-145.

Arrayán en textos zoroástricos:

Anon., The Bundahishn ("Creation"), or Knowledge from the Zand (trans. E. W. West), en Sacred Books of the East, vol. 5, Oxford University Press, 1897.Del arrayán en la Epopeya de Gilgamesh:

Dalley, S. (ed), *Myths from Mesopotamia: Creation, The Flood, Gilgamesh, and Others, Revised Edition*, Oxford University Press, 2000 (para el fragmento de la epopeya de Gilgamesh).

Empleo del mirto en áreas con influencia islámica (Magreb, Oriente próximo, Oriente medio):

Dafni, A., «Myrtle (*Myrtus communis*) as a Ritual Plant in the Holy Land— a Comparative Study in Relation to Ancient Traditions», *Economic Botany*, 70 (2016), pp. 222-234.

Dafni, A. et al., «Myrtle, Basil, Rosemary, and Three-Lobed Sage as Ritual Plants in the Monotheistic Religions: an Historical-Ethnobotanical Comparison», *Economic Botany*, 74 (2020), pp. 330–355.

Sviri, S., «The emergence of The holy man in early islamic mysticism: The myrtle in a muslim Woman's Dream and its late antique echoes», *Journal of Semitic Studies*, 61, núm. 2 (2016), pp. 463-495 [doi: 10.1093/jss/fgw025].

Wahid, N., «Perspectives de la valorisation de l'usage et de la culture du *Myrtus communis* L. au Maroc», *Phytothérapie*, 11 (2013), pp. 237-243.

Del mandeísmo & el mirto:

Aldihisi, S., *The story of creation in the Mandaean holy book in the Ginza Rba*, University of London, Tesis de doctorado, 2008.

Drower, E. S., «Mandaean Writings», *Iraq*, 1, núm. 2 (1934), pp. 171-182.

—, *The Mandaeans of Iraq and Iran: their cults, customs, magic, legends*, Leiden, Brill Archive, 1937.

Del arrayán en Inglaterra, lejos de «casa»:

Drury, S., «Funeral Plants and Flowers in England: Some Examples», *Folklore*, 105 (1994), pp. 101-103.

—, «English Love Divinations Using Plants: An Aspect», *Folklore*, 97, núm. 2 (1986), pp. 210-214.

Nelson, E. C., «Victorian Royal Wedding Flowers: Orange, Myrtle, and the Apotheosis of White Heather», *Garden History*, 37, núm. 2 (2009), pp. 231-236.

Citas textuales:

Aldihisi, op. cit. («Visten prendas de luz (...)»)

Dalley, op. cit. (Epopeya de Gilgamesh)

Drower (1937), op. cit. («En el nombre de la Gran Vida (...)»)

Euripides, *The Complete Greek Drama* (W. J. Oates y E. O'Neill, Jr., eds.), Nueva York, Random House, 1938 (*Electra*).

Capítulo 15: Un brindis a las alturas

De la historia de la ginebra:

Brunschwig, H., *The vertuose boke of distyllacyon of the waters of all maner of herbes: with the fygures of the styllatoryes*, Londres, Laurens Andrewe, 1527 [https://doi.org/10.5962/bhl.title.44691]

Broom, D., *Gin: The Manual*, Hachette, 2020.

Menciones al enebro y relaciones en el mundo griego, egipcio & mesopotámico:

Dalley, S., *The mystery of the hanging gardens of Babylon: An elusive world wonder traced*, Oxford University Press, 2013.

Guettel Cole, S., «Landscapes of Artemis», *The Classical World*, 93, núm. 5 (2000), pp. 471-481

Marquardt, P. A., «A Portrait of Hecate», *The American Journal of Philology*, 102, núm. 3 (1981), pp. 243-260

Nicandro, *Theriaka y Alexipharmaka* (A. Touwaide (ed.) et al.), Barcelona, Moleiro, 1999.

Ogden, D., *Magic, Witchcraft, and Ghosts in the Greek and Roman Worlds: A Source Book,* Oxford University Press, 2002.

Empleos medicinales de los *Juniperus*:

Anon., «Final report on the safety assessment of *Juniperus communis* Extract, *Juniperus oxycedrus* Extract, *Juniperus oxycedrus* Tar, *Juniperus phoenicea extract*, and *Juniperus virginiana* Extract», *Int J Toxicol*, 20, Supl. 2 (2001), pp. 41-56. [doi: 10.1080/10915810160233758].

Ložiene, K. y Rimantas Venskutonis, P., «Juniper (*Juniperus communis* L.) Oils», en Preedy, V. R. (ed), *Essential Oils in Food Preservation, Flavor and Safety,* Academic Press, 2016, pp. 495-500.

De biodiversidad juniperusiana en América:

Gernandt, D. S. y Pérez-de la Rosa, J. A., «Biodiversidad de Pinophyta (coníferas) en México», *Revista Mexicana de Biodiversidad*, Supl. 85 (2014), pp. S126-S133.

Fonseca, R. M., «Juniperus, la ginebra, el incienso, los lápices y los repelentes», *Revista Ciencias*, 81 (2006), pp. 44-47.

Citas textuales:

Himno a Calímaco cosido a partir de traducciones de A. W. y G. R. Mair (*Callimachus, Hymns and Epigrams. Lycophron. Aratus* (Mair, A. W. & G. R. (Trad.), Loeb Classical Library Vol. 129; Londres, William Heinemann, 1921. Accesible desde el portal <https://www.theoi.com>); de Gabriel de La Porte du Theil (AA. VV., *Lyriques Grecs* (trad. Falconnet, E. et al.), Paris, C. Lefèvre, 1842); y de Dionigi Strocchi Faentino (Strocchi, D., *Inni di Callimaco*, Florencia, Tipografia Ciardetti, 1816). Ayudó también un artículo de interpretación del texto (Bing, P. y Uhrmeister, V., «The Unity of Callimachus' Hymn to Artemis», *The Journal of Hellenic Studies*, 114 (1994), pp. 19-34.

Apolonio de Rodas, *Argonautica* (trans. R. C. Seaton), Cambridge (MA), Harvard University Press, 1912, así como *Argonautica* 4. 143 ff., de la trad. de E. Rieu *The Voyage of Argo* (Penguin Classics, 1959), citada en el portal <https://theoi.com>

Pausanias, *Description of Greece (*W.H.S. Jones, Litt.D., y H.A. Ormerod, M.A. (Trans), Cambridge, MA, Harvard University Press; Londres, William Heinemann Ltd. 1918 (Paus. 8.13)

Capítulo 16: Trenzando fibras de amor y justicia

De tilos endémicos mexicanos:

Pavón, N. P., «An endangered and potentially economic tree of Mexico: *Tilia mexicana* (Tiliaceae)», *Economic Botany*, 54 (2000), pp. 113-114.

De muertes abejiles a la sombra de los tilos:

Koch, H. y Stevenson, P. C., «Do linden trees kill bees? Reviewing the causes of bee deaths on silver linden (*Tilia tomentosa*)», *Biol. Lett.,* 13 (2017), 20170484 [http://dx.doi.org/10.1098/rsbl.2017.0484]

De tilos y fibras:

Bogucki, P. I. y Crabtree, P. J. (Eds), *Ancient Europe 8000 B.C.-A.D. 1000: Encyclopedia of the Barbarian World*, Nueva York, Charles Scribner's Sons, 2004.

Harris, S., «Flax fibre: Innovation and Change in the Early Neolithic A Technological and Material Perspective», *Textile Society of America Symposium Proceedings* (2014), 913 [http://digitalcommons.unl.edu/tsaconf/913]

Harris, S., Haigh, S., Handley, A., y Sampson, W., «Material Choices for Fibre in the Neolithic: An Approach through the Measurement of Mechanical Properties», *Archaeometry*, 59 (2017), pp. 574– 591 [doi: 10.1111/arcm.12267].

De tilos y libros:

Bowman, A. K. «The Vindolanda Writing Tablets and the Development of the Roman Book Form», *Zeitschrift für Papyrologie und Epigraphik*, 18 (1975), pp. 237-252.

Collins, A. W., «The Palace Revolution: The assassination of Domitian and the Accession of Nerva», *Phoenix*, 63, núm. 1/2 (2009), pp. 73-106.

Diringer, D., *The Book Before Printing: Ancient, Medieval and Oriental*, Dover publications, 2011.

Tilos y simbología cultural:

Čargonja, H. et al., «Plants and Geographical Names in Croatia», *Coll. Antropol.* 32, núm. 3 (2008), pp. 927–943

Pastoureau, M., *Vert: Histoire d'une couleur*, Points, 2017.

Ţenche-Constantinescu, A.-M. et al., «The symbolism of the linden tree», *Journal of Horticulture, Forestry and Biotechnology*, 19, núm. 2 (2015) pp. 237- 242.

Zaroff, R., «Measurement of Time by the Ancient Slavs», *Studia Mythologica Slavica*, 19 (2016), pp. 9-39.

De tilos nominales (topónimos, apellidos, etc.):

Bengtsson, R., *Variation in common lime (*Tilia x europaea *L.) in Swedish Gardens of the 17th and 18th centuries,* Tesis doctoral por la Swedish University of Agricultural Sciences, Alnarp, 2005.

Jansone, I., «On flora semantics in house names found in Vidzeme: materials contained in the 1826 counting of souls in Vidzeme province», *Acta Baltico-Slavica*, 38 (2014), pp. 1-39 [DOI: 10.11649/abs.2014.008]

Tilos y literatura:

Horton, A., *The lay of the Nibelungs*, Londres, George Bell & Sons, 1901.

AAVV., *Poesía de trovadores, trouvères y Minnesänger* (trad. C. Alvar), Alianza Editorial, 2018.

Citas textuales:
- AA.VV. (Trad. C. Alvar), op. cit.

Capítulo 17: La guirnalda perfumada

De violetas en el mundo clásico & en Occidente:

Goody, J., *The culture of flowers*, Cambridge University Press, 1993.

Kenk, V. C., «The Importance of Plants in Heraldry», *Economic Botany*, 17, núm. 3 (1963), pp. 169-179.

McLean, T., *Medieval English Gardens*, Londres, Collins, 1981.

Mendonça de Carvalho, L. et al., «History and cultivation of Parma violets (*Viola*, Violaceae) in the United Kingdom and France in the Nineteenth Century», *Harvard Papers in Botany*, 18, núm. 2 (2013), pp. 137–145.

De violetas en la poesía persa:

Schimmel, A., *A Two-Colored Brocade: The Imagery of Persian Poetry*, UNC Press Books, 2014.

Scott Meisami, J., «Allegorical Gardens in the Persian Poetic Tradition: Nezami, Rumi, Hafez», *International Journal of Middle East Studies*, 17, núm. 2 (1985), pp. 229-260.

Violetas, simbología y borduras:

Gómez Moreno, A., «Borduras y flores en los libros de la borduras y flores en los libros de horas de la Fundación Lázaro Galdiano», en Yeves, J. A. (dir.), *Tiempo de Navidad. Los libros de horas de don José Lázaro Galdiano*, Madrid, Fundación Lázaro Galdiano, 2011-2012, pp. 161-175.

Sillasoo, U., «Medieval plant depictions as a source for archaeobotanical research», *Veget Hist Archaeobot*, 16 (2006) pp. 61–70 [DOI 10.1007/s00334-006-0036-z]

De violetas comestibles y saludables:

Mlcek, J. y Rop, O., «Fresh edible flowers of ornamental plants: A new source of nutraceutical foods», *Trends in Food Science & Technology*, 22 (2011), pp. 561-569.

De flores, lenguas y colores:

Borg, A., «Towards a history and typology of color categorization in colloquial Arabic», en MacLaury, R. E., Paramei, G. V. y Dedrick, D. (eds), *Anthropology of Color. Interdisciplinary multilevel modeling*, Amsterdam y Philadelphia, John Benjamins Publishing Company, 2007.

Interpretaciones alternativas/complementarias en la literatura griega:

Irwin, M. E., «Odysseus' "Hyacinthine Hair" in "Odyssey" 6.231», *Phoenix*, 44, núm. 3 (1990), pp. 205-218.

—, «Evadne, Iamos and Violets in Pindar's "Sixth Olympian"» *Hermes*, 124, núm. 4 (1996), pp. 385-395.

De la relación simbólica entre Napoleón y las violetas, ejemplos gráficos son:

Grabado *Le Lys et la Violette*, Paris, Chez Martinet, rue du Coq, 1815 [http://catalogue.bnf.fr/ark:/12148/cb41515620s]

Grabado *Le Printemps ou le retour de la Violette,* s. n., incluida en *Recueil. Collection de Vinck. Un siècle d'histoire de France par l'estampe, 1770-1870. Vol. 72* (pièces 9377-9502), Restauration et Cent-Jours [http://catalogue.bnf.fr/ark:/12148/cb41515628x]

Grabado de Radcliffe, *Corporal Violette*, Londres, R. Pratt, s. XIX [http://catalogue.bnf.fr/ark:/12148/cb41515624j]

Citas textuales:

El extracto del himno a Afrodita (VI) se cita en Queral, M. S., «Seis aspectos de la mujer a través de los Himnos Homéricos», *Fòrum de Recerca,* 19 (2014), pp. 3-14, que a su vez lo extrae de Bernabé Pajares, A., *Himnos homéricos. La Batracomiomaquia*, Madrid, Gredos, 1978.

VV.AA., *L'Industriel de Saint-Germain-en Laye: journal non politique, administratif, agricole, commercial, industriel et littéraire, annonces et avis divers* (...), edición del 4 de octubre de 1873, p. 2 (cita del periódico parisino).

Mi traducción-interpretación de los *Fastos* ovidianos se inspira en las traducciones siguientes:

Ovidio Nasone, *I Fasti* (trad. G. Bianchi di Siena), Venecia, Stamperia Rosa, 1811.

—, *Ovid: Times and Reasons* (trad. A. & P. Wiseman), Oxford, Oxford University Press, 2013.

Prescendi Morresi, F., *Décrire et comprendre le sacrifice: Les réflexions des Romains sur leur propre religion à partir de la littérature antiquaire*, Stuttgard, F. Steiner, 2007.

Capítulo 18: El árbol que sacaba ramas sin corazón

De *Sambucus nigra* & *canadensis*, un poco de todo:

Charlebois, D. et al., «Elderberry: Botany, Horticulture, Potential», *Horticultural Reviews,* 37 (2010), pp. 213-280 [https://doi.org/10.1002/9780470543672.ch4]

De sayuguinas en el mundo gastronómico:

Day, I., *Cooking in Europe, 1650-1850* (The Greenwood Press "Daily life through history" series), Greenwood Press, 2009.

Etnobotánica medicinal de *Sambucus*:

Estomba, D., Ladio, A. y Lozada, M., «Medicinal wild plant knowledge and gathering patterns in a Mapuche community from North-western Patagonia», *Journal of Ethnopharmacology,* 103 (2006), pp. 109-119.

Salamon, I. y D. Grulova, «Elderberry (*Sambucus nigra*): from Natural Medicine in Ancient Times to Protection against Witches in the Middle Ages – a Brief

Historical Overview», *Acta Hort.*, 1061 (2015), ISHS, pp. 35-40. [doi:10.17660/ActaHortic.2015.1061.2]

Vallès, J.; M. A. Bonet, y A. Agelet, «Ethnobotany of *Sambucus nigra* L. in Catalonia (Iberian Peninsula): The Integral Exploitation of a Natural Resource in Mountain Regions», *Economic Botany*, 58, núm. 3 (2004), pp. 456-469.

Saúco y Américas:

Anderson, M. K., *Tending the Wild: Native American Knowledge and the Management of California's Natural Resources*, University of California Press, 2005.

Andrade-Cetto, A., «Ethnobotanical study of the medicinal plants from Tlanchinol, Hidalgo, México», *Journal of Ethnopharmacology*, 122 (2009), pp. 163–171.

Bussmann, R.W. et al., «Proving that Traditional Knowledge Works: The antibacterial activity of Northern Peruvian medicinal plants», *Ethnobotany Research & Applications*, 9 (2011), pp. 067-096.

Grajales Atehortúa, B. M., Botero Galvis, M. M. y Ramírez Quirama, J. F., «Características, manejo, usos y beneficios del saúco (*Sambucus nigra* L.) con énfasis en su implementación en sistemas silvopastoriles del Trópico Alto», *Revista de Investigación Agraria y Ambiental*, 6, núm. 1 (2015), pp. 155-168.

De sayuguinas cuyas emanaciones "adormecen" a la gente:

Debay, A., *Les Parfums et les fleurs, leur histoire et leurs diverses influences sur l'économie humaine*, Paris, Moquet, Libraire-Éditeur, 1846.

Folklore del saúco:

Austin, D. F., «*Sambucus*—Intercultural exchange and evolution», *Ethnobotany Research & Applications,* 10 (2012), pp. 213-234.

Heiss, G. A., «Der Holler – ein Strauch, vor dem man den Hut ziehen sollte: Archäologisches, Volksmedizinisches, Mystisches und Kritisches zum Schwarzen Holler», en Schramayr, G. y Wanninger, K. (Eds), *Der Schwarze Holler (*Sambucus nigra *L.)*, Amt der NÖ Landesregierung, Abteilung Landentwicklung, pp. 23-28.

Zarás-Januszkiewicz, E. y Szewczak, A., «The identification of tree and shrub species connected with the spiritual, secular life and cultural landscape of Warmia and Mazury, Poland», *Ann. Warsaw Univ. of Life Sc. – SGGW, Horticult. and Landsc. Architect.*, 31 (2010), pp. 81–90.

Citas textuales:

Andersen, H. C., *The Complete Andersen, vols. I-VI* (...) (trans. J. Hersholt), Nueva York, The Limited Editions Club, 1949, a través del portal *H. C. Andersen Centret*, <https://andersen.sdu.dk/>

Rowling, J. K., *Harry Potter y las Reliquias de la Muerte*, Ed. Salamandra, 2008.

Teofrasto, op. cit. (ver bibliografía general; traducción propia).

Capítulo 19: El árbol de los venenos imperecederos & Las otras lacas

De *Toxicodendron* (botánica, biogeografía y taxonomía):

AA.VV., *eFloras, versión digital* http://www.efloras.org [Consultado 20/12/2020], Cambridge (MA), Missouri Botanical Garden, St. Louis, MO & Harvard University Herbaria, 2008.

Frankel, E., *Poison Ivy, Poison Oak, Poison Sumac, and their Relatives*, Pacific Grove, CA, The Boxwood Press, 1991.

Nie, Z.-L., Sun, H., Meng, Y. y Wen, J., «Phylogenetic analysis of *Toxicodendron* (Anacardiaceae) and its biogeographic implications on the evolution of north temperate and tropical intercontinental disjunctions», *Journal of Systematics and Evolution,* 47, núm. 5 (2009), pp. 416–430 [doi: 10.1111/j.1759-6831.2009.00045.x].

De las lacas *urushi* en Oriente:

Brommelle, N. S. y Smith, P. (eds), *Urushi. Proceedings of the Urushi Study Group* (June 10-27, 1985 Tokyo), The Getty Conservation Institute, 1988.

Coueignoux, C. y Rivers, S., «Conservation of photodegraded Asian lacquer surfaces: four case studies», *Journal of the American Institute for Conservation,* 54, núm. 1. (2015), pp. 14-28 [DOI:10.1179/1945233014Y.0000000032].

Dusenbury , M. M. (Ed.), *Color in Ancient and Medieval East Asia*, The Spencer Museum of Art, the University of Kansas, 2015.

Mcsharry, C. et al., «The chemistry of East Asian lacquer: A review of the scientific literature», *Studies in Conservation,* 52, sup. 1 (2007), pp. 29-40 [DOI: 10.1179/sic.2007.52.Supplement-1.29]

Niimura, N., «Determination of the type of lacquer on East Asian lacquer ware», *International Journal of Mass Spectrometry,* 284 (2009), pp. 93–97.

Schilling, M. R., et al., «Beyond the basics: A systematic approach for comprehensive analysis of organic materials in Asian lacquers», *Studies in Conservation,* 61, sup. 3 (2016), pp. 3-27 [DOI: 10.1080/00393630.2016.1230978]

Watt, J. C. Y. y Brennan Ford, B., *East Asian Lacquer: The Florence and Herbert Irving Collection*, Nueva York, Metropolitan Museum of Art, 1991.

Webb, M., *Lacquer: Technology and Conservation*, Butterworth-Heinemann, 2000.

De la laca en China:

Chang, J., & Schilling, M. R., «Reconstructing lacquer technology through Chinese classical texts», *Studies in Conservation*, 61, sup. 3 (2016), pp. 38-44, DOI: 10.1080/00393630.2016.1227115

Heginbotham, A., Chang, J., Khanjian, H., y Schilling, M. R., «Some observations on the composition of Chinese lacquer», Studies in Conservation, 61, sup. 3 (2016), pp. 28-37, DOI: 10.1080/00393630.2016.1230979

Ma, X. et al., «Characterization of early imperial lacquerware from the Luozhuang Han Tomb, China», *Archaeometry,* 59, núm. 1 (2017), pp. 121–132 [doi:

10.1111/arcm.12226]

Schilling, M. R. et al., «Chinese lacquer: Much more than Chinese lacquer», *Studies in Conservation*, 59, sup. 1 (2014), pp. S131-S133 [DOI: 10.1179/204705814X1 3975704318678]

Wu, M. et al., «Natural lacquer was used as a coating and an adhesive 8000 years ago, by early humans at Kuahuqiao, determined by ELISA», *Journal of Archaeological Science,* 100 (2018), pp. 80-87 [https://doi.org/10.1016/j.jas.2018.10.004]

Urushi y Japón:

Cassal, U. A., «Japanese Art lacquers», *Monumenta Nipponica*, 15, núm. 1/2 (1959), pp. 1-34+1-11.

Keulemans, G., «The Geo-cultural Conditions of *Kintsugi*», *The Journal of Modern Craft*, 9, núm. 1 (2016), pp. 15-34, DOI: 10.1080/17496772.2016.1183946.

Lu, R. et al., «Analysis of Japanese Jōmon lacquer-ware by pyrolysis-gas chromatography/mass spectrometry», *Journal of Analytical and Applied Pyrolysis,* 103 (2013), pp. 68–72.

Matsumoto, N., «Japan: The Earliest Evidence of Complex Technology for Creating Durable Coloured Goods», *Open Archaeology*, 4 (2018), pp. 206–216.

Noshiro, S., Suzuki, M. y Sasaki, Y., «Importance of *Rhus verniciflua* Stokes (lacquer tree) in prehistoric periods in Japan, deduced from identification of its fossil woods», *Veget Hist Archaeobot*, 16 (2007), pp. 405–411 [DOI 10.1007/s00334-006-0058-6]

Sakaguchi, T., «Mortuary Variability and Status Differentiation in the Late Jomon of Hokkaido Based on the Analysis of Shuteibo (Communal Cemeteries)», *Journal of World Prehistory*, 24, núm. 4 (2011), pp. 275-308.

Shi, H., «Production and Management of the Lacquer Industry during the Warring States, Qin and Han Periods», *Chinese Archaeology*, 6, núm. 1 (2006), pp. 152-158 [https://doi.org/10.1515/CHAR.2006.6.1.152]

De urushiol y análogos:

Aguilar Ortigoza, C. J., Sosa, V. y Aguilar Ortigoza, M., «Toxic Phenols in Various Anacardiaceae Species», *Economic Botany*, 57, núm. 3 (200), pp. 354-364.

Goldstein, N., «The ubiquitous Urushiols: Contact Dermatitis From Mango, Poison Ivy, and Other "Poison" Plants. A humorous and interesting review», *Hawaii Medical Journal*, 63 (2004), pp. 231-235.

Vogl, O., «Oriental Lacquer, Poison Ivy, and Drying Oils», *Journal of Polymer Science: Part A: Polymer Chemistry*, 38 (2000), pp. 4327– 4335.

De monjes budistas y _urushi_:

Aufderheide, A. C., *The Scientific Study of Mummies*, Cambridge University Press, 2003

Cockburn, A., Cockburn, E. y Reyman, T. A. (Eds), *Mummies, Disease and Ancient Cultures*, Cambridge University Press, 1998.

Faure, B. (ed), *Chan Buddhism in Ritual Context*, Routledge, 2005.

Jeremiah, K., *Living Buddhas: The Self-Mummified Monks of Yamagata, Japan*, McFarland Publishing, 2010.

—, *Eternal Remains: World Mummification and the Beliefs that make it Necessary*, First Edition Design Publishing, 2014.

Stone, J. I., «Death», en Lopez, D. S. (Jr) (ed), *Critical terms for the study of Buddhism*, The University of Chicago Press, 2005.

Las Otras Lacas

Anon., «Charão», en la web del Museu Florestal Octávio Vecchi del Gobierno de São Paulo, accesible en la dirección <https://agemt.pucsp.br/noticias/o-declinio-da-arte-oriental-do-charao-no-brasil> [Consultado el 20/12/2020]

Galvão Leite, K., «O declínio da arte oriental do charão no Brasil», noticia del 20/11/2019 en la Web Agemt, accesible en la dirección <https://www.infraestruturameioambiente.sp.gov.br/institutoflorestal/colecoes-e-acervos/museu-florestal/charao/>. [Consultado el 21/12/2020]

Risdonne,V. et al., «Investigation of Burmese lacquer methods: Technical examination of the V&A Burmese shrine», *Journal of Cultural Heritage*, 30 (2018), pp. 16–25.

Citas textuales:

Sacada del artículo de Chang y Schilling, op. cit. (citando a Han, F. 韓非 & Chen, Q. 陳奇猷. 2000. Newly Annotated Han Feizi. 韓非子新校注. Shanghai: Shanghai Rarebooks Publishing House, p. 221).

Capítulo 20: Gloria y declive de los árboles de leche y sombra

De *Ulmus* en América y Oriente:

Browne, D. J. (Ed), *The Naturalist, vol. 2*, Boston y Nueva York, Allen & Thicknor y P. Hill, 1832.

Geng, Q.-F. et al., «Microsatellite markers for the critically endangered elm species *Ulmus gaussenii* (Ulmaceae)», *Genes Genet Syst.*, 91, núm. 1 (2016), pp. 11-4 [doi: 10.1266/ggs.15-00053].

Vozzo, J. A. (Ed), *Tropical Tree Seed Manual*, United States Department of Agriculture, Forest Service, 2002.

Paleobotánica, declives & problemáticas de *Ulmus*:

Brewer, S. et al., «Late-glacial and Holocene European pollen data», *Journal of Maps*, 13, núm. 2 (2017), pp. 921-928 [DOI: 10.1080/17445647.2016.1197613]

Flynn, L.E. y Mitchell, F.J.G., «Comparison of a recent elm decline with the mid-Holocene Elm Decline», *Veget Hist Archaeobot,* 28 (2019), pp. 391–398 [doi:10.1007/s00334-018-0698-3].

Giesecke, T. y Brewer, S., «Notes on the postglacial spread of abundant European tree taxa», *Vegetation History and Archaeobotany*, 27 (2018), pp. 337-349 [https://doi.org/10.1007/s00334-017-0640-0].

Parker, G. A. et al., «A review of the mid-Holocene elm decline in the British Isles», *Progress in Physical Geography*, 26, núm. 1 (2002), pp. 1-45.

De olmos y vacas (y vikingos):

Heybroek, H. M., «The elm, tree of milk and wine», *iForest*, 8 (2015), pp. 181-186.

Lindow, J., *Norse Mythology: A Guide to Gods, Heroes, Rituals, and Beliefs*, Oxford University Press, 2001.

Short, W. R., *Icelanders in the Viking Age: The People of the Sagas*, Jefferson, Carolina del Norte y Londres, McFarland & Company, 2010.

De olmos en el mundo grecorromano:

Demetz, P., «The Elm and the Vine: Notes toward the History of a Marriage Topos», *PMLA*, 73, núm. 5 (1958), pp. 521-532.

Tabárez, A., «El olmo de los sueños (Aen.6.282-284)», *Cuadernos de Filología Clásica. Estudios Latinos*, 30, núm. 1 (2010), pp. 27-49.

De madera de olmo:

Blanco, E.; Cuadrado, C. y Morales, R., «Plantas en la cultura material de Fuenlabrada de los Montes (Extremadura, España)», *Anales del Jardín Botánico de Madrid*, 58, núm. 1 (2000), pp. 145-162.

Hansard, G. A., *The Book of Archery*, Longman, Orme, Brown, Green, and Longmans, 1840.

De olmos en la fabricación de papel:

Laroque, C., CRCC, Base de datos Khartasia a través del portal <http://khartasia-crcc.mnhn.fr>.

Yum, H., «History and function of dispersion aids used in traditional East Asian Papermaking», *Journal of the Institute of Conservation*, 34, núm. 2 (2011), pp. 202-208.

De los ainu y los olmos:

Kawakami, S. (Trans. M. M. Rinne), «Ryukyu and Ainu Textiles», en la web del Museo Nacional de Kyoto, accesible a través del portal <https://www.kyohaku.go.jp/eng/>.

lewallen, a.-e., *The Fabric of Indigeneity: Ainu Identity, Gender, and Settler Colonialism in Japan*, U-New Mexico Press and School for Advanced Research Press, 2016.

Yamada, T., *The World View of the Ainu: Nature and Cosmos Reading from Language*, Kegan Paul, 2001.

Citas textuales:

Pecquet, A., *Loix forestieres de France, vol. 1, commentaire historique et raisonné sur l'ordonnance de 1669, les réglements antérieurs, & ceux qui l'ont suivie; auquel on a joint une Bibliotheque des auteurs qui ont écrit sur les matieres d'Eaux & forêts, & une notice des coutumes relatives à ces mêmes matieres...* Paris, chez Prault pere,

1753 [http://catalogue.bnf.fr/ark:/12148/cb357429064] (para políticas arbóreas en tiempos de Luis XIV).

Poema Ainu «Mi muy trabajadora abuelita», de Yuptek Huchi, en Muñoz González, Y., *La literatura de resistencia de las mujeres ainu*, Colegio de Mexico, 2008.

Extracto de la *Ilíada* basado en la traducción de Gutiérrez, op. cit.

Capítulo 21: Los árboles de agua y luna

(Etno)botánica de sauces y mimbres:

Esgueva, M. y Llamas, F., *El léxico de la flora silvestre en Zamora: fitonímia y dialectología*, Madrid, Velecío Editores, 2005.

Kuzovkina, Y. A. et al., «*Salix*: Botany and Global Horticulture», *Horticultural Reviews*, 34 (2008).

Preston, C. D., Pearman, D. A. y Hall, A. R., «Archaeophytes in Britain», *Botanical Journal of the Linnean Society*, 145 (2004), pp. 257–294.

Nedelcheva, A. M., Dogan, Y. y Guarrera, P. M., «Plants traditionally used to make brooms in several European countries», *Journal of Ethnobiology and Ethnomedicine*, 3 (2007), 20 [doi:10.1186/1746-4269-3-20].

Nedelcheva, A., Dogan, Y., Obratov-Petkovic, D. y Padure, I. M., «The Traditional Use of Plants for Handicrafts in Southeastern Europe», *Hum Ecol*, 39 (2011), pp. 813–828 [DOI 10.1007/s10745-011-9432-9].

Salerno, G., Guarrera, P. M. y Caneva, G., «Agricultural, domestic and handicraft folk uses of plants in the Tyrrhenian sector of Basilicata (Italy)», *Journal of Ethnobiology and Ethnomedicine*, 1 (2005), 2 [doi:10.1186/1746-4269-1-2].

De sauces en canciones y conjuros castellanos:

Díaz, J., «El erotismo en la lírica tradicional», *Salina*, 14 (2000), pp. 183-194.

Fuentes Cañizares, J., «En torno a un antiguo conjuro mágico en caló», *Revista de Folklore*, 321 (2007), pp. 93-100.

De sauces en el Lejano Oriente:

Shirane, H., *Japan and the Culture of the Four Seasons: Nature, Literature and the Arts*, Columbia University Press, 2013.

Silbergeld, J., «Kung Hsien's Self-Portrait in Willows, with Notes on the Willow in Chinese Painting and Literature», *Artibus Asiae*, 42, núm. 1 (1980), pp. 5-38.

Salicina y antipiréticos

Adams, M.; Berset, C.; Kessler, M. y Hamburger, M., «Medicinal herbs for the treatment of rheumatic disorders—A survey of European herbals from the 16th and 17th century», *Journal of Ethnopharmacology*, 121 (2009), pp. 343–359.

Ahmed, H. M., «Ethnopharmacobotanical study on the medicinal plants used by herbalists in Sulaymaniyah Province, Kurdistan, Iraq», *Journal of Ethnobiology and Ethnomedicine*, 12 (2016), 8 [DOI 10.1186/s13002-016-0081-3].

Bourdy, G., Choavez de Michel, L. R. y Roca-Coulthard, A., «Pharmacopoeia in a shamanistic society: the Izoceo-Guaraní (Bolivian Chaco)», *Journal of Ethnopharmacology,* 91 (2004), pp. 189–208.

Duke, J. A., *The Green pharmacy*, Rodale Press, 1997.

Karban, R., *Plant Sensing and Communication*, Chicago y Londres, University of Chicago Press, 2015.

Low Dog, T., «Botanicals in the Management of Pain», en Audette, J. F. y Bailey, A. (Eds), *Integrative Pain Medicine: The Science and Practice of Complementary and Alternative Medicine in Pain Management*, Totowa (NJ), Humana Press, Totowa, 2008.

Santiago González, A. y Santiago González, B., *Botánica: Curiosidades, Historias y Leyendas, Volumen I*, Jardín Botánico de Castilla-La Mancha, 2013.

De sauces americanos y chinampas:

Crossley, P. L., «Sub-irrigation in wetland agriculture», *Agriculture and Human Values,* 21 (2004), pp. 191–205.

Mesa Aguilar, M. del C., «El ahuejote en la restauración del paisaje de Xochimilco», *Bitácora Arquitectura,* 18 (2008) [http://dx.doi.org/10.22201/fa.14058901p.2008.18.26214].

Moreno-Calles, A. I., Toledo, V. M. y Casas, A., «Los sistemas agroforestales tradicionales de México: Una aproximación biocultural», *Botanical Sciences,* 91, núm. 4 (2013), pp. 375-398.

Ruiz Belmán, A., Sevilla González, M. L. y Alvarez Licona, N. E., «El Ahuejote, árbol sagrado de Xochimilco en México», *Intercambios. Estudios de Historia y Etnohistoria*, 4 (2019), pp. 9-15.

Sahagún, B., *Historia general de las cosas de Nueva España (Códice Florentino)*, 1577, accesible a través de <https://www.wdl.org/es/item/10096/>

Citas textuales:

Para el conjuro amoroso y la canción castellanas, Díaz, op. cit. & Fuentes Cañizares, op. cit.Extracto de la *Odisea* basado en la traducción de Luis Segalà y Estalella (1910).

Los versos del *Hamlet* (Acto IV, escena VII) se dan en traducción de Vicente Molina Foix.

Sahagún, op. cit. (Libro XI)

Silbergeld, op. cit. (para el poema chino)

Capítulo 22: Cómo espantar brujas y serpientes rudamente

De ruda y Lemnos:

Bettini, M., «Retour à Lemnos: Le feu nouveau, la mauvaise odeur et les instruments des ténèbres», en *Dossier : S'habiller, se déshabiller dans les mondes anciens*, Éditions de l'École des hautes études en sciences sociales, 2008, pp. 161-177 [doi:10.4000/books.editionsehess.2324].

Envenenamientos y ruda en Roma:

Andrews, A. C., «The Use of Rue as a Spice by the Greeks and Romans», *The Classical Journal*, 43, núm. 6 (1948), pp. 371-373.

Cilliers, L. y Retief, F., «Poisons, Poisoners, and Poisoning in Ancient Rome», en Wexler, P. (Ed), *Toxicology in Antiquity*, Academic Press, 2019.

Kaufman, D. B., «Poisons and Poisoning among the Romans», *Classical Philology*, 27, núm. 2 (1932), pp. 156-167.

De etnobotánica de las rudas:

Hammiche, V. y M. Azzouz, «Les rues: ethnobotanique, phytopharmacologie et toxicité», *Phytothérapie*, 11 (2013), pp. 22-30.

San Miguel, E., «Rue (*Ruta* L., Rutaceae) in Traditional Spain: Frequency and Distribution of Its Medicinal and Symbolic Applications», *Economic Botany*, 57, núm. 2 (2003), pp. 231-244.

Del empleo latinoamericano de ruda:

Bussmann et al., «Astonishing diversity—the medicinal plant markets of Bogotá, Colombia», *Journal of Ethnobiology and Ethnomedicine*, 14 (2018), pp. 43 https://doi.org/10.1186/s13002-018-0241-8

de Albuquerque, U. P., Monteiro, J. M, Alves Ramos, M. y Cavalcanti de Amorim, E. L., «Medicinal and magic plants from a public market in northeastern Brazil», *Journal of Ethnopharmacology,* 110, (2007), pp. 76–91.

Orellana, A. et al., *Sabiduría ancestral andina y uso de plantas medicinales*, Universidad de Cuenca, 2020.

Rodríguez-Segovia, M. A. et al., «Conocimientos sobre plantas rituales utilizadas por yerbateras de los mercados de Quito, Ecuador: aportes sobre su estado de conservación», *Ethnoscientia,* 5 (2020), D.O.I.: 10.22276/ethnoscientia.v5i1.309

Tinitana et al., «Medicinal plants sold at traditional markets in southern Ecuador», *Journal of Ethnobiology and Ethnomedicine* (2016) 12:29 DOI 10.1186/s13002-016-0100-4

Del mal de ojo, el susto y la «medicina humoral» en Latinoamérica:

Mata-Pinzón, S., Pérez-Ortega, G. y Reyes-Chilpa, R., «Plantas medicinales para el tratamiento del susto y mal de ojo. Análisis de sus posibles efectos sobre el Sistema Nervioso Central por vía transdérmica e inhalatoria», *Revista Etnobiología*, 16, núm. 2 (2018), pp: 30-47.

Tedlock, B., «An interpretive solution to the problem of humoral medicine in Latin America», *Soc. Sci. Med.*, 21, núm 1 (1987), pp. 1069-1083.

De (furano)cumarinas y fotosensibilidad:

Clarke, S., *Essential Chemistry for Aromatherapy*, Churchill Livingstone, 2008.

Del Río, J. A. et al., «Furanocoumarins: Biomolecules of Therapeutic Interest», en Atta-ur-Rahman (ed), *Studies in Natural Products Chemistry,* Vol. 43, Elsevier, 2014.

De la alharma (que nooo es una ruda):

Samorini, G., «La pianta di Bes: *Peganum harmala*», *Erboristeria domani*, 398 (2016), pp. 72-81.

Citas textuales:

Covarrubias y Orozco, S., *Tesoro de la Lengua Castellana o Española*, Madrid, por Luis Sánchez, 1611.

La traducción de Plinio es mía, a partir de la versión en inglés (ver Bibl. general).

Velez de Arciniega, F., *Historia de los animales mas recebidos en el uso de medicina: donde se trata para 10 que cada uno entero, o parte del aprovecha, y de la manera de su preparacion*, Madrid, Imprenta Real, 1613.

Capítulo 23: De diosas y hadas que cazan en verde

Botánica, química y uso medicinal de las *Artemisia*:

Cazin, F.-J, *Traité pratique et raisonné des plantes médicinales indigènes: avec un atlas de 200 planches lithographiées*; 3e édition, revue et augmentée par le docteur Henri Cazin, Paris, P. Asselin, 1868.

Lee, M.R., «Plants against malaria, part 2: *Artemisia annua* (*quinhaosu* or the sweet wormwood)», *J R Coll Physicians Edinb*, 32 (2002) pp. 300–305 .

Riddle, J. M., *Goddesses, Elixirs, and Witches: Plants and Sexuality throughout Human History*, Nueva York, Palgrave MacMillan, 2010.

Tobyn, G., Whitelegg, M. y Denham, A., *The Western Herbal Tradition*, Churchill Livingstone, 2011.

Wright, C. W., *Artemisia*, CRC Press, 2001.

De *Artemisia* en Oriente:

Chang Huang, K., *The Pharmacology of Chinese Herbs*, 2nd ed, CRC Press, 1999.

Chao, Y. R., «Popular Chinese Plant Words a Descriptive Lexico-Grammatical Study», *Language*, 29, núm. 3 (1953), pp. 379-414.

Hsu, E., «The history of qing hao 青蒿 in the Chinese materia medica», *Transactions of the Royal Society of Tropical Medicine and Hygiene*, 100 (2006), pp. 505-508

Ji Xu, Hongyong Deng, Xueyong Shen, "Safety of Moxibustion: A Systematic Review of Case Reports", *Evidence-Based Complementary and Alternative Medicine*, 2014, Article ID 783704, 10 [https://doi.org/10.1155/2014/783704]

Oda R., «The advantages and disadvantages of *Artemisia princeps* and *A. montana*», *Yakushigaku Zasshi*, 35, núm. 1 (2000), pp. 55-62.

Yamada, K., «The Origins of Acupuncture, Moxibustion, and Decoction», *Nichibunken Monograph Series*, 1 (1998), pp. 1-88 [http://doi.org/10.15055/00000973]

Del estafiate:

Ortiz de Montellano, R., «Las hierbas de Tlaloc», *Estudios de Cultura Náhuatl*, 14 (1980), pp. 287-314.

Alrededor de la absenta & la tuyona:

Bhattacharyya, K. B. y Rai, S., «The neuropsychiatric ailment of Vincent Van Gogh», *Ann Indian Acad Neurol.*, 18, núm. 1 (2015), pp. 6–9.

Eadie, M. J., «Absinthe, epileptic seizures and Valentin Magnan», *J R Coll Physicians Edinb*, 39 (2009), pp. 73-78.

Kennedy, D. O., *Plants and the human brain*, Oxford University Press, 2014.

Marrus, M. R., «Social Drinking in the "Belle Epoque"», *Journal of Social History*, 7, núm. 2 (1974), pp. 115-141.

Padosch, S. A., Lachenmeier, D. W. y Kröner, L. U., «Absinthism: a fictitious 19th century syndrome with present impact», *Substance Abuse Treatment, Prevention, and Policy*, 1 (2006), 14 [doi:10.1186/1747-597X-1-14]

Strang, J., Arnold, W. N. y Peters, T., «Absinthe: what's your poison?», *BMJ*, 319 (1999), pp. 1590–2

Citas textuales:

«Detente un rato, ¡oh copa de dolores! (...)» en Carpio, M., *Poesía*, Universidad Veracruzana, 1849.

La poseía de Ernest Dowson, *Absinthia Taetra*, puede consultarse íntegramente (junto con una colección de poemas absínticos) en el portal <http://www.absinthe.se>

Capítulo 24: Flor de herida y oráculo

Etnobotánica medicinal de milenrama:

Ali, S. I., Gopalakrishnan, B. y Venkatesalu, V., «Pharmacognosy, Phytochemistry and Pharmacological Properties of *Achillea millefolium* L.: A Review», *Phytother. Res.* (2017), DOI: 10.1002/ptr.5840

Applequist, W. L., y Moerman, D. E., «Yarrow (Achillea millefolium L.): a neglected panacea? A review of ethnobotany, bioactivity, and biomedical research», *Economic Botany*, 65, núm. 2 (2011), 209.

Gilca, M. et al., «Traditional and ethnobotanical dermatology practices in Romania and other Eastern European countries», *Clinics in Dermatology*, 36 (2018), pp. 338–352.

Kachura, A., *An ethnobotanical, pharmacological, and phytochemical analysis of* Achillea millefolium *L. by parts*, Tesis en biología, Ottawa, Universidad de Ottawa, 2018.

De sangrados nasales históricamente recetados como cura para dolores de cabeza:

Foxhall, K., *Migraine: a history*, Baltimore, Johns Hopkins University Press, 2019.

De la milenrama comestible (o «potable»):

Behre, K.-E., «The history of beer additives in Europe – a review», *Veget Hist Archaeobot*, 8 (1999), pp. 35-48.

McGovern, P. E., Hall, G. R. y Mirzoian, A., «A biomolecular archaeological approach to 'Nordic grog'», *Danish Journal of Archaeology*, (2013) [DOI: 10.1080/21662282.2013.867101]

Shikov, A. N. et al., «Traditional and Current Food Use of Wild Plants Listed in the Russian Pharmacopoeia», *Frontiers in Pharmacology*, 8 (2017), art. 841.

Milenrama en América:

Jasso-Gándara, S. N. et al., «Plants used as medicinal in Güémez, Tamaulipas, north-eastern Mexico», *Notulae Botanicae Horti Agrobotanici Cluj-Napoca*, 48, núm. 3 (2020), pp. 1130-1140 [DOI:10.15835/nbha48311955]

Reko B. P., «Nombres botánicos del manuscrito badiano», *Boletín de la Sociedad Botánica de México*, 5 (1947), pp. 23-43.

De folklore alrededor de la milenrama:

Łuczaj, L., «Changes in Assumption Day Herbal Bouquets in Poland: A Nineteenth Century Study Revisited», *Economic Botany*, 65, núm. 1 (2011), pp. 66–75.

Kujawska et al., «Fischer's Lexicon of Slavic beliefs and customs: a previously unknown contribution to the ethnobotany of Ukraine and Poland», *Journal of Ethnobiology and Ethnomedicine* (2015), pp. 11:85 [DOI 10.1186/s13002-015-0073-8]

De sahumerios de milenrama:

Pennacchio, M., Jefferson, L. V. y Havens, K., *Uses and Abuses of Plant-Derived Smoke: Its Ethnobotany as Hallucinogen, Perfume, Incense, and Medicine*, Oxford University Press, 2010.

De adivinación y milenrama en China:

Kohn, L. (Ed), *Daoism Handbook*, BRILL, 2000.

Raphals, L., *Divination and Prediction in Early China and Ancient Greece*, Cambridge University press, 2013.

Richey, J. L., *Teaching Confucianism*, Oxford University Press, 2008.

Schiffeler, J. W., «The Origin of Chinese Folk Medicine», *Asian Folklore Studies*, 35, núm. 1 (1976), pp. 17-35.

Smith, R. J., «An Overview of Divination in China from the Song through the Qing: Some Issues and Approaches», en *Divinatory traditions in East Asia: historical, comparative and transnational perspectives* (Conferencia en Rice University, Houston), 2012.

Plantas consideradas mágicas-medicinales en China:

Cammann, S., «Magical and Medicinal Woods in Old Chinese Carvings», *The Journal of American Folklore*, 74, núm. 292 (1961), pp. 116-125.

De milenrama y la chica de Egtved:

Anon., «The Egtved Girl», en el portal del Nationalmuseet i København (red de museos nacionales daneses), disponible en <https://en.natmus.dk/historical-knowledge/denmark/prehistoric-period-until-1050-ad/the-bronze-age/the-egtved-girl/>

Citas textuales:
Cameron, op. cit (ver bibliografía general; para empleo oracular de la milenrama)Wilhelm, R., *I Ching: El Libro de las Mutaciones* (trad. D. J. Vogelmann), Edhasa, 1993.

Capítulo 25: Habas de lobo contra elfos e insectos

Para una discusión sobre pilares de la dieta ricos en carbohidratos vs. legumbres ricas en proteínas, ver Erice, A., *La Invención del Reino Vegetal*, Ariel, 2015.

Altramuces y desinfectantes:

Jarić, S. et al., «Phytotherapy in medieval Serbian medicine according to the pharmacological manuscripts of the Chilandar Medical Codex (15–16th centuries)», *Journal of Ethnopharmacology*, 137 (2011), pp. 601–619.
Pieroni, A. et al., «Ethnopharmacognostic survey on the natural ingredients used in folk cosmetics, cosmeceuticals and remedies for healing skin diseases in the inland Marches, Central-Eastern Italy», *Journal of Ethnopharmacology*, 91 (2004), pp. 331–344.

Altramuces viejomundistas:

Erbaş, M.; M. Certel, y M.K. Uslu, «Some chemical properties of white lupin seeds (*Lupinus albus* L.)», *Food Chemistry*, 89, núm. 3 (2005), pp. 341-345.
González-Andrés, F. et al., «Diversity in white lupin (*Lupinus albus* L.) landraces from northwest Iberian plateau», *Genetic Resources and Crop Evolution*, 54 (2007), pp. 27–44.
Parra Quijano, M., Torres, M. E. y Iriondo, J. M., «El altramuz y lo difícil de ser profeta en su tierra», *Agricultura* (2008), pp. 664-668.
Wolko, B. et al., «*Lupinus*», en Kole, C. (ed.), *Wild Crop Relatives: Genomic and Breeding Resources, Legume Crops and Forages*, Springer, 2012.

Del tarwi en Latinoamérica:

Atchison , G. W. et al, «Lost crops of the Incas: Origins of domestication of the Andean pulse crop tarwi, *Lupinus mutabilis*», *American Journal of Botany,* 103, núm. 9 (2016), pp. 1592–1606.
Browman, D. L., «New Light on Andean Tiwanaku: A detailed reconstruction of Tiwanaku's early commercial and religious empire illuminates the processes by which states evolve», *American Scientist,* 69, núm. 4 (1981), pp. 408-419.
Eastwood, R. J. y Hughes, C. E., «Plate 878. *Lupinus mutabilis*», *Curtis's Botanical Magazine*, 35, núm. 2 (2018), pp. 134–148.
Martínez-Flores, A., Ruivenkamp, G. y Jongerden, J., «The Journey of an Ancestral Seed: The Case of the Lupino Paisano Food Network in Cotopaxi, Ecuador», *Culture, Agriculture, Food and Environment*, 39, núm. 1 (2017), pp. 4–14.

Altramuces, remedios antiguos y ¿epilepsia?

Cockayne, T. O., *Leechdoms, wortcunning, and starcraft of early England* (...),

Londres, Longman, Green, Longman, Roberts, and Green, 1864-1866.
Dendle, P., «Lupines, Manganese, and Devil-Sickness: An Anglo-Saxon Medical Response to Epilepsy», *Bulletin of the History of Medicine*, 75, núm. 1 (2001), pp. 91-101.
Grant, E. C. G., «Epilepsy and Manganese», *The Lancet*, 363, núm. 9408 (2004), P572 [https://doi.org/10.1016/S0140-6736(04)15558-X]
Bierbaumer, P., Sauer, H., Klug, H. W. y Krischke, U. (Eds), *Dictionary of Old English Plant Names*, 2007-2021, a través del portal <http://oldenglish-plant-names.uni-graz.at>
Citas textuales:
Cockayne, op. cit (vol. 2, págs. 345 y 353).

Capítulo 26: De perfumes cítricos ancestrales

Cítricos y cidros: biología y enredos:

Barbhuiya, A. R., Khan, M. L. y Dayanandan, S., «Genetic structure and diversity of natural and domesticated populations of *Citrus medica* L. in the Eastern Himalayan region of Northeast India», *Ecology and Evolution*, 6, núm. 12 (2016), pp. 3898– 3911 [doi: 10.1002/ece3.2174]
Gmitter, F. G. (Jr) y X. Hu, «The Possible Role of Yunnan, China, in the Origin of Contemporary *Citrus* Species (Rutaceae)», *Economic Botany*, 44, núm. 2 (1990), pp. 267-277.
Talon, M., Caruso, M. Y Gmitter, Jr., F. G. (Eds), *The Genus Citrus*, Woodhead Publishing, Elsevier. 2020 [https://doi.org/10.1016/C2016-0-02375-6]
Wu, G. A. et al., «Genomics of the origin and evolution of *Citrus*», *Nature*, 554 (2018), p. 311.
Yang , X. et al, «Genetic diversity and phylogenetic relationships of citron (*Citrus medica* L.) and its relatives in southwest China», *Tree Genetics & Genomes* (2015) 11: 129 DOI 10.1007/s11295-015-0955-x.

Del cidro en el Mediterráneo:

Álvarez Arias, B. y Ramón-Laca, L., «Pharmacological properties of citrus and their ancient and medieval uses in the Mediterranean region», Amigues, S., «Végétaux et aromates de l'Orient dans le monde antique», *Topoi*, 12-13, núm. 1 (2005), pp. 359-383 [doi : 10.3406/topoi.2005.2015]
Andrews, A. C., «Acclimatization of *Citrus* Fruits in the Mediterranean Region», *Agricultural History*, 35, núm. 1 (1961), pp. 35-46.
Attlee, H., *The Land where Lemons Grow. The Story of Italy and Its Citrus Fruits*, Penguin Books, 2015.
Klein, J., «Citron Cultivation, Production and Uses in the Mediterranean Region», en Yaniv, Z. y Dudai, N. (Eds), *Medicinal and Aromatic Plants of the Middle-East*, Springer, 2014.

Mabberley, D. J., «*Citrus* (Rutaceae): A Review of Recent Advances in Etymology, Systematics and Medical Applications», *Blumea*, 49 (2004), pp. 49: 481–498.

Ramón-Laca, L., «The Introduction of Cultivated Citrus to Europe via Northern Africa and the Iberian Peninsula», *Economic Botany*, 57, núm. 4 (2003), pp. 502-514.

Ramón-Laca Menéndez de Luarca, L. y Fernández González, F., «El tratado sobre los cítricos de Nicolás Monardes», *Asclepio*, 54, núm. 2 (2002), pp. 149-164.

Zech-Matterne, V. y Fiorentino, G. (Dir.), *AGRUMED: Archaeology and History of Citrus fruit in the Mediterranean. Acclimatization, diversifications, uses*, Nápoles, Collection du Centre Jean Bérard, 2017.

Cidros en Irán y en China:

Jafarpour, M. et al., «Effect of a traditional syrup from *Citrus medica* L. fruit juice on migraine headache: A randomized double blind placebo controlled clinical trial», *Journal of Ethnopharmacology*, 179 (2016), pp. 170-176.

Simoons, F. J., *Food in China: A Cultural and Historical Inquiry*, CRC Press, 1991.

Cidros y gastronomía:

Briganda, J.-P., y Nahon, P., «Gastronomy and the citron tree (*Citrus medica* L.)», *International Journal of Gastronomy and Food Science*, 3 (2016), pp. 12-16.

Web del *Consorcio del Cedro di Calabria* [consultada el 13/01/2021], en el portal <http://www.cedrodicalabria.it/ricette.html>

Del cidro y su relación con el judaísmo:

Ben-Sasson, R., «Botanics and Iconography Images of the Lulav and the Etrog», *Ars Judaica: The Bar-Ilan Journal of Jewish Art*, 8 (2012), pp. 7-22.

Isaac, E., «The Citron in the Mediterranean: A Study in Religious Influences», *Economic Geography*, 35, núm. 1 (1959), pp. 71-78.

Langgut, D., «Prestigious fruit trees in ancient Israel: first palynological evidence for growing *Juglans regia* and *Citrus medica*», *Israel Journal of Plant Sciences*, (2014) [DOI: 10.1080/07929978.2014.950067]

Moster, D. Z., *Etrog: How A Chinese Fruit Became a Jewish Symbol*, Palgrave Pivot, 2018.

Nicolosi, E. et al, «The Search for the Authentic Citron (*Citrus medica* L.): Historic and Genetic Analysis», *HortScience*, 40, núm. 7 (2005), pp. 1963–1968.

Ofir Shemesh, A., «The Fingered Citron and the Dibdib Citron for the Ritual of the Four Species in Medieval and Modern Literature», *The Torah u-Madda Journal*, 16 (2012-13), pp. 173-185.

Schaffer, A., «The Agricultural and Ecological Symbolism of the Four Species of Sukkot», *Tradition: A Journal of Orthodox Jewish Thought*, 20, núm. 2 (1982), pp. 128-140.

Citas textuales:

Chancillería de Granada, *Ordenanzas que los muy ilustres y muy magnificos señores Granada mandaron guardar para la buena gouernacion de su Republica, impressas año de 1552 (...)*, en la Imprenta Real de Francisco Ochoa, 1672.

Martínez Montiño, F., *Arte de Cozina, pasteleria, vizcocheria y conserueria*, Madrid, Luis Sánchez, 1611.

Ofir Shemesh, op. cit.

Teofrasto, op. cit. (ver Bibliografía general; traducción propia).

Capítulo 27: Las semillas que sabían valorar tesoros

Del algarrobo mediterráneo (*Ceratonia siliqua*):

Jahns, S., «A late Holocene pollen diagram from the Megaris, Greece, giving possible evidence for cultivation of *Ceratonia siliqua* L. during the last 2000 years», *Veget Hist Archaeobot* (2003) 12:127–130 [DOI 10.1007/s00334-003-0013-8]

Ramón-Laca, L. y Mabberley, D., «The ecological status of the carob-tree (*Ceratonia siliqua*, Leguminosae) in the Mediterranean», *Botanical Journal of the Linnean Society*, 144 (2004), pp. 431–436.

De dulces de algarroba:

Anon., «Melassa di carruba - Arca del Gusto», en la *Fondazione Slow Food per la Biodiversità* a través del portal <https://www.fondazioneslowfood.com/it/arca-del-gusto-slow-food/melassa-di-carruba/>

Papaefstathiou, E., Agapiou, A., Giannopoulos, S. y Kokkinofta, R., «Nutritional characterization of carobs and traditional carob products», *Food Sci Nutr*, 6 (2018), pp. 2151–2161

Vella, L. , «Using Nature's discarded Bounty: making home-made Carob Syrup», [entrada del 3 de agosto 2016], del blog *The Malta Photoblog* [Accedido 17.01.2021]. (¡Gracias, Eduardo!)

Quilates: helados y gomina:

Roia, Jr., F. C., «The Use of Plants in Hair and Scalp Preparations», *Economic Botany*, 20, núm. 1 (1966), pp. 17-30

Quilates, pesos y monedas...

Grierson, P., «The Monetary Reforms of 'Abd al-Malik: Their Metrological Basis and Their Financial Repercussions», *Journal of the Economic and Social History of the Orient*, 3, núm. 3 (1906), pp. 241-264

De los algarrobos *Prosopis*:

Beresford-Jones, D. G. , Arce T., S., Whaley, O. Q. y Chepstow-Lusty, A. J., «The role of *Prosopis* in ecological and landscape change in the Samaca Basin, Lower Ica Valley, south coast Perú from the Early Horizon to the Late Intermediate Period», *Latin American Antiquity*, 20, núm. 2 (2009), pp. 303—332 [doi:10.1017/S1045663500002650]

Capparelli, A., «Los productos alimenticios derivados de *Prosopis chilensis* (Mol.) Stuntz y *P. flexuosa* DC., Fabaceae, en la vida cotidiana de los habitantes del NOA y su paralelismo con el algarrobo europeo», *Kurtziana*, 3, núm. 1 (2007), pp. 1-19.

—, «Elucidating post-harvest practices involved in the processing of algarrobo (*Prosopis* spp.) for food at El Shincal Inka site (Northwest Argentina): an experimental approach based on charred remains», *Archaeol Anthropol Sci*, 2011 [DOI 10.1007/s12520-011-0061-4]

Capparelli, A. y Prates, L., «Explotación de frutos de algarrobo (Prosopis spp.) por grupos cazadores recolectores del noreste de Patagonia», *Chungara, Revista de Antropología Chilena*, 47 (2015), pp. 00-00

Duncan , N. A., Pearsall, D. M. y Benfer, Jr., R. A., «Gourd and squash artifacts yield starch grains of feasting foods from preceramic Peru», *Proc Natl Acad Sci USA*, 106, núm. 32 (2009), pp. 13202–13206.

Galera, F. M., *Los algarrobos. Las especies del género* Prosopis *(algarrobos) de América Latina con especial énfasis en aquellas de interés económico*, Córdoba - Argentina, Universidad Nacional de Córdoba, 2000.

Giovanetti, M., *El Shincal de Quimivil. La capital ceremonial Inka del Noroeste Argentino* (Colección sitios arqueológicos, n. 1), Editorial quire-quire, 2013.

Giovannetti, M. A., Lema, V. S., Bartoli, C. G. y Capparelli, A., «Starch grain characterization of *Prosopis chilensis* (Mol.) Stuntz and *P. flexuosa* DC, and the analysis of their archaeological remains in Andean South America», *Journal of Archaeological Science*, 35 (2008), pp. 2973–2985.

Lema, V., Capparelli, A. y Martínez, A., «Las vías del algarrobo: antiguas preparaciones culinarias en el noroeste argentino», en Babot, M. P., Marschoff, M. y Pazzarelli, F. (eds), *Las manos en la masa. Arqueologías, Antropologías e Historias de la Alimentación en Suramérica*, Córdoba, Universidad Nacional de Córdoba, Museo de Antropología e Instituto Superior de Estudios Sociales, 2012, pp. 639-665.

Llano, C., Ugan, A., Guerci, A. y Otaola, C., «Arqueología experimental y valoración nutricional del fruto de algarrobo (*Prosopis flexuosa*): inferencias sobre la presencia de macrorrestos en sitios arqueológicos», *Intersecciones en Antropología*, 13 (2012), pp. 513-524. 2012.

Ortiz, G., Soledad Ramos, R. y Alavar, A., «Fire, rituals and domesticity. Forest resource management in the sub-Andean region of Jujuy, Argentina (2000 BP): First anthracological evidence», *Journal of Anthropological Archaeology*, 47 (2017), pp. 96–108.

Paván, M. F. et al, «Tintes naturales vegetales en el paraje del Desmonte, Reserva Cultural-Natural Cerro Colorado, Córdoba (Argentina)», *Bonplandia*, 26, núm. 2 (2017), pp. 103-113.

De la Fiesta del Chiqui:

Gentile, M., «Chiqui: etnohistoria de una creencia andina en el Noroeste Argentino», *Bulletin de l'Institut Français d'Études Andines*, 30, núm. 1 (2001), pp. 27-102.

Karlovich, A., «El canto del chiqui: texto y contexto», *Guaca*, 1, núm. 2 (2005), pp. 21-32.

Del algarrobo *Hymenaea courbaril* & *Samanea saman*:

Fernández et al., *Plantas comestibles de Centroamérica, Santo Domingo de Heredia*, Costa Rica: Instituto Nacional de Biodiversidad, INBio, 2009.

Alzate Tamayo, L. M., Arteaga González, D. M. y Jaramillo Garcés, Y., «Propiedades farmacológicas del Algarrobo (*Hymenaea courbaril* Linneaus) de interés para la industria de alimentos», *Revista Lasallista de investigación*, 5, núm. 2 (2008), pp. 100-111 (este artículo tiene fallos taxonómicos gordísimos, pero es válido para reiterar la asociación entre el nombre común «algarrobo» y Colombia).

Condit, R., Pérez, R. y Daguerre, N., *Trees of Panama and Costa Rica*, Princeton University Press, 2011.

AA.VV., Red iNaturalista de Colombia. Disponible https://colombia.inaturalist.org

AA.VV., Herbario Amazónico Colombiano Virtual, https://sinchi.org.co/coah

Citas textuales:

Gentile, op. cit.

Sobre la autora

Aina S. Erice (Palma, 1985) es bióloga de formación y escritora&divulgadora de vocación. No cree en la división entre «ciencias» y «letras», y por eso le apasiona descubrir y compartir historias de relaciones entre la humanidad y el reino vegetal desde una perspectiva interdisciplinar, con una mirada tan curiosa como apasionada.

Licenciada y Máster en Biología de las Plantas en Condiciones Mediterráneas, ha dedicado los últimos diez años a investigar y divulgar sobre etnobotánica en sentido amplio, a través de libros, artículos y su pódcast *La senda de las plantas perdidas*.

Este es su cuarto libro en español, tras publicar los ensayos *La invención del reino vegetal* y *El libro de las plantas olvidadas* (Ariel), y el álbum ilustrado infantil *Cuéntame, Sésamo: 9 historias sobre los poderes mágicos y reales de las plantas* (A fin de cuentos).

Admira la investigación rigurosa y autocrítica, disfruta del buen café (y té *chai*), devora con gusto grandes cantidades de libros y se escapa a bosques y jardines, cámara en mano, siempre que tiene la ocasión.

Puedes encontrarla en https://ainaserice.com, seguirla en redes sociales (@ainaserice en Instagram y Facebook), o apoyar su labor a través de Patreon (https://patreon.com/ainaserice).

Índice

Y. que la clorofila te acompañe

Lightning Source UK Ltd.
Milton Keynes UK
UKHW012235140122
397175UK00010B/437/J